新・明解
C言語
中級編
第2版

柴田望洋
BohYoh Shibata

SB Creative

はじめに

こんにちは。

本書『新・明解C言語 中級編』は、入門書による学習が終わって、より本格的な**プログラミング力**を身につけようとされている方々を対象としたテキストです。

C言語プログラミングの初心者を卒業して、**中級者への道を着実に歩んでいける**ように、作って楽しくて、動かしても楽しい、数多くのプログラムに触れながら、学習を進めていく構成です。

題材として取り上げるプログラムは、次のようなものです：

- 数当てゲーム
- 視野拡大を兼ねた暗算トレーニング
- 文字の消去・移動（テロップ表示など）
- じゃんけんゲーム
- マスターマインド
- 記憶力トレーニング
- カレンダー表示
- タイピング練習
- 英単語学習ソフト etc...

いずれもコンパクトなプログラムばかりです。そのため、

『こんなに短いのに、これほど面白いプログラムとなるのか!!』

と驚かれることでしょう。

もちろん、ただ楽しく面白いばかりではありません。どのプログラムも、実用的なテクニックを含んでいます。たとえば、**乱数の生成、配列の実用的な利用法、文字列とポインタ、コマンドライン引数、ファイル処理、可変個引数を受け取る関数の作成法、動的な記憶域の確保と解放**などです。さらに、詳細な文法規則や、数多くのライブラリの仕様や利用法などもあわせて学習していきます。

ぜひ本書を読破して、初心者からの完全卒業を目指しましょう。

2022 年 6 月

柴田 望洋

本書を読み進めるために

これまで、C言語の**初心者**をなかなか卒業できないでいる、数多くの人々に出会いました。みなさん、次のような悩みをもっていらっしゃるようです。

- 入門書のプログラムは理解できるけれど、プログラムを自分で作ることができない。

- 配列やポインタなどの文法的・表面的なことは分かるのだけれど、実際のプログラムでの応用法が分からない。

- 入社後の研修で習った基礎と、仕事で要求されるレベルとが、あまりにも違いすぎるため、とまどっている。あるいは、大学の講義で習った内容と、卒業研究のプログラム作成に要求されるもののレベルが、かけ離れている。

実は、このようなことは、ある意味では仕方ないことなのです。というのも、プログラミング言語学習の初期段階では、**言語**そのものに関する基礎的な学習が不可欠であるため、言語を活用した**プログラミング**には、なかなか手がまわらないからです。

もちろん、言語とプログラミングは、完全に二分されるものではありません。しかし、初心者が、これらを同時並行的に学習しようとすると、覚えるべきことや身につけるべきことが、あまりにも多くなってしまいます。そのため、学び始めの頃は、**言語**に重きが置かれることになりますし、多くの入門書がそのような構成となっています。

本書の構成は、通常のテキストとは異なります。各章は、『配列』とか『ポインタ』といったタイトルではなく、次のようになっています。

第 1 章　数当てゲーム
第 2 章　表示に凝ろう
第 3 章　じゃんけんゲーム
第 4 章　マスターマインド
第 5 章　記憶力トレーニング
第 6 章　カレンダー
第 7 章　右脳トレーニング
第 8 章　タイピング練習
第 9 章　ファイル処理
第 10 章　英単語学習ソフト

すべての章で『**プログラム開発**』を行います。その開発の過程で、必要となる文法事項やライブラリ関数、アルゴリズムやプログラミングを学習していきます。

なお、学習するプログラムリストは全部で**118**編です。

　学習がスムーズに進むように工夫した、分かりやすい図表 **152 点**をふんだんに示しています
ので、安心してください。

＊

本書を読み進める前に、次の点をおさえておきましょう。

▪ 前提とする知識や難易度について

　本書は、『新・明解C言語シリーズ』の『入門編』に続く2冊目に位置するテキストです。
ただし、『入門編』で学習ずみの項目についても、復習を兼ねて学習していきます。

> ▶　学習する内容やレベルが、『入門編』や3冊目に位置する『実践編』と、一部重複しています。そ
> のため、本シリーズの『入門編』以外の入門用テキストで学習をされた読者の方々にも安心してお読
> みいただけます。

▪ 標準ライブラリ関数の解説について

　本書では、*random* 関数、*srand* 関数、*fopen* 関数などの、数多くのC言語の標準ライブラ
リ関数の仕様や使い方を学習します（関数形式マクロを含めて全部で 58 個です）。

　これらの関数の解説は、標準Cの JIS 規格の文書をベースとして、若干の書きかえを行った
ものです。規格の厳密な仕様を伝えるために、やや硬い表現となっています。

▪ 数字文字ゼロの表記について

　数字のゼロは、中に斜線が入った文字 "**Ø**" で表記して、アルファベット大文字の "**O**"（オー）と
区別しやすくしています（ただし、章節と図表の番号や年月表記などを除きます）。

> ▶　なお、数字の 1（いち）、小文字の l（エル）、大文字の I（アイ）、記号文字の |（たてせん）も、識別しやすい文字を使って表記して
> います。

▪ ソースプログラムについて

　本書に示すソースプログラムは、以下のサイトからダウンロードできます。ご活用いただけ
ると幸いです。

柴田望洋後援会オフィシャルホームページ　https://www.bohyoh.com/

▪ 索引について

　私の他の本と同様に、充実した索引を用意しています（pp.345 〜 355）。たとえば、『ポイ
ンタの配列』は "ポインタ 〜の配列" と "配列 ポインタの〜" の両方で引けます。

> ▶　本書で学習する標準ライブラリのマクロ・型・関数を調べるための、独立したヘッダ別・種別の索
> 引も用意しています（pp.356 〜 357）。
> 　上記のサイトでは、『索引』の PDF もダウンロードできます。おもちのプリンタで印刷しておけば、
> 本書内の調べものがスムーズに行えるようになります（本文と索引を行き来するためにページをめく
> らなくてすみます）。

目次

第4章　マスターマインド　　　101

第5章　記憶力トレーニング　　　121

第6章　カレンダー　　　　　　　　　　　161

第9章　ファイル処理　　　　283

第 10 章　　英単語学習ソフト　　　　　　319

第1章

数当てゲーム

本章で作成するのは《数当てゲーム》のプログラムです。まず最初に、プレーヤの入力した数値と、コンピュータの用意した値とを比較するだけの試作版を作り、少しずつ機能を追加していきます。

この章で学ぶおもなこと

- if 文の構造／効率／可読性
- do 文（後判定繰返し）
- while 文（前判定繰返し）
- for 文（前判定繰返し）
- break 文
- 等価演算子と関係演算子
- 論理演算子
- 増分演算子（前置／後置）
- 減分演算子（前置／後置）
- sizeof 演算子
- 式の評価
- ド・モルガンの法則

- 乱数の生成と種の変更
- オブジェクト形式マクロ
- 配列
- 可変長配列
- 配列の走査
- 配列要素の初期化
- 要素指示子
- 配列の要素数の設定と取得
- rand 関数
- srand 関数
- RAND_MAX

1-1　数当ての判定

　本章では、《数当てゲーム》のプログラムを作成します。まず最初に作るのは、プレーヤが
キーボードから打ち込んだ数値と、コンピュータが用意した"当てさせる数"との大小関係の判定
結果を表示する試作版です。

▢ if 文による分岐

　List 1-1 に示すプログラムは、試作版の《数当てゲーム》です。

　まずは実行しましょう。∅～9の数値を当てるように促されますので、キーボードから適当な
整数値を打ち込みます。そうすると、"読み込んだ数値"と"当てさせる数"とを比較した結果
が表示されます。

List 1-1	chap∅1/kazuate1.c

```
// 数当てゲーム（その１：試作版）

#include <stdio.h>

int main(void)
{
    printf("∅～9の整数を当てよう!!\n\n");

    int ans = 7;      // 当てさせる数
    int no;           // 読み込んだ値

    printf("いくつかな：");
    scanf("%d", &no);

    if (no > ans)
        printf("もっと小さいよ。\a\n");
    else if (no < ans)
        printf("もっと大きいよ。\a\n");
    else
        printf("正解です。\n");

    return ∅;
}
```

```
                  実行例
          ∅～9の整数を当てよう!!

     ① いくつかな：9⏎
        もっと小さいよ。♪

     ② いくつかな：5⏎
        もっと大きいよ。♪

     ③ いくつかな：7⏎
        正解です。
```

← if 文

　本ゲームの"当てさせる数"は 7 であり、変数 **ans** に格納されています。そして、もう一つ
の変数 **no** が、キーボードから読み込んだ数値を格納する変数です。

　水色の **if** 文に着目しましょう。右ページの **Fig.1-1** に示すように、二つの変数 **no** と **ans** の
値の大小関係を判定した結果に応じて、『もっと小さいよ。』『もっと大きいよ。』『正解です。』
のいずれかを表示します。

　出力する文字列には、2種類の**拡張表記**が含まれています。**\n** は**改行**で、**\a** は**警報**です。
警報を出力すると、ほとんどの環境では**ビープ音**が鳴るため、本書の実行例では、♪記号で
表します。

　▶ 日本のパソコンの多くで使われる **JIS コード**（p.72）では、逆斜線 \ の代わりに円記号 ¥ を使い
　　ますので、必要に応じて読みかえましょう。なお、拡張表記の詳細は、第 2 章で学習します。

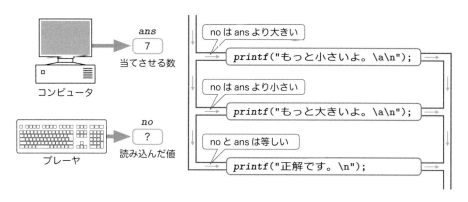

Fig.1-1 if 文によるプログラムの流れの分岐

入れ子になった if 文

二つの変数 *no* と *ans* の大小関係を判定する **if 文**の構造を理解していきましょう。if 文は、**制御式**と呼ばれる**式**を**評価**（**Column 1-1**：p.6）した結果に応じてプログラムの流れを分岐する**文**です。

その構文は、右に示す二つの形式のいずれかです。

▶ （ ）の中に置かれた**式**が制御式です。

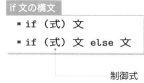

さて、本プログラムの if 文は、次の形をしています。

　if（式）文 else if（式）文 else 文

もっとも、プログラムの流れを三つに分岐させるために、特別な構文が用意されているのではありません。名前が示すとおり、if 文は**一種の文**ですから、else が制御する文は if 文でもよいわけです。

Fig.1-2 に示すように、if 文の中に if 文が入る《入れ子》の構造となっているのです。

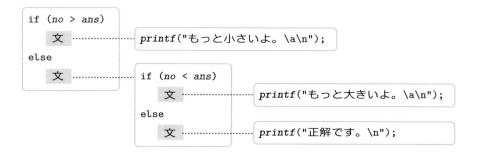

Fig.1-2 入れ子になった if 文

多分岐の実現法

本プログラムのif文（右下の圏）と同じ動作のまま書きかえたのが、圏と圏のコードです。

これら三つを比較・検討して、if文について、さらに奥深く理解していきます。

▪ コード圏

最後のelseの後ろに水色の部分が追加されています。ここにプログラムの流れが到達するのは、二つの判定 `no > ans` と `no < ans` の両方が成立しない場合、すなわち、`no` と `ans` が等しい場合のみです。

必ず成立する `no == ans` が、わざわざ判定されてしまいます。このような無駄な判定は、実行効率の低下にもつながります。

▪ コード圏

独立した三つのif文が並んだ構造です。

変数 `no` と `ans` の大小関係とは無関係に、三つの条件判定がすべて行われます。

圏 オリジナルのif文

```
if (no > ans)
    printf("もっと小さいよ。\a\n");
else if (no < ans)
    printf("もっと大きいよ。\a\n");
else
    printf("正解です。\n");
```

圏 最後のelseにif (no == ans)を追加

```
if (no > ans)
    printf("もっと小さいよ。\a\n");
else if (no < ans)
    printf("もっと大きいよ。\a\n");
else if (no == ans)
    printf("正解です。\n");
```

圏 独立した三つのif文の並び

```
if (no > ans)
    printf("もっと小さいよ。\a\n");
if (no < ans)
    printf("もっと大きいよ。\a\n");
if (no == ans)
    printf("正解です。\n");
```

これらのコードにおいて、どの判定が行われる（どの制御式が評価される）のかを確認しましょう。変数 `no` と `ans` の大小関係別に、行われる判定をまとめたのが、**Table 1-1** です。

Table 1-1　三つのコードで行われる判定

	noがansより大きい場合	noがansより小さい場合	noとansが等しい場合
圏	①	① ②	① ②
圏	①	① ②	① ② ③
圏	① ② ③	① ② ③	① ② ③

```
① no > ans の判定
② no < ans の判定
③ no == ans の判定
```

まずは、左端の『`no` が `ans` より大きい場合』の列に着目します。圏と圏のコードでは、最初の①の `no > ans` の判定だけが行われます。

▶ `no` が `ans` より大きければ、`printf("もっと小さいよ。\a\n");` の文の実行が完了した段階で、if文全体の実行を終了するからです。

圏は、独立したif文が三つ並んだ構造であるため、①の `no > ans` と、②の `no < ans` と、③の `no == ans` の判定がすべて行われます。最も効率の悪い実現法です。

表が示すように、どの条件においても判定回数が少ないのが、Ａの if 文です。

Ａの if 文が優れているのは、判定回数が少ないことだけではありません。そのことを理解するために、**Fig.1-3** を考えていきます。

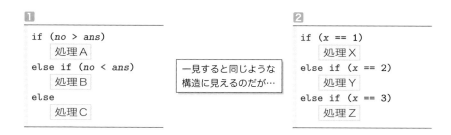

Fig.1-3 似ているようでまったく異なる if 文による分岐

☐ **1** の if 文

この if 文は、Ａの if 文であり、プログラムの流れが三つに分岐します。〔処理Ａ〕〔処理Ｂ〕〔処理Ｃ〕のいずれか一つだけが実行されます。

▶ いずれの処理も実行されない、あるいは、二つ以上の処理が実行される、ということはありません。

☐ **2** の if 文

変数 x の値に応じて分岐する if 文です。

〔処理Ｘ〕〔処理Ｙ〕〔処理Ｚ〕のいずれか一つが実行されるように見えますが、実際は、変数 x の値が 1、2、3 以外であれば、**どの処理も行われません。**

Fig.1-4 に示すように、プログラムの流れが実質的に四つに分岐するからです。

構造が **1** の if 文とは**まったく異なる**ため、末尾に置かれた判定 if (x == 3) は省略できません。

▶ もし省略すると、x の値が 3 でなく 4 や 5 であっても〔処理Ｚ〕が実行されてしまうからです。

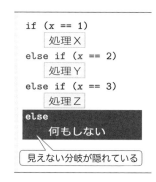

Fig.1-4 コード**2**の正体

*

1 の構造をもつＡの if 文は、最後の else の後に if がありません。そのため、パッと見ただけで、**それ以上の分岐をもたない**ことが分かります。

プログラムの読みやすさという点でも、最後の else の後に、no == ans の無駄な判定が置かれている<u>Ｂ</u>よりも、Ａのほうが優れています。

▶ 左ページでは、no == ans の判定が追加された<u>Ｂ</u>は、効率の低下につながると学習しました。
ただし、この判定は、コンパイラの最適化技術によって内部的に除去され、Ａと同等のコードが生成されるのが一般的です。実行効率のことを気にする必要性は意外と低いことも知っておきましょう。

Column 1-1	式と評価

▪ 式とは

プログラミングの世界では、**式**（expression）という用語が頻繁に利用されます。厳密な定義ではありませんが、**式**は、次の三つの総称です。

▪ 変数　　　　▪ 定数　　　　　▪ 変数や定数を演算子で結合したもの

たとえば、

　　$n + 52$

を考えましょう。変数 n は式であり、定数 52 も式です。さらに、それら二つの式を + 演算子で結合した $n + 52$ も式です。また、

　　$a = b - 5$

では、a、b、5、$b - 5$、$a = b - 5$ のいずれもが式です。

　※　演算子 - に着目すると、左オペランドは式 b で、右オペランドは式 5 です。

　　　演算子 = に着目すると、左オペランドは式 a で、右オペランドは式 $b - 5$ です。

一般に、○○演算子で結合された式は、○○式と呼ばれます。そのため、代入演算子で結合された式の名称は、**代入式**（assignment expression）です。

▪ 式の評価

式には、（ごく一部の例外を除くと）**値**があります。その値は、プログラム実行時に調べられます。

式の値を調べることを**評価**（evaluation）といいます。**各式が次々と評価されることによって、プログラムが実行される**のです。

評価のイメージの具体例を、**Fig.1C-1** に示しています（この図は、**int** 型の変数 n の値が 135 であるとしています）。

左側の小さな文字が**型**で、右側の大きな文字が**値**です。変数 n の値が 135 ですから、n、52、$n + 52$ の各式を評価した値は 135、52、187 となります。もちろん、三つの値の型はいずれも **int** 型です。

※　特別な型である **void** 型の式だけは、例外的に値がありません。

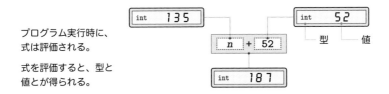

プログラム実行時に、
式は評価される。

式を評価すると、型と
値とが得られる。

Fig.1C-1 式の評価（int 型 + int 型）

List 1-1（p.2）の **if** 文の最初の制御式は **no > ans** でした。もし変数 **no** に読み込まれた値が 5 であれば、式の評価は、右ページの **Fig.1C-2** のようになります。

関係演算子は、二つのオペランドの値（評価結果）の大小関係を判定します（p.9）。この場合、判定が成立しませんので、式 **no > ans** を評価して得られるのは、**偽**を表す "**int** 型の **0**" です。

※　真と偽については、**Column 1-4**（p.20）でもあらためて学習します。

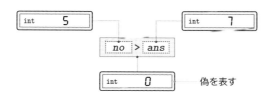

Fig.1C-2 式の評価（int 型 > int 型）

ただし、*no* の値が 7 より大きければ、評価で得られるのは、**真**を表す "int 型の 1" です。

＊

演算の対象となる左右のオペランドの型が int 型で、評価によって得られる型も int 型である例を考えてきました。関係演算子は、オペランドの型が int 型でなくても、int 型を生成します。

その例を示したのが **Fig.1C-3** です。double 型の 7.5 と 8.4 を比較する式 7.5 < 8.4 の評価で得られるのは、**真**を表す "int 型の 1" です。

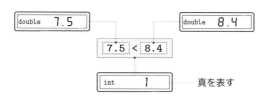

Fig.1C-3 式の評価（double 型 < double 型）

演算の対象となるオペランドの型が同じとは限りません。int 型の 15 あるいは double 型の 15.0 を、int 型の 2 または double 型の 2.0 で割る演算の例を示したのが **Fig.1C-4** です（この図では、左右のオペランドの評価の図は省略しています）。少なくとも一方のオペランドが double 型であれば、演算結果は double 型となり、両方のオペランドが int 型のときのみ、演算結果も int 型となります。

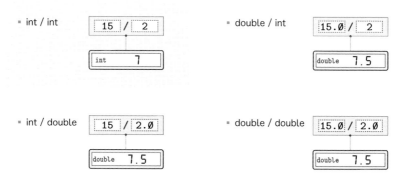

Fig.1C-4 式の評価（int 型と double 型の除算）

1-2　当たるまでの繰返し

> プレーヤの数値入力が1回だけに限られている《数当てゲーム》は、まったく楽しくありません。
> 正解するまで繰り返し入力できるように改良しましょう。

■ do文による繰返し

プレーヤが数値を入力できるのが1回に限られていては、正解するまでプログラムを何度も起動し直さなければなりません。楽しくないばかりか、手間がかかって面倒です。

正解するまで繰り返し入力できるように改良しましょう。**List 1-2** に示すのが、そのプログラムです。

List 1-2　　　　　　　　　　　　　　　　　　　　　　　　chap01/kazuate2.c

```c
// 数当てゲーム（その2：当たるまで繰り返す：do文を利用）

#include <stdio.h>

int main(void)
{
    printf("0〜9の整数を当てよう!!\n\n");

    int ans = 7;    // 当てさせる数
    int no;         // 読み込んだ値

    do {
        printf("いくつかな：");
        scanf("%d", &no);

        if (no > ans)
            printf("もっと小さいよ。\a\n");
        else if (no < ans)
            printf("もっと大きいよ。\a\n");
    } while (no != ans);    // 当たるまで繰り返す

    printf("正解です。\n");

    return 0;
}
```

実行例
```
0〜9の整数を当てよう!!

いくつかな：6⏎
もっと大きいよ。♪
いくつかな：8⏎
もっと小さいよ。♪
いくつかな：7⏎
正解です。
```

— do文

List 1-1 の if 文の後半が削られて、主要部の大部分が水色で示す **do文** に変更されています。

右の構文をもつ do 文は、**後判定繰返し**（p.11）によって、プログラムの流れを繰り返す文です。

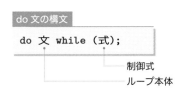

do文の構文
do 文 while (式);
　　　　　　　　　　制御式
　　　　　　　　　　ループ本体

> ▶ 既に学習した if 文や、後で学習する while 文や for 文などとは異なり、末尾がセミコロン ; となっています。

なお、do と while とで囲まれた**文**は**ループ本体**と呼ばれます。そのループ本体は、( ) の中に置かれた**式**＝**制御式**を評価した値が 0 でない限り何度も繰り返し実行されます。

繰返しが終了するのは、制御式を評価した値が 0 になったときです。

本プログラムの do 文による繰返しの様子を、**Fig.1-5** を見ながら理解しましょう。

do 文の制御式 *no* != *ans* で使われている演算子 != は、左右のオペランドの値が**等しくない**かどうかを判定します。なお、この演算子が生成するのは、判定が成立すれば int 型の 1 で、成立しなければ int 型の 0 です。

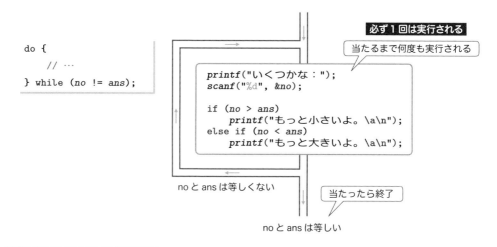

Fig.1-5 do 文によるプログラムの流れの繰返し

読み込んだ数値 *no* が、当てさせる数 *ans* と等しくなければ、制御式 *no* != *ans* の評価で得られる値は 1 です。do 文による繰返しが行われて、{ } で囲まれたブロックであるループ本体が再び実行されます。

当てさせる数 *ans* と同じ値が *no* に読み込まれると、制御式を評価した値が 0 となって do 文の実行が終わります。画面に『正解です。』と表示して、プログラムは終了します。

▶ 数値を入力すべきときに、アルファベットなどの文字を打ち込むと**大変なこと**が発生しますので、注意が必要です（**Column 1-3**：p.17）。

等価演算子と関係演算子

等価演算子（equality operator）と**関係演算子**（relational operator）は、判定条件が成立すれば int 型の 1 を、成立しなければ int 型の 0 を生成します。

▶ int 型の 1 は "**真**" を表して、int 型の 0 は "**偽**" を表します（p.20）。

▪ **等価演算子 == !=**
左右のオペランドが等しいか／等しくないかを判定します。

▪ **関係演算子 < > <= >=**
左右のオペランドの大小関係を判定します。

while 文による繰返し

do 文と対照的な while 文を利用して、前のプログラムを書きかえてみましょう。それが、List 1-3 に示すプログラムです。

List 1-3   chap01/kazuate2while.c

```c
// 数当てゲーム（その２［別解］：当たるまで繰り返す：while文を利用）
#include <stdio.h>

int main(void)
{
    printf("0〜9の整数を当てよう!!\n\n");

    int ans = 7;      // 当てさせる数
    int no;           // 読み込んだ値

    while (1) {
        printf("いくつかな：");
        scanf("%d", &no);

        if (no > ans)
            printf("もっと小さいよ。\a\n");      ← while 文
        else if (no < ans)
            printf("もっと大きいよ。\a\n");
        else
            break;                              ← break 文
    }

    printf("正解です。\n");

    return 0;
}
```

実 行 例

0〜9の整数を当てよう!!

いくつかな：6⏎
もっと大きいよ。♪
いくつかな：8⏎
もっと小さいよ。♪
いくつかな：7⏎
正解です。

右に示すのが while 文の構文です。while 文は、（ ）の中に置かれた**制御式**の評価で得られた値が **0** でない限り、文（ループ本体）を実行します。ただし、評価で得られた値が **0** になったら繰返しは終了です。

while 文の構文

while （式） 文

ループ本体
制御式

本プログラムの while 文の制御式は真を意味する **1** ですから、**繰返しは永遠に行われます**。このような繰返しは、一般に**無限ループ**と呼ばれます。

break 文

ただ繰り返すばかりでは、いつまでもプログラムが終わりません。繰返し文を強制的に抜け出すために利用しているのが、**break 文**です。*no* と *ans* が等しければ、**break 文**が実行されて while 文による繰返しが強制的に**中断**されて終了します。

> ▶ **break 文**は、『ある条件が成立したときに、繰返し文を強制的に終了しなければならない。』といった状況で利用するものです。この《数当てゲーム》の繰返しは単純な構造ですから、前のプログラムのように、do 文で（break 文を使わずに）実現すべきです。

前判定繰返しと後判定繰返し

繰返しは、処理を続けるかどうかの判断のタイミングによって、2種類に分類されます。

前判定繰返し（while 文と for 文）

処理を続ける（ループ本体を実行する）かどうかの判定を、ループ本体を実行する前に行います。ループ本体が1回も実行されないことがあります。

後判定繰返し（do 文）

処理を続ける（ループ本体を実行する）かどうかの判定を、ループ本体を実行した後に行います。ループ本体は、少なくとも1回は実行されます。

Column 1-2	while 文と do 文の表記

do 文と while 文の両方にキーワード while が含まれています。そのため、プログラム中の while が、『do 文の一部』なのか『while 文の一部』なのかが見分けづらくなりがちです。

そのことを、**Fig.1C-5** で考えましょう。

a do文のループ本体は単一の文

```
x = 0;
do
    x++;
while (x < 5);
while (x >= 0)
    printf("%d ", --x);
```

do 文のループ本体を { } で囲んでブロックにする

b do文のループ本体は複合文

```
x = 0;
do {
    x++;
} while (x < 5);
while (x >= 0)
    printf("%d ", --x);
```

2個の while が、
- do 文の while なのか
- while 文の while なのか
が見分けにくい

行の先頭で do 文と while 文を見分ける
- 先頭が } であれば do 文
- 先頭が } でなければ while 文

Fig.1C-5 do 文と while 文の表記

これら二つのプログラムは、表記のスタイルが違うだけで同じものです。いずれのプログラムも、最初の while は『do 文の一部』であり、2番目の while は『while 文の一部』です。

図**a**は、『do 文の while』の真下に、『while 文の while』が位置しています。

一方、do 文のループ本体を { } で囲んで複合文＝ブロックにした図**b**では、行の先頭が } であるかどうかで、do 文と while 文の見分けが付くようになっています。

このように、do 文では、ループ本体がたとえ単一の文であっても、あえてブロックにしたほうが読みやすくなります。

1-3 当てさせる数をランダムに

　ここまでの《数当てゲーム》は "当てさせる数" がプログラム中に定数として埋め込まれており、正解があらかじめ分かっていました。この値が自動的に変わるようにして、ゲームとしての楽しさをアップさせましょう。

■ rand 関数：乱数の生成

　ゲームのたびに "当てさせる数" を変えるには、いわゆる乱数（らんすう）が必要です。乱数の生成は、**<stdlib.h>** ヘッダで提供される **rand** 関数で行います。

rand	
ヘッダ	#include <stdlib.h>
形　式	int rand(void);
機　能	Ø 以上 RAND_MAX 以下の範囲の擬似乱数整数列を計算する。 なお、他のライブラリ関数は、本関数を呼び出さないかのように動作する。
返却値	生成した擬似乱数整数を返す。

　この関数が生成して返却するのは、**int** 型の整数の乱数です。その最小値が Ø であることは、全処理系で共通です。ただし、最大値は処理系に依存するため、**<stdlib.h>** ヘッダの中で **RAND_MAX** という名前の**オブジェクト形式マクロ**（object-like macro）として定義・提供される仕組みがとられています。

　次に示すのが、**RAND_MAX** の定義の一例です。

RAND_MAX
```
#define RAND_MAX  32767      // 定義の一例：値は処理系によって異なる
```

　なお、**RAND_MAX** の値は少なくとも 32767 と規定されているため、**rand** 関数の動作イメージは **Fig.1-6** のようになります。

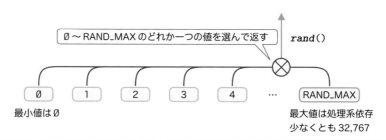

Fig.1-6 rand 関数による乱数の生成

それでは、実際に乱数を生成・表示しましょう。**List 1-4** のプログラムを実行します。

List 1-4	chap01/random1.c

```c
// 乱数を生成（その１）

#include <stdio.h>
#include <stdlib.h>

int main(void)
{
    printf("この処理系では0～%dの乱数が生成できます。\n", RAND_MAX);

    int retry;              // もう一度？

    do {
        printf("\n乱数%dを生成しました。\n", rand());

        printf("もう一度？ … （0）いいえ （1）はい：");
        scanf("%d", &retry);
    } while (retry == 1);

    return 0;
}
```

rand関数が生成する乱数の最大値

0 ～ RAND_MAX の乱数を生成して返却

まず最初に、生成できる乱数の《範囲》が表示されます。最小値は **0** であり、最大値は `RAND_MAX` の値（処理系依存の値）です。

その後、`rand()` によって返却された **0** 以上 `RAND_MAX` 以下の乱数が表示されます。

なお、もう一度行うかどうかの問いかけに対して "**(1)はい**" を選択すれば、乱数が繰り返し生成・表示されます。

プログラムを何度か実行すると、**Fig.1-7** に示すように、同じ乱数の系列が生成されます。これはおかしいですね。はたして *rand* 関数が生成する値は、本当にランダムなのでしょうか？

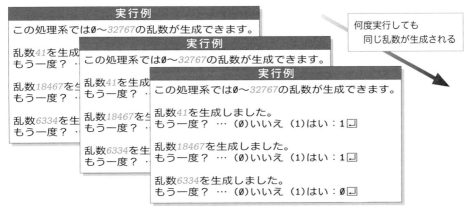

何度実行しても
同じ乱数が生成される

```
　　　　　　　　　　実行例
この処理系では0～32767の乱数が生成できます。

乱数41を生成しました。
もう一度？ … （0）いいえ （1）はい：1⏎

乱数18467を生成しました。
もう一度？ … （0）いいえ （1）はい：1⏎

乱数6334を生成しました。
もう一度？ … （0）いいえ （1）はい：0⏎
```

※ ここに示すのは一例であり、生成される値は処理系に依存します

Fig.1-7 List 1-4 の実行例

srand 関数：乱数生成のための種の設定

rand 関数は、**種**（たね）と呼ばれる基準値に演算を施して乱数を作ります。プログラム実行のたびに同じ乱数の系列が生成されるのは、**rand** 関数中に種として定数値 1 が埋め込まれているからです。異なる系列の乱数を生成するには、種の値を変えなければなりません。

それを行うのが、次に示す **srand** 関数です。

srand	
ヘッダ	#include <stdlib.h>
形　式	void *srand*(unsigned *seed*);
機　能	後続する *rand* 関数の呼出しで返す新しい擬似乱数列の種を *seed* に設定する。本関数を同じ種の値で呼び出すと、同じ擬似乱数列が生成される。本関数より前に *rand* 関数を呼び出した場合、本関数が最初に種の値を 1 として呼び出されたときと同じ列が生成される。なお、他のライブラリ関数は、本関数を呼び出さないかのように動作する。
返却値	なし。

たとえば、**srand(50)** と呼び出すと、その後で呼び出される **rand** 関数は、新しい種 50 を利用して乱数を生成する、という仕組みです。

ある処理系で生成される乱数系列の例を **Fig.1-8** に示しています。

種が 1 のときは、最初の **rand** 関数の呼出しでは 41 が生成されて、次の呼出しでは 18467、その次は 6334、… と乱数が生成されます。

また、種が 50 であれば、201、20851、6334、… が順に生成されます。

種が 1 のとき	41 ⇨ 18467 ⇨ 6334 ⇨ 26500 ⇨ 19169 ⇨ 15724 ⇨ …

種が 50 のとき	201 ⇨ 20851 ⇨ 6334 ⇨ 29710 ⇨ 25954 ⇨ 296 ⇨ …

※ここに示すのは一例であり、生成される値は処理系に依存します

Fig.1-8 種と rand 関数が生成する乱数系列の一例

この図に示すように、いったん種の値が決まると、それ以降に生成される乱数の系列は決まってしまいます。したがって、プログラム実行のたびに異なる系列の乱数を生成するには、**種の値そのものを、定数ではなくランダムにしなければなりません。**

しかし、『乱数生成の準備のために乱数が必要』というのも、おかしな話です。

▶ **rand** 関数が生成するのは、**擬似乱数**と呼ばれる乱数です。擬似乱数は、乱数のように見えますが、ある一定の規則に基づいて生成されます。擬似乱数と呼ばれるのは、次に生成される数値の予測がつくからです。本当の乱数は、次に生成される数値の予測がつきません。

一般的に使われるのが、『**プログラム実行時の時刻を種にする**』テクニックです。その手法を利用したプログラムを **List 1-5** に示しています。

```
List 1-5                                                      chap01/random2.c
// 乱数を生成（その２：現在の時刻に基づいて乱数の種を設定）

#include <time.h>
#include <stdio.h>
#include <stdlib.h>

int main(void)
{
    srand(time(NULL));          // 現在の時刻に基づいて乱数の種を設定

    printf("この処理系では0～%dの乱数が生成できます。\n", RAND_MAX);

    int retry;                  // もう一度？

    do {
        printf("\n乱数%dを生成しました。\n", rand());

        printf("もう一度？ … (0)いいえ (1)はい：");
        scanf("%d", &retry);
    } while (retry == 1);

    return 0;
}
```

プログラムを実行しましょう。**Fig.1-9** に示すように、起動するたびに異なる乱数の系列が生成されます。これで、問題が解決しました。

▶ 現在の時刻を取得する *time* 関数の詳細は、第 6 章で詳しく学習します。それまでは、本プログラムで追加された、**<time.h> ヘッダのインクルード**と、*srand(time(NULL));* は、《決まり文句》として覚えておきます。

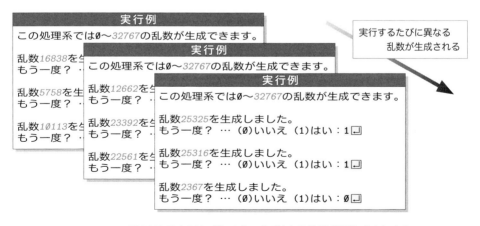

※ここに示すのは一例であり、生成される値は処理系に依存します

Fig.1-9 List 1-5 の実行例

当てさせる数をランダムにする

$rand$ 関数が生成する 0 ～ $RAND\_MAX$ は、コンピュータに都合のよい値として決められています。人間である私たちが、この範囲の乱数を必要とすることは、まずありません。

通常は、ある**特定の範囲**の乱数が必要です。もし『0 以上 10 以下』の乱数が必要であれば、次の式で求められます。

```
rand() % 11        // 0以上10以下の乱数を生成
```

非負の整数値を 11 で割った剰余（あまり）が 0、1、…、10 となることを利用します。

▶ 誤って 10 で割らないように気をつけましょう。10 で割った剰余は 0、1、…、9 となります。

乱数を生成する方法が理解できました。数当てゲームの"当てさせる数"を 0 以上 999 以下の乱数に変更しましょう。**List 1-6** に示すのが、そのプログラムです。

▶ while 文版の **List 1-3**（p.10）ではなく、do 文版の **List 1-2**（p.8）をもとにして、わずかな追加と変更を行うだけで完成します。

```
List 1-6                                          chap01/kazuate3.c
```

```c
// 数当てゲーム（その3：当てさせる数は0～999の乱数）

#include <time.h>
#include <stdio.h>
#include <stdlib.h>

int main(void)
{
    srand(time(NULL));           // 乱数の種を設定
    int ans = rand() % 1000;     // 0～999の乱数を生成
    int no;                      // 読み込んだ値

    printf("0～999の整数を当てよう!!\n\n");

    do {
        printf("いくつかな：");
        scanf("%d", &no);

        if (no > ans)
            printf("もっと小さいよ。\a\n");
        else if (no < ans)
            printf("もっと大きいよ。\a\n");
    } while (no != ans);         // 当たるまで繰り返す

    printf("正解です。\n");

    return 0;
}
```

```
実　行　例
0～999の整数を当てよう!!

いくつかな：499⏎
もっと大きいよ。🔔
いくつかな：749⏎
もっと小さいよ。🔔
いくつかな：624⏎
正解です。
```

試作版の kazuate1.c に始まって、kazuate2.c、kazuate3.c と、2～3行程度のわずかな追加と変更を繰り返すだけで、数当てゲームが完成しました。

当てさせる数がランダムになるだけで、数当てゲームは飛躍的に面白くなります。何度も実行して楽しみましょう。

水色部では、生成した乱数を 1000 で割った剰余を、変数 ans の初期値としています。

▶ 当てさせる数の範囲の変更は容易です。具体例を二つ示します。

- 当てさせる数を 1 〜 999 にする（"chap01/kazuate3a.c"）

  `int ans = 1 + rand() % 999;`   // 1 〜 999 の乱数を生成

- 当てさせる数を3桁の整数（100 〜 999）にする（"chap01/kazuate3b.c"）

  `int ans = 100 + rand() % 900;`   // 100 〜 999 の乱数を生成

ところで、平均的に**最短で当てる方法**は分かりますか。最初に 499 を入力し、それより大きいか／小さいかによって 749 あるいは 249 を入力する、といった具合で、**半分ずつに絞り込ん**でいきます。

Column 1-3   **scanf 関数利用時の注意点**

　右に示すように、数値ではなくアルファベットなどの文字を打ち込むと、表示が延々と繰り返されます（オペレーティングシステムレベルでの強制終了が必要となります）。

　scanf("%d", &no) と呼び出された *scanf* 関数は、int 型10進数の数値の読込みを期待しています。そのため、たとえば ABC といった非数値が入力されると、その ABC を読み取らずに残したまま呼出し元に戻るのです。

　その状態で再び *scanf*("%d", &no) と呼び出されると、*scanf* 関数は、残されたままの ABC を読み取ろうとします。10進整数とみなさせないため、再度 ABC を残したまま呼出し元に戻る、ということが繰り返されるのです。

> **実行例**
> 0〜999の整数を当てよう!!
>
> いくつかな：ABC⏎
> いくつかな： もっと大きいよ。♪
> いくつかな： もっと大きいよ。♪♪
> いくつかな： もっと大きいよ。♪♪♪
>
> … 以下省略 …

✎ **まとめ**

❋ **乱数生成の準備（種の設定）**

　乱数を生成する前に、現在の時刻に基づいて**種**の値を設定する。

```
#include <time.h>
#include <stdlib.h>
// …
srand(time(NULL));          // 乱数の種を設定
```

　srand 関数の呼出しは、*rand* 関数を最初に呼び出す時点よりも前に（少なくとも1回）行う。

　なお、この準備を行わなければ、種の値は 1 となるため、プログラム実行のたびに同じ系列の乱数が生成される。

❋ **乱数の生成**

　rand 関数を呼び出すと 0 〜 RAND_MAX の乱数が int 型の整数値として得られる。<stdlib.h> ヘッダで定義される RAND_MAX の値は処理系に依存するが、少なくとも 32767 であることが保証される。

　特定の範囲の乱数を得るには、次のように除算と加算を利用する。

```
    rand() % (a + 1)         // 0 以上  a    以下の乱数
  b + rand() % (a + 1)       // b 以上 b + a 以下の乱数
```

入力回数に制限を設ける

何度も入力していれば、いつかは必ず当たります。入力できる回数を最大 10 回に制限して、プレーヤに緊張感を与えるように変更したのが **List 1-7** に示すプログラムです。

```
List 1-7                                                    chap01/kazuate4.c
// 数当てゲーム（その４：入力回数に制限を設ける）

#include <time.h>
#include <stdio.h>
#include <stdlib.h>

int main(void)
{
    srand(time(NULL));          // 乱数の種を設定

    const int max_stage = 10;   // 最大入力回数
    int remain = max_stage;     // 残り何回入力できるか？

    int ans = rand() % 1000;    // 0〜999の乱数を生成
    int no;                     // 読み込んだ値

    printf("0〜999の整数を当てよう!!\n\n");

    do {
        printf("残り%d回。いくつかな：", remain);
        scanf("%d", &no);
        remain--;               // 残り回数をデクリメント

        if (no > ans)
            printf("もっと小さいよ。\a\n");
        else if (no < ans)
            printf("もっと大きいよ。\a\n");
    } while (no != ans && remain > 0);

    if (no != ans)
        printf("残念。正解は%dでした。\a\n", ans);
    else {
        printf("正解です。\n");
        printf("%d回で当たりましたね。\n", max_stage - remain);
    }

    return 0;
}
```

プレーヤが入力できる最大回数の 10 を表すのが、変数 `max_stage` です。

▶ const 付きで宣言されているため、この変数の値は書きかえられないようになっています。

もう一つの新しい変数 `remain` は、**残り何回入力できるか**を表します。もちろん、その初期値は `max_stage` すなわち 10 です。右ページ **Fig.1-10** に示すように、プレーヤが値を入力するたびに、`remain` の値を 10、9、8、… とデクリメントします（値を 1 だけ減らします）。

この値が 0 になるとゲームは終了です。そのため、do 文の繰返しの継続条件の判定として、式 `no != ans` だけでなく、水色の式 `remain > 0` が追加されています。

▶ 二つの式を結ぶ論理 AND 演算子 && は、両方のオペランドがともに非 0 である場合にのみ int 型の 1 を生成し、そうでなければ 0 を生成します。

そのため、当たった場合（図a）だけでなく、1Ø回入力しても当たらず **remain** が **Ø** になった場合（図b）も、ちゃんと繰返しは終了します。

▶ 繰返しの終了条件と && 演算子については、**Column 1-4**（次ページ）で詳しく学習します。

何回目の入力で当たったかは、**max_stage** から **remain** を引くことで得られます。たとえば、図aの例では、ゲーム終了時の **remain** の値は **7** です。そのため、**max_stage - remain** すなわち **1Ø - 7** で **3** が得られます。

▶ const 付きで宣言された max_stage の値は変更不能です。そのため、仮に remain-- とすべきところを、書き間違えて max_stage-- にしたとしても、コンパイルエラーが発生します（ミスを防げるわけです）。

a 124を当てる（3回目で正解）

実行例
```
Ø～999の整数を当てよう!!

残り1Ø回。いくつかな：499
もっと小さいよ。
残り9回。いくつかな：249
もっと小さいよ。
残り8回。いくつかな：124
正解です。
3回で当たりましたね。
```

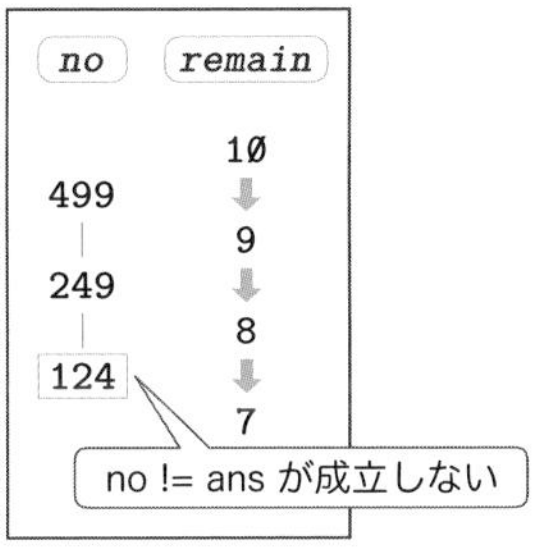

b 139を当てる（1Ø回やっても不正解）

実行例
```
Ø～999の整数を当てよう!!

残り1Ø回。いくつかな：499
もっと小さいよ。
残り9回。いくつかな：249
もっと小さいよ。
残り8回。いくつかな：124
もっと大きいよ。
残り7回。いくつかな：186
もっと小さいよ。
残り6回。いくつかな：155
もっと小さいよ。
残り5回。いくつかな：14Ø
もっと小さいよ。
残り4回。いくつかな：133
もっと大きいよ。
残り3回。いくつかな：136
もっと大きいよ。
残り2回。いくつかな：137
もっと大きいよ。
残り1回。いくつかな：138
もっと大きいよ。
残念。正解は139でした。
```

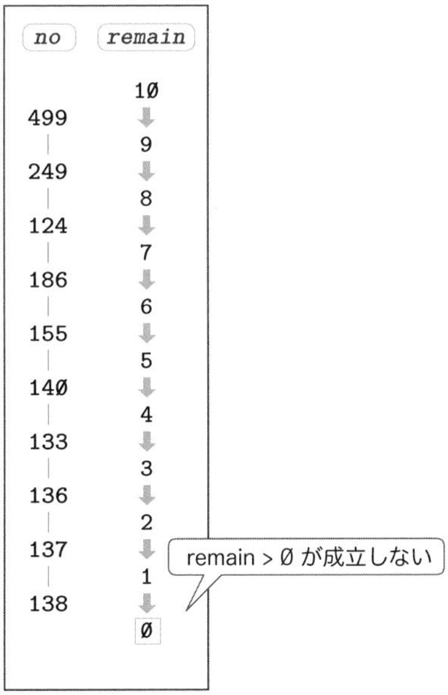

Fig.1-10 List 1-7 の実行例

Column 1-4	論理演算とド・モルガンの法則

　プレーヤの入力回数を制限する《数当てゲーム（その4）》では、ゲームの繰返しを制御するための do 文が **Fig.1C-6 a** のようになっていました。

　この **do** 文を、同じ動作のまま書きかえて実現したコードを図**b**に示しています。

a 数当てゲーム（その４）のdo文

```
do {
    //… 中略 …//
} while (no != ans && remain > 0);
```

> 『正解していない』
> かつ
> 『まだ残り回数がある』

b 同じ動作をするdo文

```
do {
    //… 中略 …//
} while (!(no == ans || remain <= 0));
```

> 『正解した』
> または　　　　　　　　　の否定
> 『残り回数がなくなった』

Fig.1C-6 do 文の制御式

　図**a**では**論理積**を求める**論理 AND 演算子&&**を使い、図**b**では**論理和**を求める**論理 OR 演算子 ||** を使っています。これらの演算子の働きをまとめたのが、**Fig.1C-7** です。

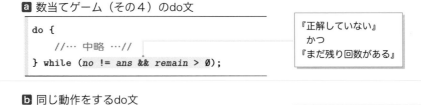

▪ 論理積　両方とも真であれば真

x	y	x && y
非0	非0	1
非0	0	0
0	非0	0
0	0	0

└─ xが0であればyは評価されない

▪ 論理和　一方でも真であれば真

x	y	x || y
非0	非0	1
非0	0	1
0	非0	1
0	0	0

└─ xが非0であればyは評価されない

Fig.1C-7 論理積を求める && 演算子と論理和を求める || 演算子

　C言語では、0以外の値は真とみなされ、0は偽とみなされます。そのため、論理 AND 演算子&& は、オペランドの両方とも真（0 以外の値）であれば 1 を生成し、そうでなければ0を生成します。また、論理 OR 演算子 || は、オペランドの一方でも真（0 以外の値）であれば 1 を生成し、そうでなければ 0 を生成します。

　さて、変数 *no* に読み込んだ値が正解であれば、式 *no != ans* の評価によって得られる値は、偽を表す int 型の 0 です。

　そのため、右オペランドの *remain > 0* を判定しなくても、制御式 *no != ans && remain > 0* が偽すなわち0となることが分かります（左オペランド *x* と右オペランド *y* の一方でも0であれば、論理式 *x && y* 全体が偽すなわち0となるからです）。

　このように、&& 演算子の左オペランドを評価した値が 0 すなわち**偽**であれば、**右オペランドの評価は省略されます**（そのため、表中の黒色部の式 *y* は、実質的に無視されます）。

‖演算子も同様です。左オペランドを評価した値が**非0**すなわち**真**であれば、**右オペランドの評価は省略されます**（表中の黒色部の式 *y* は、実質的に無視されます）。もし一方でも真（非0）であれば、式全体が**真**すなわち**1**となることが明確だからです。

論理演算の式全体の評価結果が、左オペランドの評価の結果のみで明確になる場合に、右オペランドの評価が省略されることは、**短絡評価**（short circuit evaluation）と呼ばれます。

*

左ページ **Fig.1C-6** のプログラムに戻りましょう。図**b**の制御式では、**論理否定演算子 !** が使われています。この演算子を適用した式 !*x* が生成する値は、式 *x* == 0 が生成する値と同じであると定義されています。そのため、**Fig.1C-8** に示すように値を生成します。

▪ 論理否定 　偽であれば真

x	!*x*
非0	0
0	1

Fig.1C-8　論理否定を求める ! 演算子

さて、『各条件の否定をとって、論理積・論理和を入れかえた式』の否定が、もとの条件と同じになることを、**ド・モルガンの法則**と呼びます。この法則を一般的に示すと、次のようになります。

　① *x* && *y* と !(!*x* ‖ !*y*) は等しい。
　② *x* ‖ *y* と !(!*x* && !*y*) は等しい。

図**a**の制御式 no != ans && remain > 0 が、繰返しを続けるための**継続条件**であるのに対して、図**b**の制御式 !(no == ans ‖ remain <= 0) は、**終了条件の否定**です。

すなわち、**Fig.1C-9** に示すイメージです。

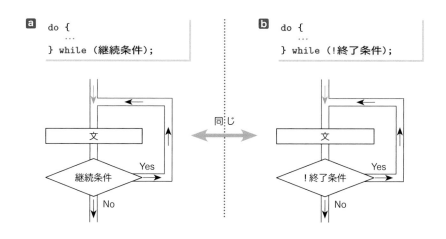

Fig.1C-9　繰返しにおける継続条件と終了条件

1-4 入力履歴の保存

プレーヤの入力した値を保存することで、当てさせる数にどのように近づいていったのか（または離れていったのか）を、ゲーム終了時に確認できるようにします。

□ 配列

プレーヤが当たるまで入力した値を保存しておき、ゲーム終了時にその値を表示するように改良しましょう。**List 1-8** に示すのが、そのプログラムです。

▶ プログラムの実行例は、p.27 に示しています。

List 1-8   chap01/kazuate5.c

```c
// 数当てゲーム（その5：入力履歴を表示）

#include <time.h>
#include <stdio.h>
#include <stdlib.h>

#define MAX_STAGE   10          // 最大入力回数          ← 1   10 に置換される

int main(void)
{
    srand(time(NULL));          // 乱数の種を設定

    int ans = rand() % 1000;    // 0～999の乱数を生成
    int no;                     // 読み込んだ値
    int num[MAX_STAGE];         // 読み込んだ値の履歴    ← 2
    int stage = 0;              // 入力した回数

    printf("0～999の整数を当てよう!!\n\n");

    do {
        printf("残り%d回。いくつかな：", MAX_STAGE - stage);
        scanf("%d", &no);
        num[stage++] = no;      // 読み込んだ値を配列に格納

        if (no > ans)
            printf("もっと小さいよ。\a\n");
        else if (no < ans)
            printf("もっと大きいよ。\a\n");
    } while (no != ans && stage < MAX_STAGE);

    if (no != ans)
        printf("残念。正解は%dでした。\a\n", ans);
    else {
        printf("正解です。\n");
        printf("%d回で当たりましたね。\n", stage);
    }

    puts("\n--- 入力履歴 ---");
    for (int i = 0; i < stage; i++)
        printf(" %2d : %4d %+4d\n", i + 1, num[i], num[i] - ans);

    return 0;
}
```

入力された（最大で10個の）値の履歴の格納先 num は、**配列**（array）です。配列は、**要素と呼ばれる同一型の変数が直線的に連続して並んだデータ構造**です。

宣言の際は、要素数を**定数式**で与えるのが原則です（**Column 1-6**：p.32）。

本プログラムでは、要素数 10 を表すオブジェクト形式マクロ MAX_STAGE を**1**で事前に宣言した上で、**2**で配列 num を宣言しています。そのため、**Fig.1-11** に示すように、配列 num は、要素型が int 型で、要素数が 10 の配列となります。

▶ コンパイルの最初の段階で、マクロ MAX_STAGE（3箇所の水色部）が 10 に置換されます。これは、前のプログラムの変数 max_stage の代わりとなるものです。

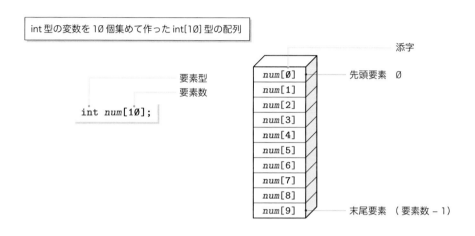

Fig.1-11 配列

個々の要素の**アクセス**（読み書き）に使うのが、**添字演算子**（subscript operator）です。

その添字演算子 [ ] の中に置かれたオペランドは、**添字**（subscript）と呼ばれます。これは、**『先頭要素から何個後ろの要素なのか』**を表す整数値です。

そのため、各要素をアクセスする**添字式**は、先頭から順に num[0]、num[1]、num[2]、…、num[9] となります。

▶ 配列の宣言の [ ] は、単なる**区切り子**で、個々の要素をアクセスする際に使う [ ] は、**演算子**です。本書では、前者を黒字で表して、後者を青字で表しています。

要素数 n の配列の要素をアクセスする式は a[0]、a[1]、…、a[n - 1] です。a[-1] や a[n] といった不正な添字でアクセスを行った際の動作は保証されません。

配列を構成する要素は、同一型の変数です（ある要素が int 型で、別の要素が double 型になるようなことはありません）。

一般に、要素型が Type 型である配列のことを『**Type の配列**』と呼びます。本プログラムの配列は、『**int の配列**』です。

なお、要素型が Type 型で要素数が n の配列の型は、『**Type[n] 型**』と表します。本プログラムの配列 num の型は、int[10] 型です。

入力された値の配列への格納

それでは、プレーヤが打ち込んだ値を、配列にどのように格納していくのかを、**Fig.1-12** を見ながら理解していきましょう。

```
int stage = 0;
do {
    printf("残り%d回。いくつかな：", MAX_STAGE - stage);
    scanf("%d", &no);
    num[stage++] = no;        // 読み込んだ値を配列に格納
    //… 中略 …//
} while (no != ans && stage < MAX_STAGE);
```

a プレーヤが1回目に入力した値の格納（stageは0）

num[0] に 499 を代入した直後に stage をインクリメントして1にする

b プレーヤが2回目に入力した値の格納（stageは1）

num[1] に 249 を代入した直後に stage をインクリメントして2にする

c プレーヤが3回目に入力した値の格納（stageは2）

num[2] に 124 を代入した直後に stage をインクリメントして3にする

… 以下省略 …

Fig.1-12 入力履歴の配列への格納

▶ 前ページの **Fig.1-11** では、配列の各要素を縦に並べ、枠の中に個々の要素をアクセスする**添字式**を書いていました。この図では、各要素を横に並べ、枠の中に各要素の**値**を書いています。各要素の添字は、枠の上の小さい数値です（添字の0は、中にスラッシュのない0で表記しています）。

本プログラムで新しく導入された変数 *stage* は、ゲーム開始前に **0** で初期化され、プレーヤがキーボードから値を入力するたびにインクリメントされます。その値が MAX_STAGE すなわち **10** になると、ゲームは終了です。

> ▶ この変数は、**List 1-7**（p.18）での、残り入力回数を表す変数 *remain* の代わりとして働いているわけです。

読み込んだ値 *x* を配列の要素に格納する num[stage++] = no; に着目しましょう。添字演算子 [ ]、増分演算子 ++、代入演算子 = の3個の演算子が複雑に絡みあっています。

> ▶ 図中、各要素の上の●の中に書かれている添字の値は、変数 *stage* の値と一致します。

＊

インクリメント演算子とも呼ばれる**増分演算子 ++** には、**++a** という形の**前置形式**と、**a++** という形の**後置形式**の2種類があります。まずは、これらの違いをきちんと理解します。

☐ 前置増分演算子 ++a

前置形式の **++a** では、式全体の評価が行われる前に、オペランドの値がインクリメントされます。そのため、*a* の値が 3 のときに、

```
b = ++a;          // aをインクリメントしてからbに代入
```

を実行すると、まず *a* がインクリメントされて値が 4 となり、その直後に式 **++a** を評価した値である 4 が *b* に代入されます。最終的に、*a* と *b* は 4 になります。

☐ 後置増分演算子 a++

後置形式の **a++** では、式全体の評価が行われた後に、オペランドの値がインクリメントされます。そのため、*a* の値が 3 のときに、

```
b = a++;          // bに代入してからaをインクリメント
```

を実行すると、まず式 **a++** を評価した値である 3 が *b* に代入され、その直後に *a* がインクリメントされて値が 4 となります。最終的に、*a* は 4 に、*b* は 3 になります。

> ▶ 評価のタイミングに関しては、**デクリメント**を行う**減分演算子 --** もまったく同様です。

プログラムの num[stage++] = no; に戻りましょう。**後置増分演算子**が使われているため、プレーヤが入力した値は、次のように配列の要素に格納されます。

a プレーヤが 499 を入力します。変数 *stage* の値が **0** であるため、499 は num[0] に代入され、その直後に *stage* の値がインクリメントされて 1 になります。

b プレーヤが 249 を入力します。変数 *stage* の値が 1 であるため、249 は num[1] に代入され、その直後に *stage* の値がインクリメントされて 2 になります。

上記の処理を繰り返して、入力された値を配列の先頭から順に格納していきます。

for 文による入力履歴の表示

ゲーム終了後はプレーヤが入力したすべての値を、**for 文**を使って表示します。**Fig.1-13** を見ながら理解していきましょう。

▶ **for** 文の文法的なことがらなどは、**Column 1-5**（p.29）で学習します。

```
for (int i = 0; i < stage; i++)
    printf("  %2d : %4d %+4d\n", i + 1, num[i], num[i] - ans);
```

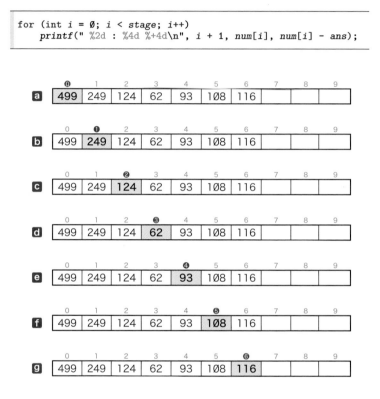

Fig.1-13 配列 num の走査による入力履歴の表示

この **for** 文が行う繰返しの制御を日本語で表現すると、次のようになります。

まず変数 *i* の値を **0** にして、その *i* の値が *stage* より小さいあいだ、*i* の値をインクリメントしながら、ループ本体を *stage* 回実行する。

for 文の開始時（数当てゲームの本体である **do** 文が終了したとき）の変数 *stage* の値は、プレーヤが数値を入力した回数です。たとえば、もし7回目の入力で正解していれば、*stage* の値も7となっていますので、**for** 文による繰返しの回数も7回です。

各繰返しでは添字 *i* の要素 *num[i]* に着目します。図中、● 内の添字が、変数 *i* の値と一致します。

このように、配列内の各要素をなぞりながら1個ずつ順に着目していくことを**走査**（traverse）と呼びます。

走査の過程では、ループ本体内で、次の3個の値を `printf` 関数を使って表示しています。

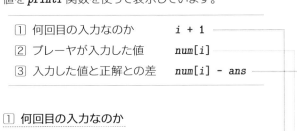

① 何回目の入力なのか	$i + 1$
② プレーヤが入力した値	`num[i]`
③ 入力した値と正解との差	`num[i] - ans`

① 何回目の入力なのか

表示するのは、変数 i に **1** を加えた値です。

1 を加えるのは、添字の値と表示する値の差を補正するためです（添字が **0** から始まるのに対し、私たち人間のカウントは **1** から始まります）。

▶ たとえば、図**C**では、変数 i の値 2 に対して 1 を加えた 3 を表示します。

② プレーヤが入力した値

表示するのは、プレーヤが入力した値 `num[i]` そのままです。

▶ たとえば、図**C**では、`num[2]` の値 124 を表示します。

③ 入力した値と正解との差

表示するのは、入力した値と正解との差です。その際、入力した値のほうが大きければ **+** 符号を付け、入力した値のほうが小さければ **-** 符号を付けます。

▶ たとえば、図**C**では、`num[2]` の値 124 から正解 116 を引いた値 8 を「**+8**」として表示します。

書式文字列 `"%d"` によって `int` 型の値を表示する際は、値が負のときにのみ **-** 符号が付くことは（おそらく経験からも）知っているでしょう。

書式文字列を `"%+d"` とすると、**値が正や 0 であっても符号が表示されます。**

配列を走査する `for` 文の繰返しの継続条件は、変数 i の値が *stage* 未満であることです。そのため、`for` 文終了時の変数 i の値は、*stage* - 1 ではなく *stage* となります。

▶ 本プログラムの `for` 文を、`while` 文で書きかえると、次のようになります。

```
int i = 0;
while (i < stage) {
    printf(" %2d : %4d %+4d\n", i + 1, num[i], num[i] - ans);
    i++;
}
```

ループ本体が実行されるのは、変数 i の値が **0**、**1**、…、*stage* - 1 の *stage* 回です。最後に `printf` 関数が呼び出されるときの変数 i の値は *stage* - 1 です。表示後に、i の値がインクリメントされて *stage* と等しくなったときに、制御式 $i <$ *stage* が成立しなくなって繰返しが終了します。

配列の要素数の取得

List 1-8（p.22）では、配列の宣言に先だって、その要素数をオブジェクト形式マクロで定義していました。とはいえ、プログラムによっては、要素数を事前にマクロで定義できない、あるいは定義しないほうが都合がよい、ということもあります。

そのようなケースでは、配列を宣言しておき、その後で要素数を求めることになります。

配列の要素数を求めるための定石は、**sizeof 演算子**を使って計算する手法です。その手法を、**List 1-9** のプログラムで学習しましょう。

List 1-9	chap01/array.c

```
// 配列の要素数と各要素の値を表示

#include <stdio.h>

int main(void)
{
    int a[] = {1, 2, 3, 4, 5};
    int na = sizeof(a) / sizeof(a[0]);      // 要素数

    printf("配列aの要素数は%dです。\n", na);

    for (int i = 0; i < na; i++)
        printf("a[%d] = %d\n", i, a[i]);

    return 0;
}
```

```
　　　　　実 行 結 果
配列aの要素数は5です。
a[0] = 1
a[1] = 2
a[2] = 3
a[3] = 4
a[4] = 5
```

Fig.1-14 を見ながら理解していきましょう。`sizeof(a)` は配列 a の大きさを求める式であり、`sizeof(a[0])` は先頭要素 a[0] の大きさを求める式です。

配列全体の大きさを、1個の要素の大きさで割った商 `sizeof(a) / sizeof(a[0])` が、配列の要素数となります。

▶ int 型の大きさは処理系によって異なりますが、その値とは無関係に、配列の要素数が求められます。

たとえば、int 型が2バイトであれば、`sizeof(a)` は 10、`sizeof(a[0])` は 2 ですから、10 / 2 の演算によって、要素数 5 が求められます。

また、int 型が4バイトであれば、20 / 4 の演算によって、やはり要素数 5 が求められます。

配列の要素数

`sizeof(a) / sizeof(a[0])`

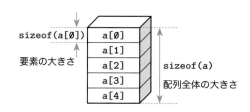

Fig.1-14 配列の要素数を求める式

本プログラムでは、配列 a を宣言した後で、その要素数を計算によって求めています。求められた値 5 で変数 na が初期化されますので、配列 a の要素数が必要となる箇所では、この変数の値を使えばよいわけです。

それでは、配列 a の宣言を、次のように変更してみましょう（"chap01/array6.c"）。

```
int a[] = {1, 3, 5, 7, 9, 11};
```

```
配列aの要素数は6です。
a[0] = 1
a[1] = 3
a[2] = 5
a[3] = 7
a[4] = 9
a[5] = 11
```

こうすると、変数 na は 6 で初期化されます。もちろん、右に示すように、期待どおりの実行結果が得られます。

初期化子の増減に伴って**プログラムの他の箇所を修正する必要**がないことも分かりました。

▶ 配列の要素数を sizeof(a) / sizeof(a[0]) ではなく、sizeof(a) / sizeof(int) で求める方法が広く知られて使われています。しかし、これは、よい方法ではありません。

何らかの理由で、配列の要素型を変更するとしたらどうなるかを考えましょう。たとえば、『配列の要素に格納すべき値が int 型では収まらなくなったので要素型を long 型に変更する』とします。その場合、要素を求める式 sizeof(a) / sizeof(int) を sizeof(a) / sizeof(long) に変更しなければならなくなります。

式 sizeof(a) / sizeof(a[0]) であれば、要素型に依存しません。

Column 1-5	for 文

for 文（for statement）の形式は、『**for（Ⓐ；Ⓑ；Ⓒ）文**』です（標準Cの第2版以降は、Ⓐ部には**式だけでなく宣言も置ける**ようになっています）。

for 文の動作を、右図を見ながら理解していきましょう。

前処理ともいうべきⒶが、１回だけ評価・実行される（あるいは宣言された変数が作られる）。

繰返しの**継続条件**であるⒷの**制御式**の評価で得られたのが**真**（非０）であればループ本体の**文**が実行され、**偽**（０）であればループ本体は実行されない。

文（ループ本体）の実行後は、**後始末的な処理**、あるいは**次の繰返しのための準備**として、Ⓒが評価・実行された上で、制御式の判定を行うⒷに戻る。

変数 i のように、繰返しの制御に使う変数は、**カウンタ用変数**と呼ばれます。

for 文では、カウンタ用変数の**開始値／終了値／増分**のすべてを、（ ）の中に集約できます。構文は複雑ですが、慣れてしまえば、while 文よりも読みやすくなります。

なお、Ⓐ部で宣言された変数は、その for 文の中だけで通用します。

そのため、異なる for 文で同一名の変数を使う際は、右に示すコードのように、**すべての for 文に、変数の宣言が必要**です。

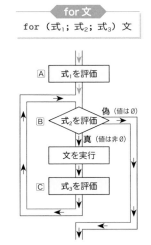

```
for (int i = 0; i < no; i++)
    printf("%d ", i);
putchar('\n');

for (int i = no; i >= 0; i--)
    printf("%d ", i);
putchar('\n');
```

配列の要素の初期化

　要素を初期化するには、個々の要素に対する初期化子を先頭から順にコンマ , で区切って並べ、それを { } で囲んだものを初期化子として与えます。初期化子については、ややこしい規則が数多くあります。

▪ 最後の初期化子の後ろにも , を置ける

　最後の初期化子の後ろのコンマは、置いても省略してもよい、という決まりです。たとえば、

```
int c[5] = {1, 2, 3, 4, 5, };    // 末尾要素の初期化子の後ろにもコンマ
```

では、5 の後ろの , は、あってもなくても同じです。最後の初期化子の後ろにコンマを置くスタイルには、初期化子の追加や削除に伴って、コンマを付けたり外したりしなくてよい、というメリットがあります。

▪ 初期化子の個数から配列の要素数が自動的に決定する

　初期化子が与えられる場合は、**宣言時に要素数を省略できます**。たとえば、

```
int d[] = {1, 2, 3};        // 初期化子から要素数3が自動的に決定
```

と宣言すると、初期化子の個数に基づいて、配列 d の要素数は 3 とみなされます。すなわち、次の宣言と同じです。

```
int d[3] = {1, 2, 3};
```

▪ 初期化子が { } の中に与えられていない要素は 0 で初期化される

　初期化子が { } の中に与えられていない要素は 0 で初期化されるという規則があります。そのため、

```
int e[5] = {1, 2, 3};        // 初期化子が与えられていないe[3]以降は0で初期化
```

と宣言すると、初期化子が与えられていない $e[3]$ と $e[4]$ は 0 で初期化されます。
　この規則を利用すると、次のような宣言が可能となります。

```
int f[128] = {0};          // 全要素を0で初期化
```

　先頭要素 $f[0]$ が 0 で初期化されるだけでなく、それ以降の 127 個の要素 $f[1]$ 〜 $f[127]$ も 0 で初期化されます（すなわち、全要素が 0 で初期化されます）。
　ここで注意すべきことがあります。次の宣言では、全要素が 0 にならないことです。

```
int g[5];              // 全要素を不定値で初期化
```

配列 *g* の全要素は、**不定値（ゴミの値）**で初期化されます。

▶ ただし、静的記憶域期間（p.133）をもつ配列（関数の外で定義された配列と、関数の中で `static` 付きで定義された配列）は、初期化子を与えなくても、すべての要素が **0** で初期化されます。

＊

次は、エラーとなる初期化子について学習しましょう。

▪ 初期化子の個数が配列の要素数を超えている

次のように、**{ }** の中の初期化子の個数が、配列の要素数を超えるとエラーになります。

```
int a[3] = {1, 2, 3, 4};    // エラー ：初期化子が要素数より多い
```

▪ 初期化子が代入演算子の右オペランドに置かれている

初期化子を代入することはできません。次の例は、誤りです。

```
int a[3];
a = {1, 2, 3};              // エラー ：初期化子は代入できない
```

 まとめ

❄ **増分演算子と減分演算子**

オペランドの値をインクリメントする**増分演算子 ++** と、デクリメントする**減分演算子 --** には、**前置形式**と**後置形式**とがある。前置形式では、式が評価される前にインクリメント／デクリメントが行われ、後置形式では、式が評価された後にインクリメント／デクリメントが行われる。

❄ **配列**

配列は、同一型の要素が直線状に連続して並んだデータ構造である。宣言の際は、**要素型**と**要素数**を与える（原則として、要素数には定数式として与える）。

各要素は、**添字演算子 [ ]** を使った**添字式**でアクセスする。先頭要素の添字は **0** である。

配列の初期化子は、個々の要素に対する初期化子を先頭から順にコンマ **,** で区切って並べ、それを **{ }** で囲んだ形式である。

```
int a[] = {1, 2, 3};
```

❄ **配列の要素数**

通常、宣言以外の箇所でも配列の要素数が必要となる。次のように宣言するとよい。

① オブジェクト形式マクロで要素数を事前に定義する。

```
#define NA  7                    // 配列aの要素数を先に定義
int a[NA];
```

② 配列を宣言した後に要素数を取得する。

```
int a[7];
int na = sizeof(a) / sizeof(a[0]);   // 配列aの要素数を後で取得
```

Column 1-6	可変長配列と要素指示子

ここでは、配列に関して、いくつかの点を補足学習します。

■ 可変長配列（VLA ＝ variable length array）

配列を定義する際は、要素数を定数とするのが原則であることを、p.23 で学習しました。

標準Cの第2版では、その制限が緩和され、要素数を変数とした**可変長配列**が定義できるようになっています。たとえば、次のようなコードが許されます（**標準Cの第1版ではエラーとなります**）。

```
// 標準C第2版での配列の宣言（第1版ではエラー）
void func(int n)
{
    int a[n];               // 要素数nの配列（要素数は実行時に決定する）
    //--- 中略 ---//
}
```

この言語拡張に対して、私は当初から疑問をもっていました（C言語の設計思想と相容れないからです）。

事実、可変長配列は、標準Cの第3版から《**オプション扱い**》となって、コンパイラはサポートしなくてよいことになっています（コンパイラが可変長配列をサポートしない場合は、__STDC_NO_VLA__ というマクロが定義されます）。

■ 要素指示子（designator）

標準Cの第2版では、配列に与える初期化子についても拡張が行われています。**要素指示子**（指示付き初期化子）を使うことで、任意の要素に対する初期化子の指定が行えます。

次に示すのが、宣言の一例です。

```
int a[] = {[2] = 5, 9, [6] = 3, 1};
```

この宣言により、a[2] が 5、その次の要素が 9、a[6] が 3、その次の要素が 1 で初期化されます。

最後の初期化子が8番目の要素 a[7] に対するものであることから、配列 a の要素数は自動的に 8 となります。初期化子が不足する要素は 0 で初期化されますので、次の宣言と同等です。

```
int a[8] = {0, 0, 5, 9, 0, 0, 3, 1};
```

なお、要素数が 1000 の配列の末尾の要素のみを 1 で初期化して、それ以外の要素を 0 で初期化するのであれば、次のようになります。

```
int a[1000] = {[999] = 1};
```

※ **構造体**型のオブジェクトを宣言する際に与える初期化子でも、要素指示子が利用できるようになっています。

ここで紹介した**二つの機能**は、**C++** には取り入れられていません。プログラミング言語 C++ の開発者である Bjarne Stroustrup 氏は、著書の中で次のように述べられています [9]。

> C言語が C89 から C99 に進化したときに、C++ は機能として誤っている **VLA**（可変長配列：variable-length array）と、冗長である**指示付き初期化子**（designated initializer）以外の、ほとんどの新機能を取り込んだ。

可変長配列は、言語設計上のミスと考えるべきです。正式に取り入れられたのが、標準Cの第2版のみということもあり、その利用はおすすめできません。

✍️ 自由課題

本文に示したプログラムを読んで理解するだけでなく、ここに示す問題を解いたり、自分でプログラムを設計・開発したりして、プログラミング力を磨きましょう。

※ 自由課題ですから、解答はありません。

☑ 演習 1-1

《おみくじ》のプログラムを作成せよ。0～6の乱数を生成し、その値に応じて、〔大吉〕〔中吉〕〔小吉〕〔吉〕〔末吉〕〔凶〕〔大凶〕を表示すること。

☑ 演習 1-2

前問で作成したプログラムを、出る運勢が均等とならないように改良したプログラムを作成せよ（たとえば、〔末吉〕〔凶〕〔大凶〕を出にくくするとよい）。

☑ 演習 1-3

当てさせる数を–999以上999以下の整数とした《数当てゲーム》を作成せよ。

プレーヤが入力できる最大の回数が、どのくらいであれば適当であるのかも考察すること。

☑ 演習 1-4

当てさせる数を3以上999以下の3の倍数（3、6、…、999）とした《数当てゲーム》を作成せよ。3の倍数でない値が入力された場合に、ただちにゲームを終了するものと、判定結果を表示せずに再入力させる（入力回数としてカウントしない）ものの二つを作ること。

プレーヤが入力できる最大の回数が、どのくらいであれば適当であるのかも考察すること。

☑ 演習 1-5

当てさせる数の範囲を事前に決定するのではなく、プログラム実行時に乱数で決定する《数当てゲーム》を作成せよ。たとえば、生成して得られた二つの乱数が23と824であれば、23以上824以下の数を当てさせるようにする。

なお、プレーヤが入力できる最大の回数は、当てさせる数の範囲に応じて適切な値に自動的に（プログラム内での計算によって）設定すること。

☑ 演習 1-6

開始時にプレーヤにレベルを選択させる《数当てゲーム》を作成せよ。たとえば、次のように表示して選択させること。

レベルを選んでください　(1)1～9　(2)1～99　(3)1～999　(4)1～9999：

☑ 演習 1-7

List 1-8（p.22）のプログラムの入力履歴表示では、正解との差が0であっても符号を付けて表示するため、少々みっともない。0に対しては符号を付けないように変更せよ。

☑ 演習 1-8

List 1-8 の do 文を for 文を用いて書き直したプログラムを作成せよ。

第 2 章

表示に凝ろう

本章で作るのは、《テロップ》や《暗算トレーニング》などのプログラムです。時間をあやつったり、文字を消したり動かしたりするプログラムの作成を通じて、時間や表示に関する各種のテクニックを身につけます。

この章で学ぶおもなこと

- ◆ 拡張表記
- ◆ 警報
- ◆ 改行
- ◆ 復帰
- ◆ 後退
- ◆ タブ
- ◆ 引用符
- ◆ 表示ずみ文字の消去と書きかえ
- ◆ 一定時間の処理停止
- ◆ 処理時間の計測
- ◆ キャスト
- ◆ 文字列

- ◆ ナル文字
- ◆ typedef宣言
- ◆ 書式付き入出力
- ◆ 可読性
- ◆ 可搬性
- ⊙ clock_t 型
- ⊙ clock 関数
- ⊙ printf 関数
- ⊙ putchar 関数
- ⊙ scanf 関数
- ⊙ strlen 関数
- ⊙ CLOCKS_PER_SEC

2-1 拡張表記を使いこなす

拡張表記をうまく活用すると、画面上の文字を消したり動かしたりと、さまざまな表示効果を生み出せます。本節では、拡張表記のマスターを目指して学習します。

拡張表記

拡張表記（escape sequence）は、逆斜線記号 \ を先頭にした複数個の文字の並びによって1個の文字を表す表記法です。その一覧を **Table 2-1** に示しています。

まずは、これらを使いこなせるように学習を進めていきましょう。

Table 2-1 拡張表記（escape sequence）

■ 単純拡張表記（simple escape sequence）

\a	**警報**（alert）	聴覚的または視覚的な警報を発する
\b	**後退**（backspace）	直前の位置へ移動する
\f	**書式送り**（form feed）	改ページして、次のページの先頭へ移動する
\n	**改行**（new line）	改行して、次の行の先頭へ移動する
\r	**復帰**（carriage return）	現在の行の先頭位置へ移動する
\t	**水平タブ**（horizontal tab）	次の水平タブ位置へ移動する
\v	**垂直タブ**（vertical tab）	次の垂直タブ位置へ移動する
\\	文字 \	
\?	文字 ?	
\'	文字 '	
\"	文字 "	

■ 8進拡張表記（octal escape sequence）

\ooo	8進数で *ooo* の値をもつ文字	※ *ooo* は 1〜3桁の8進数

■ 16進拡張表記（hexadecimal escape sequence）

\xhh	16進数で *hh* の値をもつ文字	※ *hh* は任意の桁数の16進数

▶ 日本のパソコンの多くで利用されている JIS コードでは、逆斜線 \ の代わりに円記号 ¥ を利用しなければなりません。

\a … 警報（alert）

警報 \a を出力すると、"聴覚的または視覚的な警報" が発せられます。ほとんどの環境では、"**ビープ音**" が鳴ります（音を出さずに画面を点滅させるような環境もあります）。

なお、警報の出力によって**現表示位置**（コンソール画面における**カーソル**の位置）が変更されることはありません。

▶ 本書では、警報の出力結果を♪で表します（p.2）。

▢ \n … 改行（new line）

改行 \n を出力すると、現表示位置が "次の行の先頭" に移動します。

警報と改行を出力するとどうなるか、**List 2-1** のプログラムで確認しましょう。

List 2-1   chap02/alert_newline.c

```c
// 警報\aと改行\nを出力

#include <stdio.h>

int main(void)
{
    printf("こんにちは。\n初めまして。\n");
    printf("警告します。\a\n\n");
    printf("今度は２回警告します。\a\a\n");

    return 0;
}
```

実行結果
```
こんにちは。
初めまして。
警告します。 ♪

今度は２回警告します。 ♪♪
```

Fig.2-1 を見ながら理解していきす。『こんにちは。』に続いて改行文字 \n を出力しています
ので、『初めまして。』は次の行に表示されます。

２番目に表示する文字列の末尾には、２個の連
続した改行文字があります。そのため、最後に出力
する『今度は２回警告します。』は、１行空いたと
ころに表示されます。

▶ 連続した改行文字によって空の行を出力するテク
ニックは、第１章の《数当てゲーム》でも利用して
いました。

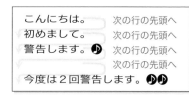

Fig.2-1 警報 \a と改行 \n の働き

▢ \f … 書式送り（form feed）

書式送り \f を出力すると、現表示位置が "次の論理ページの先頭位置" に移動します。た
だし、多くの環境では、書式送りをコンソール画面に出力しても何も起こりません。

プリンタへの出力において、改ページを行う際に利用します。

Column 2-1 ┃ 拡張表記

拡張表記は、標準C《第１版》の JIS 規格において、escape sequence の訳語として使われている
用語です。《第２版》では、**逆斜線表記**という訳語に変更されています（標準 C++ の JIS 規格で使わ
れている訳語にあわせられています）。

第１版で使われた**拡張表記**が定着していることや、そもそも escape sequence には逆斜線という意
味がないことから、本書では、第１版の用語である**拡張表記**を使っています。

\b … 後退（backspace）

後退 \b を出力すると、現表示位置が "**その行内での直前の位置**" に移動します。

▶ 現表示位置が行の先頭であるときに、後退を出力するとどうなるかは規定されていません。というのも、前の行（上の行）にカーソルを移動できない環境があるからです。

後退によって**動きのある表示効果**を生み出すプログラム例を、**List 2-2** に示しています。

まずは実行しましょう。最初に文字列 **"ABCDEFG"** が表示されます。その後、末尾側から1秒ごとに1文字ずつ消えていき、全部の文字が消えてしまうとプログラムが終了します。

List 2-2	chap02/backspace.c

```c
// 後退\bの利用例：1秒ごとに1文字ずつ消去

#include <time.h>
#include <stdio.h>

//--- xミリ秒経過するのを待つ ---//
int sleep(unsigned long x)
{
    clock_t c1 = clock(), c2;

    do {                                               // ■1
        if ((c2 = clock()) == (clock_t)-1)  // エラー
            return 0;
    } while (1000.0 * (c2 - c1) / CLOCKS_PER_SEC < x);
    return 1;
}

int main(void)
{
    printf("ABCDEFG");

    for (int i = 0; i < 7; i++) {
        sleep(1000);        // 1秒ごとに                  // ■2
        printf("\b \b");    // 後ろから1文字ずつ消す
        fflush(stdout);     // バッファを掃き出す          // ■3
    }

    return 0;
}
```

実行結果

ABCDEFG	ABCDEF	ABCDE	ABCD	ABC	AB	A	
1秒	1秒	1秒	1秒	1秒	1秒	1秒	

■1の関数 *sleep* の働きは、**xミリ秒だけ時間をつぶす**（処理を停止する）ことです。そのため、たとえば■2のように *sleep(1000)* と呼び出されると、約1秒経過してから呼出し元に戻ります。

この関数の詳細は p.50 で学習します。それまでは、

---

sleep(x) と呼び出せば、*x*ミリ秒だけ時間をつぶせる。

と覚えておくとよいでしょう。

それでは main 関数を理解していきます。まず最初に **"ABCDEFG"** を出力します。その後、for 文の働きによって、文字列 **"\b \b"** を1秒間隔で7回出力しています。

実行結果と照らし合わせると、**"\b \b"** の出力によって**表示ずみ文字の末尾文字が消える**ことが分かります。文字を消す原理を、**Fig.2-2** を見ながら理解していきましょう。

▶ この図が示すのは、for 文の繰返しの第1回目における、末尾文字 **'G'** の消去の様子です。

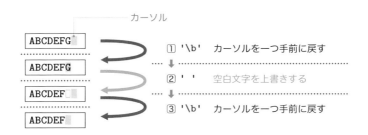

Fig.2-2 後退 \b による末尾文字の消去

文字列 **"ABCDEFG"** を表示した時点で、カーソル ▊ は文字 **'G'** の直後に位置しています。この状態から、次の3ステップで文字 **'G'** を消去します。

① 後退 **'\b'** を出力 ：カーソルを一つ戻して **'G'** の位置へ移動させる。
② 空白 **' '** を出力 ：文字 **'G'** の上に空白文字を上書きする（その結果 **'G'** が消える）。
③ 後退 **'\b'** を出力 ：カーソルを一つ戻して **'F'** の直後へ移動させる。

ただし、これらの出力を命じた結果が、即座に反映されるとは限りません。そこで、**3**では fflush 関数を呼び出して出力を確実なものとします。

▶ プログラムで出力を指示するたびに画面やファイルなどへ文字を書き込むのでは、高速な出力が行えません。そのため、ほとんどの処理系・環境では、出力すべき文字を**バッファ**（一時的なデータの貯蔵庫）にためておいて、『改行文字の出力が指示された。』とか『バッファが満杯になった。』といったタイミングで実際の出力が行われます。

　すなわち、プログラムで **"\b \b"** の出力を行っても、これら3個の文字がバッファに蓄えられたままとなる（可能性がある）のです。

　文字を確実に消すためには、強制的にバッファの内容を**フラッシュする＝掃き出す**必要があります。そのために呼び出すのが fflush 関数です（この関数呼出しが不要な環境もあります。ただし、この呼出しを省略すると、文字が即座に消えるかどうかが、環境に依存することになります）。

　なお、ストリームやバッファ、さらに fflush 関数などについては、第9章で詳しく学習します。

末尾の文字 **'G'** の消去が完了したら、同じ手順によって、文字 **'F'**、**'E'**、… を後ろから順に1文字ずつ消していきます。7個の文字をすべて消すとプログラムは終了します。

＊

さて、**2**で関数 sleep に渡している値 **1000** を変更すると、**文字を消すスピードが変わります。**プログラムを書きかえて試しましょう。

☐ \r … 復帰（carriage return）

復帰 \r を出力すると、現表示位置が "その行の先頭" に移動します。

復帰の働きをうまく活用すれば、画面に表示ずみの文字を書きかえることができるようになります。**List 2-3** に示すのが、そのプログラム例です。

まずは実行しましょう。三つの文字列 **"My name is Fukuoka."** と **"How do you do?"** と **"Thanks."** が2秒ごとに次々と切りかわって表示されます。

▶ 関数 *sleep* は前のプログラムと同じです。今後も、この関数の本体はコードの提示を省略します。

List 2-3   chap02/return.c

```
// 復帰\rの利用例：表示ずみの行の書きかえ

#include <time.h>
#include <stdio.h>
```

```
//--- xミリ秒経過するのを待つ ---//
int sleep(unsigned long x)
{
    //--- 省略：List 2-2と同じ ---//
}
```
> スペースの都合上、関数の本体部を省略しています
> List 2-2 と同じコードを埋め込まなければなりません

```
int main(void)
{
    printf("My name is Fukuoka.");
    fflush(stdout);

    sleep(2000);
    printf("\rHow do you do?      ");
    fflush(stdout);

    sleep(2000);
    printf("\rThanks.             ");

    return 0;
}
```

実行結果
My name is Fukuoka.
↓ (2秒)
How do you do?
↓ (2秒)
Thanks.

文字を書きかえる原理は単純です。復帰 **\r** によってカーソルを行の先頭に戻し、そこから別の文字列を出力することによって、同じ行の内容が書きかえられているように**見せかけている**だけです。

さて、2回目以降に出力する文字列の末尾側は、空白文字が埋められています。

というのも、**Fig.2-3** に例を示すように、後から出力する文字列のほうが短ければ、もともと表示されていた文字が消えずに残ってしまうからです。

▶ プリンタに対する出力の際に復帰文字を利用すると、文字の "重ね打ち" ができます。
たとえば、プリンタに文字列 **"ABCD\r----"** を出力すると「A̶B̶C̶D̶」と印刷されます。

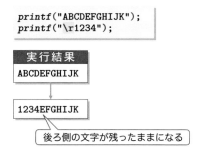

```
printf("ABCDEFGHIJK");
printf("\r1234");
```

実行結果
ABCDEFGHIJK
↓
1234EFGHIJK
→ 後ろ側の文字が残ったままになる

Fig.2-3 復帰 \r の働きと注意点

\t … 水平タブ（horizontal tab）

水平タブ \t を出力すると、現表示位置がその行における "次の水平タブ位置" に移動します。なお、現表示位置が、行における最後の水平タブ位置にある場合や、その位置を過ぎている場合の動作は規定されていません。

また、水平タブ位置は OS などの環境に依存します。**Fig.2-4** の例で考えましょう。行の先頭から8桁ごとの間隔の位置に設定されている環境では、①の実行結果が得られます。また、4桁ごとの間隔の位置に設定されている環境では、②の実行結果が得られます。

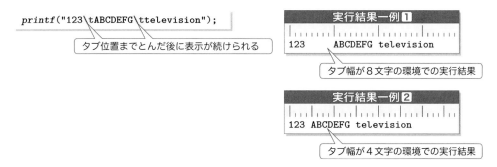

Fig.2-4 水平タブ \t の働き

このように、水平タブを出力した結果は環境に依存しますので、注意が必要です。

▶ 第9章では、ファイル内のタブ文字を空白文字に変換したり、その逆の変換を行ったりする便利なユーティリティプログラムを作成します。

\v … 垂直タブ（vertical tab）

垂直タブ \v を出力すると、現表示位置が "次の垂直タブ位置における最初の位置" に移動します。なお、現表示位置が最後の垂直タブ位置にある場合や、その位置を過ぎている場合の動作は規定されていません。

書式送り \f と同様に、主としてプリンタへの出力に利用します。

\? … 疑問符

疑問符記号 ? を表す拡張表記が \? です。わざわざ \? を利用しなくても、単に ? だけで表せますので、ほとんど利用されません。

▶ 拡張表記 \? が提供されるのは、キーボードに ? がない環境を考慮してのことです。

\\' と \\" … 単一引用符と二重引用符

引用符記号 ' と " を表す拡張表記が、それぞれ **\\'** と **\\"** です。

文字列リテラルの中では、二重引用符は **\\"** で表さなければなりません。そのため、4個の文字 **AB"C** を表す文字列リテラルは **"AB\\"C"** となります。なお、文字列リテラル中の単一引用符は、**'** と **\\'** の両方で表記できます。

文字定数の中では、単一引用符 **'** は **\\'** で表さなければなりません。そのため、単一引用符を表す文字定数は **'\\''** となります（**'''** は許されません）。なお、二重引用符を表す文字定数は **'"'** でも **'\\"'** でも構いません。

これら二つの拡張表記を用いたプログラム例を **List 2-4** に示します。

List 2-4	chap02/quotation.c

```
// 拡張表記\'と\"の利用例

#include <stdio.h>

int main(void)
{
    printf("文字列リテラルと文字定数について。\n");

    printf("二重引用符");
    putchar('"');                                  // \"でも可
    printf("で囲まれた\"ABC\"は文字列リテラルです。\n");   // " は不可

    printf("単一引用符");
    putchar('\'');                                 // ' は不可
    printf("で囲まれた'A'は文字定数です。\n");           // \'でも可

    return 0;
}
```

実行結果
```
文字列リテラルと文字定数について。
二重引用符"で囲まれた"ABC"は文字列リテラルです。
単一引用符'で囲まれた'A'は文字定数です。
```

▶ 水色部が拡張表記であって、黒色部は通常の表記です。

putchar 関数：文字の出力

本プログラムで**文字の出力**に利用しているのが、***putchar* 関数**です。この関数は、引数に与えられた文字を表示します。

putchar	
ヘッダ	#include <stdio.h>
形　式	int *putchar*(int *c*);
機　能	第2実引数として stdout を指定した *putc* 関数と等価である。
返却値	書き込んだ文字を返す。書込みエラーが発生すると、そのストリームに対するエラー表示子をセットして EOF を返す。

▶ *putc* 関数、stdout、EOF については第9章で学習します。

□ \\ … 逆斜線

逆斜線文字 \ の表記には、拡張表記 \\ を使います。

そのため、逆斜線文字 \ を5個連続して表示するコードは、次のようになります。

```
printf("\\\\\\\\\\");        // 逆斜線文字\を5個連続表示
```

□ 8進拡張表記と16進拡張表記

8進数または16進数のコードで文字を表すのが**8進拡張表記**と**16進拡張表記**です。表したい文字の文字コードを次の形式で指定します。

8進拡張表記	\ooo	ooo は、1～3桁の8進数
16進拡張表記	\xhh	hh は、任意の桁数の16進数

たとえば、ASCIIコードやJISコード体系では、数字文字 '0' の文字コードは10進数の48ですから、8進拡張表記では '\60' で、16進拡張表記では '\x30' です。

▶ このように表記された文字は、異なる文字コード体系の環境では違う文字として解釈されますので、軽々しく利用してはいけません。なお、JISコード表は、**Table 3-1**（p.72）に示しています。

✐ まとめ

拡張表記では、逆斜線記号 \ を先頭にした文字の並びによって単一の文字を表す。

✳ 警報 \a

警報を発する。ほとんどの環境ではビープ音が鳴る。

✳ 後退 \b

カーソルを一つ戻す。"\b \b" を出力すれば最後に表示した1文字を消去できる。

✳ 改行 \n

カーソルを次の行の先頭に移動させる。2回続けて出力すると空の行を出力できる。

✳ 復帰 \r

カーソルを行の先頭に戻す。行に表示されている文字を書きかえるには復帰 \r を出力し、そこから上書きしたい内容を出力する。

✳ 引用符

文字定数：単一引用符は \' でなければならない。二重引用符は " でも \" でもOK。

文字列リテラル：二重引用符は \" でなければならない。単一引用符は ' でも \' でもOK。

✳ 8進拡張表記／16進拡張表記

文字をコードで表す（異なる文字コード体系環境間の可搬性が失われる）。

2-2 時間をあやつる

時間を自在にあやつることができれば、タイミングを見計らったダイナミックな画面表示が行えます。そのテクニックを学習しましょう。

clock 関数：プログラム起動からの経過時間の取得

時間をあやつって、"動きのある表示"を行うプログラムを作っていきます。

まずは、**List 2-5** のプログラムを実行しましょう。1秒ごとに **10**、**9**、… とカウントダウンされていって、**0** になると警報とともに『**FIRE!!**』と表示されます。さらに、プログラム開始からの経過時間が表示されて、プログラムが終了します。

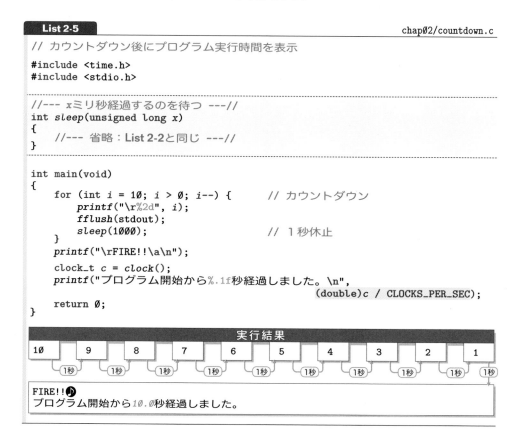

本プログラムで使っている **clock** 関数は、プログラム開始からの経過時間を求める関数です。

▶ 右ページの解説に示すように、厳密には「プログラム開始から」ではなく、「プログラム起動に関連した処理系定義の時点（たとえば、**main** 関数の実行開始のための準備が終わった時点）から」の経過時間です。

計測時間として極端に小さな値が表示される環境があります。その理由は p.48 で学習します。

clock	
ヘッダ	#include <time.h>
形 式	clock_t clock(void);
機 能	使用したプロセッサ時間を求める。
返却値	プログラム起動に関連した処理系定義の時点から、プログラムで使用したプロセッサ時間を、処理系の最良の近似で返す。秒単位の時間を決定するためには、本関数の返却値を CLOCKS_PER_SEC マクロの値で割らなければならない。使用したプロセッサ時間が得られないか、またはその値が表現できない場合、値 (clock_t)-1 を返す。

なお、返却値型の **clock_t** 型は、**算術型の同義語**（**Column 2-3**：p.61）として **<time.h>** ヘッダで定義されています。次に示すのが、定義の一例です。

clock_t

```
typedef unsigned clock_t;   // 定義の一例：型は処理系によって異なる
```

▶ ここに示すのは、clock_t が unsigned 型の同義語となる処理系での定義例です。clock_t 型がどの型（unsigned 型、unsigned long 型、…）の同義語となるのかは処理系に依存します。

なお、ハードウェアや OS によって計測の精度などが異なるため、clock_t 型が表す値の単位も処理系に依存します。そのために導入されているのが、**<time.h>** ヘッダ内のオブジェクト形式マクロ **CLOCKS_PER_SEC** で精度を提供するという仕組みです。

CLOCKS_PER_SEC

```
#define CLOCKS_PER_SEC 1000   // 定義の一例：値は処理系によって異なる
```

このマクロ名を直訳すると**1秒あたりのクロック数**です。もし1秒が1,000クロックであれば、このマクロの値は **1000** と定義されます。

その場合、プログラム実行開始から2.5秒後に *clock* 関数を呼び出すと、**Fig.2-5** に示すように **2500** が返されます。それを CLOCKS_PER_SEC で割れば、秒単位の値 **2.5** が得られます。

▶ クロック数を秒数に換算するために CLOCKS_PER_SEC で割る手法は、定石として覚えておく必要があります。

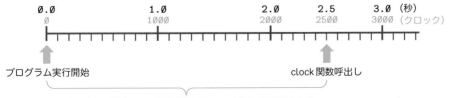

Fig.2-5 clock 関数の働きと CLOCKS_PER_SEC

本プログラムでは、プログラム起動からの経過時間の秒数を、実数値として表示しています。

```
clock_t c = clock();
printf("プログラム開始から%.1f秒経過しました。\n",
                              (double)c / CLOCKS_PER_SEC);
```

水色部では、c をいったん **double** 型に**キャスト**（cast）した上で、秒単位の経過時間を求めています（**Column 2-2**：p.49）。というのも、"**整数 / 整数**"による演算では**小数部が切り捨てられてしまう**からです。

▶ *clock* 関数の返却値は、経過時間を求めるためだけに利用していますので、いったん変数 c に入れることなく、次のように実現することもできます（変数 c が不要となります）。

```
printf("プログラム開始から%.1f秒経過しました。\n",
                              (double)clock() / CLOCKS_PER_SEC);
```

処理に要した時間の計測 ————————————————————

次は、プログラム開始からの経過時間ではなく、**特定部分の処理に要した時間**を計測することにしましょう。見かけは簡単ではあるものの、**いざ実行してみると難しい**、右ページの **List 2-6** の《暗算トレーニング》プログラムを例に学習していきます。

実行すると、3個の3桁の整数を加える問題が提示されます。正解を入力すると、解答に要した時間が表示されます。

▶ 誤答は受け付けませんので、正解するまでプログラムは終了しません。

それでは、プログラムを理解していきましょう。

▪ 正誤の判定

まずは **1** の **while** 文を理解します。この **while** 文は、誤答を受け付けないようにするための繰返しです。制御式が 1 であって繰返しは永遠に行われるのですが、正解した場合は **break** 文によって繰返しを強制的に中断・終了するようになっています。

▶ もし **break** 文を利用しないのであれば、次のように **do** 文で実現することになります。

```
int x;              // 読み込んだ値（do文より前で宣言する必要がある）
do {
    scanf("%d", &x);
    if (x != a + b + c)
        printf("\a違いますよ!!\n再入力してください：");
} while (x != a + b + c);
```

このコードでは、2箇所の水色部で、同一の判定を行うことになってしまいます。

▪ 処理に要した時間の計測

続いて、本プログラムの本題である、**処理に要した時間の計測**について学習しましょう。ある処理に要した時間は、その開始時刻と終了時刻の"差"であることに着目します。

そこで、右ページの **Fig.2-6** に示すように、処理の前後で *clock* 関数を呼び出します。本プログラムでは、処理開始時の *clock* 関数の返却値を *start* に格納し、処理終了時の *clock* 関数の返却値を *end* に格納していますので、処理に要した時間は *end* - *start* で得られます。

List 2-6

```
// 暗算トレーニング（３個の３桁の整数を加える）

#include <time.h>
#include <stdio.h>
#include <stdlib.h>

int main(void)
{
    srand(time(NULL));              // 乱数の種を設定

    int a = 100 + rand() % 900;     // 加算する数値：100～999の乱数
    int b = 100 + rand() % 900;     //                    〃
    int c = 100 + rand() % 900;     //                    〃

    printf("%d + %d + %dは何ですか：", a, b, c);

    clock_t start = clock();        // 計測開始

    while (1) {
        int x;                      // 読み込んだ値
        scanf("%d", &x);
        if (x == a + b + c)                                              ■1
            break;
        printf("\a違いますよ!!\n再入力してください：");
    }

    clock_t end = clock();          // 計測終了

    double req_time = (double)(end - start) / CLOCKS_PER_SEC;

    printf("%.1f秒かかりました。\n", req_time);

    if (req_time > 30.0)
        printf("時間がかかりすぎです。\n");
    else if (req_time > 17.0)
        printf("まあまあですね。\n");
    else
        printf("素早いですね。\n");

    return 0;
}
```

> 処理の前後でclock関数を呼び出す

> 処理に要した時間

実行例
```
535 + 236 + 987は何ですか：1757⏎
違いますよ!!
再入力してください：1758⏎
35.2秒かかりました。
時間がかかりすぎです。
```

　もっとも、この値の単位はクロック数ですから、CLOCKS_PER_SEC で割って秒単位の値に換算します（前のプログラムと同様です）。

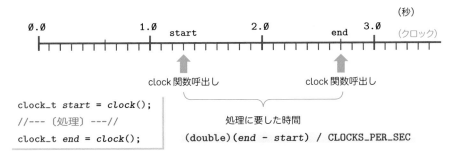

Fig.2-6 処理に要した時間の計測

処理に要した時間を計測する式をまとめましょう。

`end - start`	処理に要したクロック数
`(end - start) / CLOCKS_PER_SEC`	処理に要した秒数

計算によって求めた暗算の所用時間は、`double` 型の変数 `req_time` に格納されます。

この値に応じて、『時間がかかりすぎです。』『まあまあですね。』『素早いですね。』のいずれかを表示して、プログラムは終了します。

☐ 時間計測のもう一つの方法

ここまで学習してきた二つのプログラム（**List 2-5** と **List 2-6**）で、時間を正しく計測できない環境があります。そのような環境では、`<time.h>` ヘッダで定義されている `CLOCKS_PER_SEC` が極めて大きな値です。

C言語の整数型で表現できる値は有限であるため、`clock` 関数が返却できるクロック数を超える時間の計測では不具合が生じます。

処理時間の計測は、`clock_t` 型ではなく、`time_t` 型を使うことによっても行えます（ただし、多くの処理系では計測の精度が落ちます）。

その方法を使って書きかえたのが、**List 2-7** のプログラムです（所要時間の計測に関わる箇所のみを示しています）。

List 2-7	chap02/mental_t.c

```
// 暗算トレーニング（３個の３桁の整数を加える：計測にtime_t型を利用）
                                               処理の前後でtime関数を呼び出す
time_t start = time(NULL);        // 開始時刻

while (1) {
    int x;                        // 読み込んだ値
    scanf("%d", &x);
    if (x == a + b + c)
        break;
    printf("\a違いますよ!!\n再入力してください：");
}

time_t end = time(NULL);          // 終了時刻

double req_time = difftime(end, start);
                                               処理に要した時間
```

処理時間の計測には、この方法を使っていくことにしましょう。

▶ この方法の原理は、日付・時刻を学習する第 6 章で学習しますが、概略は次のとおりです：

- 関数呼出し `time(NULL)` によって、`time_t` 型で表現された《現在の時刻》が返却されます（処理開始時の時刻を `start` に入れて、処理終了時の時刻を `end` に入れます）。
- `difftime(t1, t2)` は、二つの時刻 `t1` と `t2` の秒単位の差 `t1 - t2` を求めて `double` 型の値として返却します。そのため、`difftime(end, start)` によって返却された値は、換算することなく、そのまま秒単位の値として利用できます。

Column 2-2	キャスト

キャスト演算子（cast operator）と呼ばれる**演算子( )**は、次の形式で利用します。

（型）式

この**キャスト式**が生成するのは、『式の値を、型としての値に変換したもの』です。なお、このような**明示的な型変換**を行うことを**キャストする**（cast）といいます。

ちなみに、英語の cast は極めて多くの意味をもつ語句です。他動詞の cast には、『役を割り当てる』『投げかける』『ひっくりかえす』『計算する』『曲げる』『ねじる』などの意味があります。

＊

具体例を考えましょう。(int)9.6 では、double 型の浮動小数点定数の値 9.6 から、小数部を切り捨てた int 型の 9 が生成されます（**Fig.2C-1 a**）。また、(double)5 では、int 型の整数定数の値 5 から、double 型の浮動小数点値である 5.0 が生成されます（図**b**）。

a double型浮動小数点値をint型にキャスト

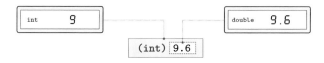

b int型整数値をdouble型にキャスト

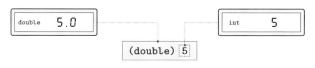

Fig.2C-1 キャスト式の評価

次に、int 型の変数 x と y の平均値を求める式を考えます。x の値が 4 で、y の値が 3 であるとして、キャストを行う場合と行わない場合を比較します。

▪ (x + y) / 2

加算も除算も整数どうしの演算ですから、その結果も整数です。そのため、次に示すように小数部が切り捨てられて、結果は "int 型の 3" となります。

7 / 2 ⇨ 3

▪ (double)(x + y) / 2

double 型と int 型の算術演算では、演算前に**暗黙の型変換**が行われ、int 型の値が double 型に変換されます。そのため、double 型どうしの除算が行われて "double 型の 3.5" が得られます。

(double)7 / 2 ⇨ 7.0 / 2 ⇨ 7.0 / 2.0 ⇨ 3.5

なお、割る側の数を実数 2.0 にすればキャストは不要です。

(x + y) / 2.0 ⇨ 7 / 2.0 ⇨ 7.0 / 2.0 ⇨ 3.5

関数 sleep による一定時間の処理停止

本章のいくつかのプログラムでは、一定時間の処理停止のために、関数 *sleep* を使ってきました（**List 2-8** に再掲します）。

```
//--- xミリ秒経過するのを待つ ---//
int sleep(unsigned long x)
{
    clock_t c1 = clock(), c2;

    do {
        if ((c2 = clock()) == (clock_t)-1)  // エラー
            return 0;
    } while (1000.0 * (c2 - c1) / CLOCKS_PER_SEC < x);
    return 1;                              関数開始からの経過時間（ミリ秒）
}
```

この関数の仕組みを、**Fig.2-7** を見ながら理解していきましょう。

まず最初に *clock* 関数を呼び出して、プログラム開始からの経過時間を c_1 に格納します。その後に実行される do 文では、繰返しのたびに *clock* 関数が呼び出され、そこで得られた値が c_2 に代入されます。

制御式の左オペランド `1000.0 * (c2 - c1) / CLOCKS_PER_SEC` は、関数 *sleep* の実行が開始してからの経過時間をミリ秒単位で表した値です。その値が **x** 以上になったら、do 文による繰返しを終了して、関数を終了します（その際に 1 を返却します）。

p.45 に示すように、*clock* 関数は『使用したプロセッサ時間が得られないか、またはその値が表現できない場合、値 (clock_t)-1 を返す』仕様です。

▶ 返却されるのは、int 型の整数値 -1 が clock_t 型にキャストされた値です。決して、"clock_t から 1 を引いた値" ではありません。

clock 関数がエラーを示す -1 を返した場合は、関数 *sleep* は 0 を返すことによって、エラーの発生を呼出し元に通知します。

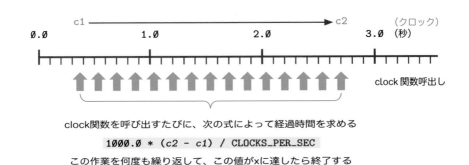

Fig.2-7 関数 sleep の動作原理

▶ この関数は、CPUを占有してしまうことに注意しましょう。『xミリ秒時間をつぶす』というよりも、『xミリ秒経過するまで、頭脳であるCPUを働かせ続ける』といったほうが正確です。

　また、clock_t型で表現できる値の上限を超える時間の対応はできません（p.48）。長時間の処理停止の方法は、第6章で学習します。

 まとめ

❉ プログラム開始からの経過時間の取得

　*clock*関数を呼び出すことによって、プログラム開始からの経過クロック数が、**<time.h>**ヘッダで定義されている**clock_t**型の値として得られる。クロックの単位は処理系によって異なるが、その値を**CLOCKS_PER_SEC**で割ると秒単位の値となる。

　なお、そのまま除算を行うと小数部が切り捨てられるため、実数値として求めるには、**double**型にキャストして**(double)***clock***() / CLOCKS_PER_SEC**とする。

❉ 処理に要した時間の計測

　clock_t型の変数を二つ用意して、処理の前後で*clock*関数の返却値を保存する。

```
clock_t start = clock();
//---〔処理〕---//
clock_t end = clock();
```

　そうすると、〔処理〕に要した時間は、*end - start*クロックとして求められる。

　この値を**CLOCKS_PER_SEC**で割ると秒単位に換算できる。そのまま除算を行うと小数部が切り捨てられるため、実数値として求めるには、**double**型にキャストする。

```
(double)(end - start) / CLOCKS_PER_SEC        // 処理に要した時間（秒数）
```

※ 変数名は任意であって、*start*と*end*でなくてもよい。

　この方法では、（特に**CLOCKS_PER_SEC**が大きな値の環境では）長時間の計測はできない。そのため、第6章で学習する**time_t**型と*time*関数と*difftime*関数を使う次の方法を使うとよい。

```
time_t start = time(NULL);
//---〔処理〕---//
time_t end = time(NULL);
```

　こうしておくと、〔処理〕に要した時間は、関数呼出し*difftime(end, start)*によって、**double**型の秒単位の値として求められる。

❉ 一定時間の処理停止

　次に示す関数*sleep*を用意して呼び出す。引数の単位はミリ秒である。

```
//--- xミリ秒経過するのを待つ ---//
int sleep(unsigned long x)
{
    clock_t c1 = clock(), c2;
    do {
        if ((c2 = clock()) == (clock_t)-1)  // エラー
            return 0;
    } while (1000.0 * (c2 - c1) / CLOCKS_PER_SEC < x);
    return 1;
}
```

2-3 テロップ表示

　本節では、時間をうまくあやつって、画面に表示する文字に "動き" をもたせるプログラムを作っていきます。

strlen 関数：文字列の長さを調べる

　List 2-9 に示すのは、文字列を先頭から1文字ずつ表示していき、すべての文字を表示し終わったら、逆に後ろ側から1文字ずつ消していくプログラムです。まずは、実行しましょう。文字列がビヨ～ン・ビヨ～ンと伸縮みを繰り返しているように見えます。

List 2-9　　　　　　　　　　　　　　　　　　　　　　　　　　chap02/elastic.c

```c
// 文字列を1文字ずつ表示して後ろから1文字ずつ消去するのを繰り返す

#include <time.h>
#include <stdio.h>
#include <string.h>

//--- xミリ秒経過するのを待つ ---//
int sleep(unsigned long x)
{
    //--- 省略：List 2-2と同じ ---//
}

int main(void)
{
    char name[] = "BohYoh Shibata";        // 表示する文字列
    int  name_len = strlen(name);          // 文字列nameの文字数

    while (1) {        // 無限に繰り返す
        for (int i = 0; i < name_len; i++) {        // 先頭から1文字ずつ表示
            putchar(name[i]);
            fflush(stdout);                                          1
            sleep(500);
        }
        for (int i = 0; i < name_len; i++) {        // 末尾から1文字ずつ消去
            printf("\b \b");
            fflush(stdout);                                          2
            sleep(500);
        }
    }
    return 0;
}
```

実行結果					
	B	Bo	BohYoh Shibat	BohYoh Shibata	
(0.5秒)	(0.5秒)	(0.5秒)	中略	(0.5秒)	(0.5秒)
B	Bo	Boh	BohYoh Shiba	BohYoh Shibat	
(0.5秒)	(0.5秒)	中略	(0.5秒)		

　本プログラムで表示する文字列 **"BohYoh Shibata"** は著者の名前です。みなさんは、ご自身の名前に書きかえるとよいでしょう。

さて、この文字列を格納する *name* は、 `char[15]` 型、すなわち、要素型が `char` 型で要素数が 15 の配列です。

Fig.2-8 に示すように、 *name*[Ø] 〜 *name*[14] の各要素は、先頭から順に、文字 `'B'`、`'o'`、`'h'`、…、`'a'`、`'\Ø'` で初期化されます。

末尾の `\Ø` は、文字列の終端を示す**ナル文字** (null character) です。

▶ 文字列の初期化については Column 2-4 (p.62) で学習します。

文字列 *name*

Fig.2-8 文字列の内部とその長さ

配列に続いて宣言されている変数 *name_len* の初期化子は、関数呼出し式です。呼び出されている **strlen** 関数は、**文字列の長さ（ナル文字を含まない文字数）**を求める関数です。

strlen	
ヘッダ	`#include <string.h>`
形　式	`size_t strlen(const char *s);`
機　能	*s* が指す文字列の長さを計算する。
返却値	終端を示すナル文字に先行する文字の個数を返す。

配列 *name* の要素数は 15 ですが、文字列そのものの "長さ" は、ナル文字を含まない 14 です。そのため、変数 *name_len* は 14 で初期化されます。

▶ **strlen** 関数の返却値型である `size_t` 型については、p.128で学習します。

１文字ずつの表示と消去

それでは、文字を1個ずつ表示して、1個ずつ消去する原理を理解していきましょう。

1 の `for` 文では、*i* の値を Ø、1、… と増やしながら *name*[*i*] を出力します。その結果、配列 *name* に格納されている文字列中の文字 `'B'`、`'o'`、`'h'`、…、`'a'` が先頭から順に1個ずつ表示されます。

2 の `for` 文は、`"\b \b"` を出力することによって、末尾側から文字を1個ずつ消去します。これは、p.39 で学習したテクニックです。

▶ 関数 *sleep* の呼出しによって、Ø.5秒間隔で文字の表示と消去を行っています。関数 *sleep* に与える値を変えると、文字列が伸縮する速度が変わります。

なお、二つの `for` 文は、それを囲む `while (1)` によって無限に繰り返されますので、プログラムの終了は、強制的に行う必要があります。

▶ プログラムの強制終了は、[Ctrl] キーを押しながら [C] キーを押すことによって行います。なお、環境によっては、[Ctrl] キーを押しながら [D] キーを押さなければなりません。

▢ テロップ表示（左方向）

次は、文字列を**テロップ**のように流して表示するプログラムです。**List 2-10** のプログラムを
実行しましょう。文字列 **"BohYoh "** が右から左へと流れていきます。

▶ 前ページのプログラムと同様に、プログラムは無限ループですから、実行を終えるためには強制終
了する必要があります。

List 2-10　　　　　　　　　　　　　　　　　　　　　　　　　　chap02/telop1.c

```c
// 名前をテロップ表示（その１：左方向へ文字を流す）

#include <time.h>
#include <stdio.h>
#include <string.h>

//--- xミリ秒経過するのを待つ ---//
int sleep(unsigned long x)
{
    //--- 省略：List 2-2と同じ ---//
}

int main(void)
{
    int   cnt = 0;                       // 先頭文字の添字
    char  name[] = "BohYoh ";            // 表示する文字列
    int   name_len = strlen(name);       // 文字列nameの文字数

    while (1) {
        putchar('\r');                   // カーソルを行の先頭へ

        for (int i = 0; i < name_len; i++) {
            if (cnt + i < name_len)
                putchar(name[cnt + i]);                          ■1
            else
                putchar(name[cnt + i - name_len]);               ■2
        }

        fflush(stdout);
        sleep(500);

        if (cnt < name_len - 1)
            cnt++;              // 次回は一つ後ろの文字から表示  ■3
        else
            cnt = 0;            // 次回は先頭文字から表示         ■4
    }

    return 0;
}
```

空白文字

実行結果						
BohYoh	ohYoh B	hYoh Bo	Yoh Boh	oh BohY	h BohYo	BohYoh

(0.5秒) (0.5秒) (0.5秒) (0.5秒) (0.5秒) (0.5秒)

(0.5秒)

文字列リテラル **"BohYoh "** の末尾には空白があるため、配列 *name* の要素数は 8 です（ただし、
変数 *name_len* の値は 7 です）。

本プログラムは、その文字列 **"BohYoh "** を左方向へと 0.5 秒間隔のスピードで流して循環的にテロップ表示します。表示原理を **Fig.2-9** を見ながら理解しましょう。

a for 文を制御するための変数 i の値は 0、1、…、6 と変化します。変数 cnt の値は 0 であり、7 回の繰返しでは if 文の条件判定 $cnt + i < name\_len$ が必ず成立します。

そのため、7 回とも **1** が実行されて、$name[0]$、$name[1]$、…、$name[5]$、$name[6]$ すなわち 'B'、'o'、…、'h'、' ' が順に出力されます。その結果、「BohYoh□」と表示されます。

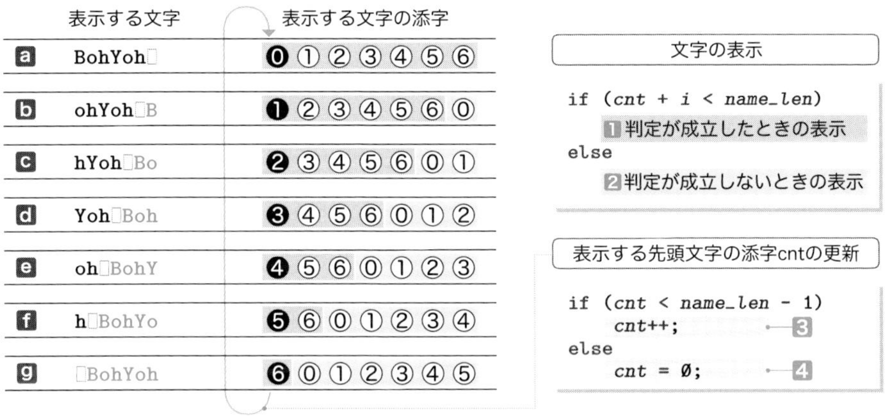

Fig.2-9 テロップ表示における文字の表示過程（左方向）

その後、$fflush$ 関数によって出力を確実なものとして、関数 $sleep$ によって 0.5 秒だけ休止します。続く if 文の判定 $cnt < name\_len - 1$ が成立するため、**3** によって、変数 cnt の値がインクリメントされて 1 となります。

▶ 図中の●の中の数値が cnt の値です。

b 復帰 \r によってカーソルを先頭に戻した後に、7 回の繰返しを行う for 文が再び実行されます。今回は変数 cnt の値は 1 です。if 文の判定 $cnt + i < name\_len$ が成立する最初の 6 回では **1** が実行され、成立しない最後の 1 回は **2** が実行されます。その結果、$name[1]$、$name[2]$、…、$name[6]$、$name[0]$ が「ohYoh□B」と表示されます。

以降は同様です。for 文では、$name[cnt]$ を先頭にして文字を 7 個表示します。その後、**3** によって、変数 cnt の値をインクリメントします。ただし、図 **g** の表示終了後に cnt をインクリメントすると、文字列末尾の添字を超えますので、**4** によって、cnt の値を 0 に戻して、再び図 **a** に戻ります。

このように、1 文字ずつずらしながらの表示を繰り返すことによって、テロップのような表示効果を生み出します。

▢ テロップ表示（右方向）

テロップの流れを逆にして"**右方向**"に変更しましょう。表示すべき文字の移り変わりを、前ページと同様の図で表したのが **Fig.2-10** です。

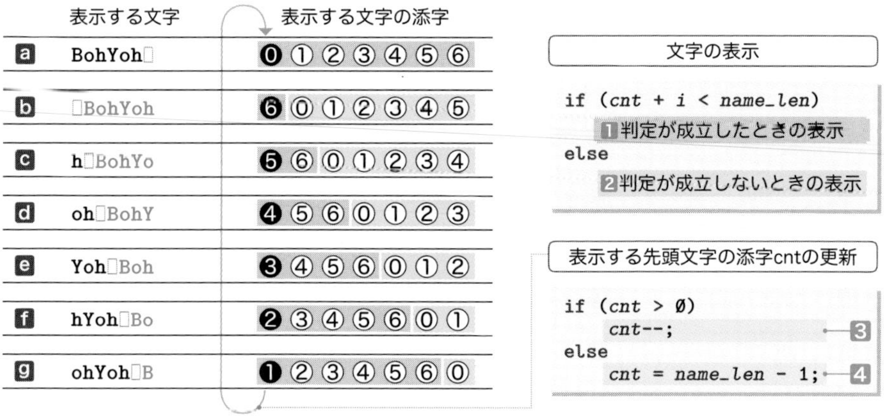

	表示する文字	表示する文字の添字
a	BohYoh□	⓪①②③④⑤⑥
b	□BohYoh	⑥⓪①②③④⑤
c	h□BohYo	⑤⑥⓪①②③④
d	oh□BohY	④⑤⑥⓪①②③
e	Yoh□Boh	③④⑤⑥⓪①②
f	hYoh□Bo	②③④⑤⑥⓪①
g	ohYoh□B	①②③④⑤⑥⓪

```
文字の表示

if (cnt + i < name_len)
    ▌判定が成立したときの表示
else
    ▐判定が成立しないときの表示
```

```
表示する先頭文字の添字cntの更新

if (cnt > 0)
    cnt--;                    ━❸
else
    cnt = name_len - 1;      ━❹
```

Fig.2-10 テロップ表示における文字の表示過程（右方向）

左方向に流すプログラムでは、先頭に表示する文字の添字 cnt（●の中の値）は、次のように循環していました（**Fig.2-9**：前ページ）。

0 ➡ 1 ➡ 2 ➡ 3 ➡ 4 ➡ 5 ➡ 6 ➡ 0 ➡ … 左方向テロップでの先頭文字の添字の変化

今回の**右方向**に流すテロップでは、次のように循環させます。

0 ➡ 6 ➡ 5 ➡ 4 ➡ 3 ➡ 2 ➡ 1 ➡ 0 ➡ … 右方向テロップでの先頭文字の添字の変化

したがって、プログラムを大幅に書きかえる必要はありません。cnt の値を更新する if 文を、**Fig.2-11** のように、ちょっと変更するだけです。

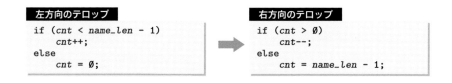

左方向のテロップ
```
if (cnt < name_len - 1)
    cnt++;
else
    cnt = 0;
```

右方向のテロップ
```
if (cnt > 0)
    cnt--;
else
    cnt = name_len - 1;
```

Fig.2-11 左方向のテロップと右方向のテロップにおける cnt の更新

プログラム全体を **List 2-11** に示します。まずは実行して動作を確認しましょう。

List 2-11   chap02/telop2.c

```c
// 名前をテロップ表示（その2：右方向へ文字を流す）

#include <time.h>
#include <stdio.h>
#include <string.h>
```

```c
//--- xミリ秒経過するのを待つ ---//
int sleep(unsigned long x)
{
    //--- 省略：List 2-2と同じ ---//
}
```

```c
int main(void)
{
    int   cnt = 0;                     // 先頭文字の添字
    char  name[] = "BohYoh ";          // 表示する文字列
    int   name_len = strlen(name);     // 文字列nameの文字数

    while (1) {
        putchar('\r');                 // カーソルを行の先頭へ

        for (int i = 0; i < name_len; i++) {
            if (cnt + i < name_len)
                putchar(name[cnt + i]);                    ━1
            else
                putchar(name[cnt + i - name_len]);         ━2
        }

        fflush(stdout);
        sleep(500);

        if (cnt > 0)              左方向テロップと違うのはココだけ
            cnt--;                             // 次回は一つ前の文字から表示 ━3
        else
            cnt = name_len - 1;                // 次回は先頭文字から表示     ━4
    }

    return 0;
}
```

実行結果

BohYoh	BohYoh	h BohYo	oh BohY	Yoh Boh	hYoh Bo	ohYoh B

（0.5秒）（0.5秒）（0.5秒）（0.5秒）（0.5秒）（0.5秒）

（0.5秒）

前のプログラム（左方向のテロップ）からの主要な変更部に着目しましょう。

表示のたびに *cnt* の値をインクリメントするのではなく、デクリメントするように変更されています（3）。ただし、*cnt* の値が先頭文字の添字 0 を超えて **-1** になりそうになったら、文字列の末尾文字の添字 *name_len* - 1 すなわち6 に戻します（4）。

2-4 書式付き入出力

C言語プログラムでの表示に欠かせない *printf* 関数は多機能です。必ず知っておくべきテクニックを学習します。

表示桁数を変数として指定

List 2-12 は、入力された値の回数だけ数字文字1、2、…、9、0、1、2、… を、1桁ずつ右にずらして表示するプログラムです。

List 2-12   chap02/stair1.c

```c
// 数字文字を1桁ずつずらしながら表示（その1）

#include <stdio.h>

int main(void)
{
    int x;          // 表示する段数

    printf("段数：");
    scanf("%d", &x);

    for (int i = 1; i <= x; i++) {
        for (int j = 1; j < i; j++)      i-1個の空白を表示
            putchar(' ');
        printf("%d\n", i % 10);
    }

    return 0;
}
```

```
実行例
段数：13⏎
1
 2
  3
   4
    5
     6
      7
       8
        9
         0
          1
           2
            3
```

プログラム主要部は、**for** 文の中に **for** 文が入る2重ループの構造です。

外側の **for** 文は、i の値を1から始めて x になるまで一つずつ増やしていきます。実行例の場合は、1から13までインクリメントされます。

内側の **for** 文は、j の値を1から一つずつ増やしながら、i より小さいあいだ繰り返すことによって "$i-1$ 個の空白文字" を出力します。その後、i を10で割った剰余を表示します。

そのため、全体の流れは、次のようになります。

- i が1のとき：空白文字を0個表示した後に1を表示 ⇨ 1
- i が2のとき：空白文字を1個表示した後に2を表示 ⇨ □2
- i が3のとき：空白文字を2個表示した後に3を表示 ⇨ □□3
- i が4のとき：空白文字を3個表示した後に4を表示 ⇨ □□□4
  ⋮

---

printf 関数を使いこなす達人の手にかかると、2重ループではなく、単なる **for** 文で実現できます。それが **List 2-13** に示すプログラムです。

List 2-13　　　　　　　　　　　　　　　　　　　　　　chap02/stair2.c

```
// 数字文字を1桁ずつずらしながら表示（その2）

    for (int i = 1; i <= x; i++)
        printf("%*d\n", i, i % 10);
```

桁数

このプログラムを理解するために、まずは **Fig.2-12** を考えます。いずれも、int 型変数 *x* の値を10進数で表示するコードですが、表示する**桁数**の指定が異なります。

本プログラムで使っているのは、図**c** の応用です。書式文字列中に * を埋め込んでおき、"少なくとも何桁で出力するか"を引数 *c* として与えます。こうすると、*x* の値が少なくとも *c* 桁の10進数として出力されるのです。

a `printf("%d", x);` 　　必要な桁数で表示

b `printf("%3d", x);` 　　少なくとも3桁で表示

c `printf("%*d", c, x);` 　少なくとも*c*桁で表示

Fig.2-12 printf 関数による表示と桁数

▶ 図**b**では、*x* が3桁を超えていれば、すべての桁が出力されます（たとえば *x* が 12345 であれば5桁で表示されます）。これは、図**c**も同様です。*x* の値が *c* 桁を超えていれば、*c* 桁を超えた桁数で表示されます。

本プログラムでは、変数 *i* の値を 10 で割った剰余を"（少なくとも）*i* 桁の幅で表示する"処理を繰り返しています。

＊

プログラム実行時に表示桁数を変えることもできます。**List 2-14** に示すのが、その例です。

List 2-14　　　　　　　　　　　　　　　　　　　chap02/printf_double.c

```c
// 実数値を指定された桁数で表示

#include <stdio.h>

int main(void)
{
    double x;        // 表示する値
    int w, p;        // 全体と小数部の桁数

    printf("実　　数　　値：");    scanf("%lf", &x);
    printf("全 体 の桁数：");    scanf("%d", &w);
    printf("小数部の桁数：");    scanf("%d", &p);

    printf("%*.*f\n", w, p, x);

    return 0;
}
```

実行例
```
実　　数　　値：3.1415⏎
全 体 の桁数：12⏎
小数部の桁数：6⏎
    3.141500
```

キーボードから読み込んだ実数値 *x* の値を、全体を *w* 桁で、小数部を *p* 桁で表示します。

▶ 書式文字列内の先頭側の * は**最小フィールド幅**の指定、後側の * は**精度**の指定に対応します。

任意の個数の空白文字の表示

このテクニックを応用した別のプログラム例を **List 2-15** に示します。2桁の数を3個加算する暗算トレーニングプログラムです。暗算を10回行って、それに要した時間を表示します。

ただし、問題の計算式を表示する際、数値間に余白を設けて出題しますので、単なる暗算だけではなく、**左右方向に視野を拡大する**訓練も兼ねています。

なお、余白のための空白文字の個数 n は、0 ～ 16 の乱数で決定します。

List 2-15   chap02/vision.c

```c
// 左右方向の視野拡大訓練を兼ねた暗算トレーニング

#include <time.h>
#include <stdio.h>
#include <stdlib.h>

int main(void)
{
    srand(time(NULL));          // 乱数の種を設定

    printf("視野拡大暗算トレーニング開始!!\n");
    time_t start = time(NULL);          // 開始時刻

    for (int stage = 0; stage < 10; stage++) {
        int a = 10 + rand() % 90;          // 加算する数値：10～99の乱数
        int b = 10 + rand() % 90;          //          〃
        int c = 10 + rand() % 90;          //          〃
        int n = rand() % 17;               // 余白の幅：0～16の乱数

        printf("%d%*s+%*s%d%*s+%*s%d : ", a, n, "", n, "", b, n, "", n, "", c);

        do {
            int x;                          // 読み込んだ値
            scanf("%d", &x);
            if (x == a + b + c)
                break;
            printf("\a違います。再入力してください：");
        } while (1);
    }

    time_t end = time(NULL);          // 終了時刻

    printf("%.1f秒かかりました。\n", difftime(end, start));

    return 0;
}
```

n個の空白を表示

```
実行例
視野拡大暗算トレーニング開始!!
17      +       68              99：184⏎
25          +           94              +               34：153⏎
65 + 27 + 30：122⏎
39          +           35              +               49：123⏎
85      +       36          74：195⏎
98+28+64：190⏎
32      +       85      +       79：196⏎
98      +       15      +       75：188⏎
20  +   94  +   30：144⏎
66          +           92      +       43：201⏎
103.0秒かかりました。
```

次に示すように、`printf` 関数に対して『空の文字列を少なくとも *n* 桁で表示せよ。』と命じれば、空白文字が *n* 個表示されます。

```
printf("%*s", n, "");          // 空白文字をn個表示する
```

本プログラムでは、このテクニックを次のように応用しています。

```
printf("%d%*s+%*s%d%*s+%*s%d : ", a, n, "", n, "", b, n, "", n, "", c);
```

これで、*a* と *b* と *c* の各数値と + 記号とのあいだに *n* 個分の余白が設けられます。

▶ 水色の部分が *n* 個の空白文字として出力されます。

次に示すコード例も理解するとよいでしょう。

```
// 1 AとBのあいだにi個の空白文字を表示
for (int i = 0; i < 4; i++)
    printf("A%*sB\n", i, "");
// 2 ABCDEの先頭i文字を表示
for (int i = 0; i < 4; i++)
    printf("%.*s\n", i, "ABCDE");
```

AB	1 空白文字を0個	
A B		1個
A B		2個
A B		3個
	2 先頭の0文字	
A		1文字
AB		2文字
ABC		3文字

`printf` 関数や `scanf` 関数の仕様は、次のサイトで解説しています。

https://www.bohyoh.com/   柴田望洋後援会オフィシャルホームページ

Column 2-3 | typedef 宣言

typedef 宣言は、**型の別名／同義語／あだ名**を作り出す宣言です。ここでは、**Fig.2C-2** の例で理解していきましょう。

この図に示す typedef 宣言は、

『**型 A に対して、B というあだ名を与えます！**』

というニュアンスです（typedef の後ろの *A* が既存の型名で、その後ろの *B* が別名＝あだ名です）。

この宣言によって、*B* は**型名として振る舞える**ようになり、新しく作られた名前は、**typedef 名**と呼ばれます。

```
            既存の型名    typedef名
                          別名（あだ名）
      typedef   A    B ;
      
      Bは型名として振る舞えるようになる
```

Fig.2C-2 typedef 宣言

＊

本文に示す `clock_t` 型の typedef 宣言が与えられた場合、`clock_t` 型は、`unsigned` 型の同義語となります。そのため、**List 2-5** の main 関数での変数 *c* の宣言は、次のように変更することも可能です。

```
unsigned c = clock();
```

ただし、この宣言は NG です。次のようなデメリットがあるからです。

▪ **プログラムの可読性（読みやすさ）が低下する**

変数 *c* が（一般的な）符号無し整数としての用途のものであるのか、時間（クロック）を表すためのものであるかが分からなくなります。

▪ **プログラムの可搬性（他の環境への移植のしやすさ）が損なわれる**

`clock_t` 型が `unsigned` 型の同義語ではない処理系での動作が保証されなくなります。そのため、たとえば `clock_t` 型が `unsigned long` 型の同義語である処理系に移植する際は、宣言を次のように書きかえなければなりません。

```
unsigned long c = clock();
```

▶ 本書の解説では、次のように「 」と『 』を使い分けています（『入門編』などと同様です）。

「ＡＢＣ」と表示 … 画面に **ABC** と表示します。

『ＡＢＣ』と表示 … 画面に **ABC** と表示した後に改行します（改行文字を出力します）。

2

表示に凝ろう

| **Column 2-4** | 文字列の初期化 |

▪ 文字列の配列を初期化する宣言

　C言語では、`char` 型の配列で文字列を表します。初期化を伴う宣言には、（主として）次の3種類があります。

　1 `char s[] = "ABCD";`
　2 `char s[] = {"ABCD"};`
　3 `char s[] = {'A', 'B', 'C', 'D', '\0'};`

　いずれの宣言でも、`s[0]`、`s[1]`、`s[2]`、`s[3]`、`s[4]` が、文字 `'A'`、`'B'`、`'C'`、`'D'`、`'\0'` で初期化されます。末尾の `'\0'` は、文字列の末尾の目印となる**ナル文字**（null character）です。

　ナル文字は、すべてのビットが **0** である、特殊な（いわゆる人間が使う文字ではない）文字です。文字コードが **0** ですから、8進拡張表記による表記は **\0** となります。

　三つの宣言の中で最もよく使われるのが、短く簡潔な**1**です。わざわざ `{}` を書く**2**のスタイルを利用するプログラマはほとんどいません（というよりも、この形式を知らない人が多いようです）。

　最後の**3**は、プログラムが長くなるばかりか、ナル文字を書き忘れてしまうというミスにもつながりがちです。

▪ 文字列の配列に対する初期化の要素数

　初期化子と要素数については特別な規則があります。ここで、次の宣言を考えましょう。

　`char str[3] = "RGB";`　　　　　　　　　// 宣言Ｘ

　初期化子の `"RGB"` は末尾のナル文字を含めて4文字のはずですから、この宣言は、エラーとなるように感じられます。

　しかし、この宣言は、C言語では次のように解釈されます。

　`char str[3] = {'R', 'G', 'B'};`　　　　　　// 宣言Ｙ

　配列の要素数と、初期化子として与えられた文字列リテラルの "ナル文字を含まない文字数" が等しい場合に限り、ナル文字は付加されないと規定されています。

　このように宣言された配列 `str` は、『文字列』ではなく、『3個の文字を格納する配列』として利用できます。

　なお、C++ では、〔宣言Ｙ〕は許可されますが、〔宣言Ｘ〕はコンパイルエラーとなります。

　見た目が紛らわしく、C++ では受け入れられない〔宣言Ｘ〕は、なるべく使わないようにしたほうが賢明です。

　もちろん、文字列リテラルの大きさが配列の要素数よりも大きい

　`char str[3] = {'C', 'Y', 'M', 'K'};`　　　　　// 宣言Ｚ

といった宣言は、両言語でも許されずコンパイルエラーとなります。

＊

　なお、文字や文字列については、この後の章でも随所で学習していきます。

✍ 自由課題

☑ 演習 2-1

List 2-5（p.44）は、プログラム開始からの経過時間を秒数で表示するプログラムであった。秒数だけでなくクロック数もあわせて表示するように書きかえたプログラムを作成せよ。

☑ 演習 2-2

文字列を先頭から1文字ずつ表示する関数を作成せよ。

```
void gput(const char *s, int speed);
```

ここで、s は表示する文字列、speed はミリ秒単位の表示速度である。たとえば、

```
gput("ABC", 100);
```

と呼び出すと、まず 'A' を表示し、その 100 ミリ秒後に 'B' を表示し、さらにその 100 ミリ秒後に 'C' を表示する。このようにして "ABC" の全文字を表示すると呼出し元に戻ること。

☑ 演習 2-3

文字列を点滅表示する関数を作成せよ。

```
void bput(const char *s, int d, int e, int n);
```

文字列 s を d ミリ秒表示して e ミリ秒消去するのを n 回繰り返した後に呼出し元に戻ること。

※ 文字列 s は1行に収まって表示できるものと仮定してよい（すなわち改行文字などは含まないし、文字列の長さはコンソール画面の横幅より短いものとする）。

☑ 演習 2-4

文字列をテロップ表示する関数を作成せよ。

```
void telop(const char *s, int direction, int speed, int n);
```

ここで、s は表示する文字列、direction はテロップを流す方向（左方向は 0 で、右方向は 1）、speed はミリ秒単位の速度、n は表示回数である。

※ 文字列 s は1行に収まって表示できるものと仮定してよい。

☑ 演習 2-5

List 2-15（p.60）の《暗算トレーニング》プログラムは、10 回の加算に要した時間を表示するものであった。各回の所要時間とその平均時間を表示するように変更したプログラムを作成せよ。

☑ 演習 2-6

前問のプログラムを、加算だけでなく減算も行わせるように変更したプログラムを作成せよ。行わせる演算の種類は毎回ランダムに決定すること。すなわち、3値を a、b、c とすると、次に示す組合せのいずれかを毎回乱数によって決定して出題する。

- $a + b + c$
- $a + b - c$
- $a - b + c$
- $a - b - c$

第3章

じゃんけんゲーム

　本章で作成するのは《じゃんけんゲーム》です。最初は
単純なものを作り、少しずつ手を加えて機能を追加してい
きます。

この章で学ぶおもなこと

- switch 文
- char型
- 条件演算子と条件式
- 特定範囲の数値の読込み
- 文字コード
- 漢字コード
  （JIS／シフトJIS／EUC）
- 漢字を含んだ文字列
- ワイド文字
- ポインタによる文字列の走査
- 文字列の配列
  （2次元配列／ポインタの配列）

- 関数
- 構造体
- メンバアクセス演算子
- 識別子の有効範囲
- wchar_t 型
- isprint 関数
- CHAR_BIT
- CHAR_MAX
- CHAR_MIN
- SCHAR_MAX
- SCHAR_MIN
- UCHAR_MAX

3-1　じゃんけんゲーム

　　本章では、二人のプレーヤが対戦する《じゃんけんゲーム》を作成します。もちろん、対戦する二人のプレーヤは、コンピュータと人間です。

基本設計

　　まずは《じゃんけんゲーム》の大まかな設計をしましょう。プログラムの流れは、次のようにします。

---

　1 コンピュータの手を決定する。
　2 「じゃんけんポン」と表示して、人間が手を入力する。
　3 勝敗の判定を行い、その結果を表示する。
　4 続行するかどうかをたずね、人間が希望すれば1に戻る。

それでは、各ステップを詳しく設計していきます。

1　コンピュータの手を乱数で決定します（具体的な値は2で検討します）。
　　人間の手を読み込む2よりも前に行うのは、コンピュータが勝つように作為するのを防ぐためです。
　　▶ **List 3-8** (p.89) では、コンピュータがズルをする《後出しじゃんけん》のプログラムを作成します。

2　ユーザの手を"グー"、"チョキ"、"パー"といっ
　　た文字列で入力させるのは、（タイプミスの発生
　　などを考慮すると）現実的ではありません。
　　　Fig.3-1 に示すように、グー、チョキ、パーの
　　手を0、1、2に対応させることにします（型は
　　int 型とします）。

グー　　チョキ　　パー

0　　　1　　　2

Fig.3-1 手とその値

　　次のように表示した上で数値を入力させることにしましょう。

　　　じゃんけんポン…(0) グー　(1) チョキ　(2) パー：

　　人間の手とコンピュータの手を同じ値で表現すれば、一貫性が保てるので好都合です。これで、1の設計で未解決だった、コンピュータの手の値も決定しました。

3　コンピュータと人間の手をもとにして、勝敗を判定します。
　　ここで、人間とコンピュータの手を表す変数を *human* と *comp* とします。手と勝敗の関係を示した **Fig.3-2** を見ながら考えていきましょう。0 ⇨ 1 ⇨ 2 ⇨ 0 の循環において、矢印の始点側が"勝ち"で、終点側が"負け"です。

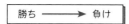

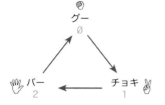

a 引き分け

human	comp	human - comp	(human - comp + 3) % 3
0	0	0	0
1	1	0	0
2	2	0	0

b 人間の負け

human	comp	human - comp	(human - comp + 3) % 3
0	2	-2	1
1	0	1	1
2	1	1	1

c 人間の勝ち

human	comp	human - comp	(human - comp + 3) % 3
0	1	-1	2
1	2	-1	2
2	0	2	2

Fig.3-2 勝敗の判定

コンピュータと人間の手の組合せは9種類であり、勝敗ごとに三つの表に分けています。

各表は、両者の手の値と、human から comp を引いた human - comp の値と、最終的な判定式 (human - comp + 3) % 3 の値をまとめたものです。

まずは、human から comp を引いた human - comp に着目します。

a 引き分け ：human と comp の値が等しいため、human - comp の値は 0 です。

b 人間の負け ：矢印の始点がコンピュータであり、human - comp の値は -2 または 1 です。

c 人間の勝ち ：矢印の始点が人間であり、human - comp の値は -1 または 2 です。

human - comp の値は -2、-1、0、1、2 とバラバラですが、3 を加えた上で 3 で割った剰余を求めると、0 と 1 と 2 に収まります。そのため、式 (human - comp + 3) % 3 の評価で得られた値が 0 であれば引き分け、1 であれば人間の負け、2 であれば人間の勝ちと判定できます。

▶ この式を思いつかなければ、次のように、手の組合せを if 文で列挙・判定することになります。

```
if (human == 0 && comp == 0  ||  human == 1 && comp == 1
                             ||  human == 2 && comp == 2)
       // 引き分け
else if (human == 0 && comp == 2  ||  human == 1 && comp == 0
                                  ||  human == 2 && comp == 1)
       // 人間の負け
else
       // 人間の勝ち
```

4 これについては、詳しい説明の必要はないでしょう。

switch 文によるプログラムの流れの分岐

ここまでの設計をもとに作成したプログラムを **List 3-1** に示します。

List 3-1　　　　　　　　　　　　　　　　　　　　　chap03/jyanken1.c

```c
// じゃんけんゲーム（その１）

#include <time.h>
#include <stdio.h>
#include <stdlib.h>

int main(void)
{
    srand(time(NULL));          // 乱数の種を設定

    printf("じゃんけんゲーム開始!!\n");

    int retry;                  // もう一度？

    do {
        int comp = rand() % 3;  // コンピュータの手：0〜2の乱数
        int human;              // 人間の手

        printf("\nじゃんけんポン…(0)グー (1)チョキ (2)パー：");
        scanf("%d", &human);    // 人間の手を読み込む

        printf("私は");         // コンピュータの手を表示
        switch (comp) {
         case 0: printf("グー");     break;
         case 1: printf("チョキ");   break;
         case 2: printf("パー");     break;
        }
        printf("です。\n");

        int judge = (human - comp + 3) % 3;   // 勝敗を判定

        switch (judge) {
         case 0: puts("引き分けです。");        break;
         case 1: puts("あなたの負けです。");    break;
         case 2: puts("あなたの勝ちです。");    break;
        }

        printf("もう一度しますか…(0)いいえ (1)はい：");
        scanf("%d", &retry);
    } while (retry == 1);

    return 0;
}
```

switch 文　　（右に、上のswitchに対応）

switch 文　　（右に、下のswitchに対応）

```
実行例
じゃんけんゲーム開始!!

じゃんけんポン…(0)グー (1)チョキ (2)パー：2↵
私はグーです。
あなたの勝ちです。
もう一度しますか…(0)いいえ (1)はい：1↵

じゃんけんポン…(0)グー (1)チョキ (2)パー：1↵
私はチョキです。
引き分けです。
もう一度しますか…(0)いいえ (1)はい：0↵
```

プログラムを実行しましょう。

手を入力するように促されますので、0、1、2のいずれかの値を打ち込むと、勝敗結果が表示されます。

その後、もう一度行うかどうかの入力が促されますので、1を打ち込むと、じゃんけんを再び行えるようになっています。

コンピュータの手の表示と、判定結果の表示は、**switch 文**で実現しています。

switch 文では、まず、制御式である**式**が評価されます。そして、**case**に続く値が、評価で得られた値と等しい**ラベル**（label）へとプログラムの流れが移ります。

一致するラベルがない場合は、**default ラベル**（があれば、その default ラベル）に移動します。

ラベルに飛んだ後は、その後ろに置かれた**文**を順次実行します。その過程で、**break 文**に出会うと switch 文の実行を終了します。

Fig.3-3 に、複雑な構造の switch 文と、そのプログラムの流れを示しています。これらを見比べれば、switch 文、ラベル、default ラベル、break 文の働きが理解できるでしょう。

```
switch (sw) {
 case 1 : puts("A");
          puts("B");  break;
 case 2 : puts("C");
 case 5 : puts("D");  break;
 case 6 :
 case 7 : puts("E");  break;
 default : puts("F");  break;
}
```

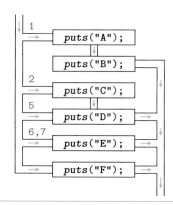

Fig.3-3 switch 文によるプログラムの流れの分岐

| **Column 3-1** | **選択文（if 文と switch 文）** |

if 文と switch 文のどちらを使っても実現できる分岐は、switch 文を利用して実現したほうが読みやすくなる傾向があります。そのことを、次に示す二つのコードで考えていきます。

```
if (p == 1)
    c = 15;
else if (p == 2)
    c = 23;
else if (p == 3)
    c = 57;
else if (q == 4)
    c = 84;
```

```
// 左のif文を書き直したもの

switch (p) {
 case 1  : c = 15;  break;
 case 2  : c = 23;  break;
 case 3  : c = 57;  break;
 default : if (q == 4) c = 84;
}
```

まずは、if 文をじっくり読んでみましょう。先頭三つの if は p の値を調べ、最後の if は q の値を調べています。そのため、変数 c に 84 が代入されるのは、p が 1、2、3 のいずれでもなく、かつ q が 4 であるときです。

入れ子構造の if 文において、分岐のための比較対象となるのは、必ずしも単一の式であるとは限りません。最後の判定は、if $(p == 4)$ と読み間違えられたり、if $(p == 4)$ の書き間違いではないかと誤解されたりするかもしれません。

その点、switch 文のほうは、全体の見通しがよいため、プログラムを読む人が、そのような疑念を抱くことが少なくなります。

<手>を表す文字列

　前のプログラムでは、人間の手の入力後に、『私はグーです。』といった感じでコンピュータ
の手が表示されます。『私はグーで、あなたはパーです。』のように、コンピュータの手だけで
なく人間の手も表示するように変更しましょう。**List 3-2** に示すのが、そのプログラムです。

| List 3-2 | chap03/jyanken2.c |

```
// じゃんけんゲーム（その２：両者の手を表示）

#include <time.h>
#include <stdio.h>
#include <stdlib.h>

int main(void)
{
    srand(time(NULL));          // 乱数の種を設定

    printf("じゃんけんゲーム開始!!\n");

    int retry;                  // もう一度？

    do {
        int comp = rand() % 3;      // コンピュータの手：0～2の乱数
        int human;                  // 人間の手

        do {
            printf("\nじゃんけんポン…(0)グー (1)チョキ (2)パー：");
            scanf("%d", &human);    // 人間の手を読み込む
        } while (human < 0 || human > 2);

        printf("私は");

        switch (comp) {             // コンピュータの手を表示
         case 0: printf("グー");     break;
         case 1: printf("チョキ");   break;
         case 2: printf("パー");     break;
        }

        printf("で、あなたは");

        switch (human) {            // 人間の手を表示
         case 0: printf("グー");     break;
         case 1: printf("チョキ");   break;
         case 2: printf("パー");     break;
        }

        printf("です。\n");

        int judge = (human - comp + 3) % 3;     // 勝敗を判定

        switch (judge) {
         case 0: puts("引き分けです。");          break;
         case 1: puts("あなたの負けです。");      break;
         case 2: puts("あなたの勝ちです。");      break;
        }

        printf("もう一度しますか…(0)いいえ (1)はい：");
        scanf("%d", &retry);
    } while (retry == 1);

    return 0;
}
```

■1

■2

ほとんど同じ

■3

1 人間の手を読み込む部分です。

0、1、2のみを受け付けるようにするために do 文が導入されています。

この do 文は、変数 *human* に読み込まれた値が 0 より小さいか、2 より大きいあいだ繰り返されます。

そのため、do 文の終了時点での変数 *human* の値は、必ず 0 以上 2 以下となります。

なお、この do 文を、ド・モルガンの法則（p.21）を用いて書きかえると、次のようになります。

実行例
じゃんけんゲーム開始！！
じゃんけんポン…(0)グー (1)チョキ (2)パー：3⏎
じゃんけんポン…(0)グー (1)チョキ (2)パー：-1⏎
じゃんけんポン…(0)グー (1)チョキ (2)パー：2⏎ 私はグーで、あなたはパーです。 あなたの勝ちです。 もう一度しますか…(0)いいえ (1)はい：1⏎
じゃんけんポン…(0)グー (1)チョキ (2)パー：2⏎ 私はチョキで、あなたはパーです。 あなたの負けです。 もう一度しますか…(0)いいえ (1)はい：0⏎

0、1、2以外の数値を入力すると無視される

```
do {
    printf("\nじゃんけんポン…(0)グー (1)チョキ (2)パー：");
    scanf("%d", &human);          // 人間の手を読み込む
} while (!(human >= 0 && human <= 2));
```

▶ もし *human* の値の妥当性（0、1、2のいずれかの値になっているかどうか）をチェックしなかったらどうなるでしょう。0、1、2以外の値（たとえば3）が打ち込まれると、人間の手を表示する**3**のswitch文は実質的に素通りされて、『私はチョキで、あなたはです。』と表示されます。

2 コンピュータの手を表示する switch 文です（前のプログラムと同じです）。

3 人間の手を表示する switch 文です（本プログラムで追加しています）。

2と**3**の switch 文は、ほとんど同じです。よく似たコードが繰り返されていることもあり、プログラムが（無駄に）長くなっています。

その上、"グー"、"チョキ"、"パー" が、独立した文字列リテラルとして各2回、文字列リテラルの一部として各1回と、3回ずつも現れます。

もし、手の表記を〔カタカナ〕から〔ひらがな〕に変えたり、0、1、2以外の値に変更しようとすると、修正や変更は何箇所にもおよびます。

▶ 手の値の変更については p.88 で検討します。

✏️ **まとめ**

❈ 選択文（if 文と switch 文）

単一の式の値によってプログラムの流れを分岐するには、if 文よりも switch 文のほうが適している（プログラムの意図をつかみやすい）ことが多い。

漢字を含む文字列

手を表す文字列 "グー"、"チョキ"、"パー" は、ソースプログラムの必要な箇所ごとに書くのではなく、いつでも参照できる配列として用意すべきです。

さて、漢字などの日本語文字である全角文字は通常2バイトで表現されるため、手を表す文字列の配列は、**Fig.3-4** に示す2次元配列として実現できるはずです。

なお、配列の行数3と列数7は、次に示す値から決めたものです。

```
char hd[3][7] = {
    "グー",
    "チョキ",
    "パー"
};
```

ナル文字を含めて7バイト

Fig.3-4 手を表す文字列の配列（2次元配列）

- 行数3：文字列の個数。
- 列数7：最も長い文字列である "チョキ" のナル文字を含めた文字数。

しかし、全角文字を含む文字列の取扱いは単純ではありません。事実、**処理系や環境によっては、この図の宣言はエラーとなります**。文字や文字列について、少し深く学習しましょう。

文字コード

私たち人間は、AやXなどの文字を"見た目"や"発音"で識別します。その一方で、コンピュータは、正の整数値の"コード"での識別を行います。

日本の多くのパソコンで利用されているのが、**Table 3-1** に示す **JIS コード**です。これは、米国で定められた **ASCII コード**にカナを加えて拡張したものです。

▶ 左半分が ASCII コードであり、右側が追加されて JIS コードとなっています。

なお、この表では、警報や後退などの文字を \a や \b などの拡張表記で表しています。

各文字のコードは、2桁の16進数での 00 〜 FF であり、10進数での 0 〜 255 です。

▶ 表の 0 〜 F は、16進数表記での各桁の値です。

たとえば、文字 'R' のコードは 0x52 で、文字 'g' のコードは 0x67 です。

10進数の数字文字 '0' 〜 '9' のコードは 0x30 〜 0x39 です。

Table 3-1 JIS コード表

	0	1	2	3	4	5	6	7	8	9	A	B	C	D	E	F
0				0	@	P	`	p				ー	タ	ミ		
1			!	1	A	Q	a	q			。	ア	チ	ム		
2			"	2	B	R	b	r			「	イ	ツ	メ		
3			#	3	C	S	c	s			」	ウ	テ	モ		
4			$	4	D	T	d	t			、	エ	ト	ヤ		
5			%	5	E	U	e	u			・	オ	ナ	ユ		
6			&	6	F	V	f	v			ヲ	カ	ニ	ヨ		
7	\a		'	7	G	W	g	w			ァ	キ	ヌ	ラ		
8	\b		(	8	H	X	h	x			ィ	ク	ネ	リ		
9	\t		)	9	I	Y	i	y			ゥ	ケ	ノ	ル		
A	\n		*	:	J	Z	j	z			ェ	コ	ハ	レ		
B	\v		+	;	K	[	k	{			ォ	サ	ヒ	ロ		
C	\f		,	<	L	¥	l	|			ャ	シ	フ	ワ		
D	\r		−	=	M	]	m	}			ュ	ス	ヘ	ン		
E			.	>	N	^	n	~			ョ	セ	ホ	゛		
F			/	?	O	_	o				ッ	ソ	マ	゜		

ASCII

JIS

☐ char 型

C言語では、文字を char 型で表します。char 型には、signed char 型、unsigned char 型、単なる char 型の3種類の型があります。各型で表現できる値の範囲が処理系に依存するため、その最小値と最大値が **<limits.h>** ヘッダで定義される仕組みがとられています。

▪ signed char 型

負、0、正の整数値を表現する**符号付き整数型**です。最小値は SCHAR_MIN として定義され、最大値は SCHAR_MAX として定義されます。以下に示すのが、定義の一例です。

signed char 型で表現できる値の最小値と最大値

```
#define SCHAR_MIN -127     // 定義の一例：値は処理系によって異なる
#define SCHAR_MAX  127     // 定義の一例：値は処理系によって異なる
```

▪ unsigned char 型

0以上の整数値のみを表現する**符号無し整数型**です。最小値は0ですから、最大値のみが UCHAR_MAX として定義されます。以下に示すのが、定義の一例です。

unsigned char 型で表現できる値の最大値

```
#define UCHAR_MAX 255      // 定義の一例：値は処理系によって異なる
```

▪ 単なる char 型

unsigned char 型と signed char 型のいずれかの型と等しい型です。そのため、符号無し整数型であるのか、符号付き整数型であるのかが、処理系に依存します。

この型で表現できる値の最大値と最小値を表すマクロが **CHAR_MIN** と **CHAR_MAX** です。

ただの char 型が signed char 型と等しい処理系では、下記の**1**のように定義されて、unsigned char 型と等しい処理系では、**2**のように定義されます。

char 型で表現できる値の最小値と最大値

```
1  // ただのchar型が符号付き型である処理系での定義の一例
   #define CHAR_MIN SCHAR_MIN  // signed char型と同じ（定義の一例）
   #define CHAR_MAX SCHAR_MAX  // signed char型と同じ（定義の一例）

2  // ただのchar型が符号無し型である処理系での定義の一例
   #define CHAR_MIN 0          // unsigned char型と同じ（必ず0になる）
   #define CHAR_MAX UCHAR_MAX  // unsigned char型と同じ（定義の一例）
```

▶ ただの char 型が、符号付き整数型なのか、それとも符号無し整数型なのかは、CHAR_MIN の値が0であるかどうかで判定できます。

なお、C++では、単なる char 型は、『unsigned char 型と signed char 型のいずれかの型と等しい型』ではなく、独立した別の型として扱われます。

すべての文字を表示

それでは、文字のコードを調べましょう。**List 3-3** に示すのは、**char** 型で表現できるすべての文字と、16 進数でのコードを表示するプログラムです。

▶ 実行結果は、実行環境や処理系で採用されている文字コードに依存します。

```
List 3-3                                                        chap03/code.c
// すべての文字と16進の文字コードを表示

#include <ctype.h>
#include <stdio.h>
#include <limits.h>

int main(void)
{
    for (int i = 1; i <= CHAR_MAX; i++) {
        switch (i) {
        case '\a' : printf("\\a");  break;
        case '\b' : printf("\\b");  break;
        case '\f' : printf("\\f");  break;
        case '\n' : printf("\\n");  break;
        case '\r' : printf("\\r");  break;
        case '\t' : printf("\\t");  break;
        case '\v' : printf("\\v");  break;
        default : printf(" %c", isprint(i) ? i : ' ');
        }
        printf(" %02X\n", i);
    }
    return 0;
}
```

実行結果一例
```
        01
        02
        03
        04
        05
        06
\a      07
\b      08
\t      09
\n      0A
\v      0B
\f      0C
\r      0D
 … 中略 …
"       22
#       23
$       24
%       25
&       26
'       27
 … 以下省略 …
```

for 文は、変数 *i* の値を 1 から **CHAR_MAX** までインクリメントしながら繰返しを行います。

そのループ本体で実行される **switch** 文に着目しましょう。■では、警報や後退などの文字を、\a や \b といった拡張表記と同じ2個の文字として表示します（そのまま出力すると、警報が鳴ったり、カーソルが移動したりするからです）。

▶ **for** 文における変数 *i* の開始値は、**CHAR_MIN** ではなく 1 となっています。たとえ **char** 型が符号付き整数型であっても、**文字のコードとして 0 や負の値が与えられることはない**からです（値が 0 のナル文字は **char** 型で表現されますが、いわゆる、私たち人間が使う文字ではありません）。

また、変数 *i* の型は、**char** 型ではなく、**int** 型となっています。その理由は：

① **for** 文終了時の変数 *i* の値は、**CHAR_MAX + 1** となる（ループ本体が最後に実行されるときの値は **CHAR_MAX** であるものの、それがインクリメントされてから **for** 文が終了するため）。

② 変数 *i* は、**char** 型の最大値 **CHAR_MAX** を 1 だけ超える値を表現できる型でなければならない。

isprint 関数：表示文字の判定

変数 *i* が拡張表記に該当しない文字であれば、プログラムの流れは **default** ラベルへと飛びます（■）。このとき、変数 *i* の値に対して、必ずしも文字が割り当てられているとは限りません（文字コード表の空欄部かもしれないからです）。

　そこで、コード i の文字が表示できる文字かどうかを判定した上で、表示内容を決定しています。そのために呼び出している **isprint 関数**は、引数に与えられた文字が**表示文字**（表示可能な文字）であれば **0** 以外の値を返却し、そうでなければ **0** を返却する関数です。

isprint	
ヘッダ	#include <ctype.h>
形　式	int isprint(int c);
機　能	c が空白文字（' '）を含んだ表示文字かどうかを判定する。
返却値	判定が成立すれば 0 以外の値（真）を返し、成立しなければ 0 を返す。

▶ *isprint* 関数や表示文字については、次章（p.110）で再び詳しく学習します。

条件演算子と条件式

　2の中で使われている？：は**条件演算子**（conditional operator）です。オペランド（演算の対象）が3個もあるため、この演算子を適用した式である**条件式**（conditional expression）の構文は、右に示すように複雑です。

条件式の構文

式₁ ? 式₂ ： 式₃

　条件式の評価を、具体例とともに、**Fig.3-5** に示していますので、この図の説明をよく読んで理解しましょう。

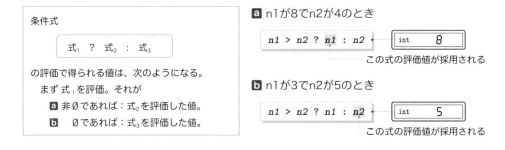

Fig.3-5 条件式の評価

　本プログラムの条件式 *isprint(i)* ? i : ' ' の評価では、次の文字が得られます。

- コード i の文字が表示文字である ⇨ コード i の文字
- コード i の文字が表示文字でない ⇨ 空白文字 ' '

　表示できない文字の代わりに空白文字を表示することが分かりました。
　なお、文字を表示した後は、その文字コードを2桁の16進数で表示して改行します。

文字列の内部

文字について理解が深まってきました。次は**文字列**について学習します。**List 3-4** を理解していきましょう。

二つの文字列 **"漢字"** と **"12日本語AB"** を構成するすべてのバイトを、文字／16 進コード／2進コードとして表示するプログラムです。

List 3-4	chap03/strdump.c

```c
// 文字列内のバイトを文字と16進数と2進数で表示

#include <ctype.h>
#include <stdio.h>
#include <limits.h>

//--- 文字列内のバイトを文字と16進数と2進数で表示 ---//
void strdump(const char *s)
{
    while (*s) {
        unsigned char x = (unsigned char)*s;

        printf("%c  ", isprint(x) ? x : ' ');    // 文字      ①
        printf("%0*X  ", (CHAR_BIT + 3) / 4, x); // 16進数    ②
        for (int i = CHAR_BIT - 1; i >= 0; i--)  // 2進数     ③
            putchar(((x >> i) & 1U) ? '1' : '0');
        putchar('\n');
        s++;
    }
}

int main(void)
{
    puts("漢字");          strdump("漢字");          putchar('\n');
    puts("12日本語AB"); strdump("12日本語AB");  putchar('\n');

    return 0;
}
```

```
実行結果一例
漢字
    8A   10001010
    BF   10111111
    8E   10001110
    9A   10011010

12日本語AB
1   31   00110001
2   32   00110010
    93   10010011
    FA   11111010
    96   10010110
{   7B   01111011
    8C   10001100
    EA   11101010
A   41   01000001
B   42   01000010
```

▶ 実行結果は、実行環境や処理系で採用されている文字コードに依存します。ここに示すのは**シフトJISコード**での実行結果です。

ポインタのインクリメントによる文字列の走査

関数 *strdump* の本体は、全体が **while** 文です。右ページの **Fig.3-6** を見ながら理解していきましょう。

while 文の制御式 **s* は、ポインタ *s* に間接演算子 * を適用した間接式であり、*s* が指すオブジェクトの**エイリアス＝別名**（すなわち**あだ名**）です（**Column 3-2**：p.78）。

式 **s* の評価によって、ポインタ *s* の指す文字が得られるため、この **while** 文は、次のように動作します（制御式 **s* は、**s != 0* と同じ意味です）。

---

s が指す文字が **0** すなわちナル文字でないあいだ繰り返す。

次は、ループ本体の末尾で実行している *s++* に着目します。ポインタをインクリメントすると、一つ後ろの要素を指すようにポインタが更新されます（**Column 3 7**：p.97）。

そのため、この while 文は、最初に *s* が指していた文字列を**先頭から順にナル文字に出会うまで1文字（1バイト）ずつ走査する（なぞる）**ことになります。

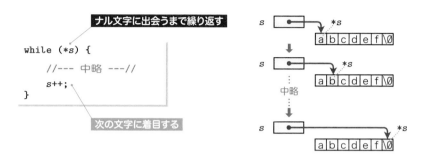

Fig.3-6 ポインタによる文字列の走査

ループ本体の**1**では、*isprint* 関数によって表示できると判定されれば、文字 **s* を表示し、そうでなければ、代わりに空白文字を表示します（前のプログラムと同じ要領です）。

▶ 全角文字から1バイトを取り出しても、画面に表示可能な文字とは限らないからです。

CHAR_BIT：1バイトのビット数

16 進コードの表示を行う**2**と、2進コードの表示を行う**3**では、表示の桁数を計算によって求めています。

その計算で使っている **CHAR_BIT** は、1バイトのビット数を表す値として **<limits.h>** ヘッダ内で定義されるオブジェクト形式マクロであり、次に示すのが定義の一例です。

```
CHAR_BIT
#define CHAR_BIT  8    // 定義の一例
```

▶ 具体的な値は処理系に依存しますが、言語の規定により、**少なくとも8である**ことが保証されます。多くの環境では1バイトは8ビットですが、9ビットや32ビットという環境も実在します。

16 進数コードの表示桁数は、**(CHAR_BIT + 3) / 4** 桁です。

▶ すなわち、1バイトが8ビットであれば2桁、9～12 ビットであれば3桁、13～16 ビットであれば4桁、… となります。

2進数コードの表示桁数は、**CHAR_BIT** 桁です。

▶ 2進数の表示については、『入門編』の第7章で詳しく解説しています。

Column 3-2 ポインタと配列について

■ ポインタとアドレス演算子／間接演算子

ポインタ（pointer）は、『オブジェクトあるいは関数を指すこと』を表現する用語です。次に示すのが、ポインタ型の変数の宣言例です。

```
int *p;     // pはint型オブジェクトを指すポインタ
double *q;  // qはdouble型オブジェクトを指すポインタ
```

この宣言から分かるように、**ポインタの型は、指す先のオブジェクトの型に依存します**。int 型オブジェクトを指すポインタは int * 型で、double 型オブジェクトを指すポインタは double * 型です。

さて、n が int 型オブジェクトであるとします。『**ポインタ p がオブジェクト n を指す**』ようにするには、n のアドレスを p に代入する必要があります。それを実現するのが、次の代入です。

```
p = &n;     // nへのポインタをpに代入する（pがnを指すようにする）
```

n に適用している**単項 & 演算子**は、**アドレス演算子**と呼ばれ、オペランドのアドレスを取り出します（厳密には、**オペランドへのポインタを生成します**）。

ポインタ p が指すオブジェクトは、**間接演算子**と呼ばれる**単項 * 演算子**を使ってアクセスできます。先ほどの代入によって p が n を指していますので、p が指す n をアクセスする**間接式**は *p です。そのため、

```
*p = 999;   // pの指す先に999を代入する
```

を実行すると、n に 999 が代入されます。ある意味で、『***p は n そのものである**』わけです。

ただし、p が別のオブジェクト、たとえば x を指していれば、『***p は x そのものである**』となります。

■ ポインタと配列

ポインタと配列について、右ページの **Fig.3C-1** を見ながら理解していきましょう。

配列 a とポインタ p が宣言されており、ポインタ p には初期化子として配列名 a が与えられています。

原則として、**配列名は、その配列の先頭要素へのポインタと解釈されます**。すなわち、式 a の値は、a[0] のアドレスである &a[0] と一致します。

また、配列 a の要素型が Type であれば、式 a の型は Type * 型（この場合は int * 型）です。

さて、ポインタ p に与えられた初期化子が a ですから、&a[0] の値が p に入れられます。その結果、ポインタ p は、配列 a の先頭要素 a[0] を指すことになります。

さて、配列中の要素を指すポインタに対しては、次に示す規則が成立します。

ポインタ p が配列中の要素 e を指すとき、
> p + i は、要素 e の i 個だけ後方の要素を指すポインタとなり、
> p - i は、要素 e の i 個だけ前方の要素を指すポインタとなる。

図にも示すように、p + 2 は a[0] の 2 個後方の要素 a[2] を指して、p + 3 は a[0] の 3 個後方の要素 a[3] を指します。

それでは、配列内の要素を指すポインタ p + i に間接演算子 * を適用したら、どうなるでしょう。

式 p + i は、p が指す要素の i 個後方の要素へのポインタですから、それに間接演算子 * を適用した間接式 *(p + i) は、その要素をアクセスする式です。

すなわち、p が a[0] を指していれば、ある意味で、『**式 *(p + i) は a[i] そのものである**』となるわけです。

ここで、次に示す規則も必ず理解しましょう。

ポインタpが配列中の要素eを指すとき、
要素eのi個だけ後方の要素を表す$*(p + i)$は、$p[i]$と表記でき、
要素eのi個だけ前方の要素を表す$*(p - i)$は、$p[-i]$と表記できる。

たとえば、$p + 2$はa[2]を指しているため、$*(p + 2)$はa[2]です（図**C**）。その$*(p + 2)$を$p[2]$と表記できるのですから、$p[2]$はa[2]そのものです（図**B**）。

さて、配列名aは、先頭要素a[0]を指すポインタでした。そのポインタに2を加えたa + 2は、3番目の要素a[2]を指すポインタとなります。

ポインタa + 2が要素a[2]を指しているのですから、そのポインタa + 2に間接演算子*を適用した$*(a + 2)$は、a[2]そのものです（図**A**）。

図中の**A**～**C**の式$*(a + 2)$と$p[2]$と$*(p + 2)$のすべてが、配列の要素a[2]をアクセスする式であることが分かりました。

ここまでは、a[2]を例に考えてきましたので、一般的にまとめましょう。

▪ 次に示す4個の式は、いずれも配列内の**各要素をアクセスする**式です。

    a[i]   *(a + i)   p[i]   *(p + i)   先頭からi個後ろの要素

▪ 次に示す4個の式は、配列内の**各要素を指す**ポインタです。

    &a[i]   a + i   &p[i]   p + i   先頭からi個後ろの要素へのポインタ

なお、先頭要素を指すポインタa + 0とp + 0は、単なるaとpでも表せます。また、それらのエイリアスである$*(a + 0)$と$*(p + 0)$は、それぞれ*aと*pと表せます。

ポインタが配列の先頭要素を指しているとき、そのポインタは、<u>あたかも配列であるかのように</u>ふるまいます。

このことを、本書では、**ポインタと配列の表記上の可換性**と呼んでいます。

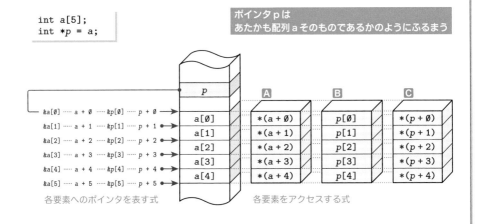

```
int a[5];
int *p = a;
```

ポインタpは
あたかも配列aそのものであるかのようにふるまう

Fig.3C-1　ポインタと配列

■ 文字列の内部と漢字コード ────────────

多くの環境では1バイトは8ビットなので、**char** 型で表せる文字は 255 個に制限されます（**char** 型が符号付き整数型であれば 127 個に制限されます）。

一方、文字数の多い全角文字は、2バイト 16 ビットで表されます。具体的なコードには、JIS 漢字コード／シフト JIS コード／EUC コードなどがあります。

■ JIS 漢字コード（JIS コード）

JIS X 0208 で定義されるコードです。たとえば、"漢" の文字コードは **0x3441**、すなわち、第1バイトが **0x34** で第2バイトが **0x41** です。

この文字コード体系では、第1バイトと第2バイトの値の範囲は、次のようになります（右ページ **Fig.3-7** 中の濃い網の部分）。

- 第1バイト ＝ **0x21** ～ **0x7E**
- 第2バイト ＝ **0x21** ～ **0x7E**

各範囲は 94 文字分ですから、94 × 94 ＝ 8,836 の領域内で、漢字／かな／英数字／記号などの文字が表されます。

とはいえ、**Table 3-1**（p.72）からも分かるように、**0x21** ～ **0x7E** の範囲には半角文字のアルファベットや記号が格納されています。

このことは、文字列中のある1文字（1バイト）のみに着目しても、それが

『半角文字か／全角文字の1バイト目か／全角文字の2バイト目か』

といった識別が不可能であることを示しています。

そのため、文字列中の全角文字と半角文字の境界に、次に示す識別コードが挿入されることになっています。

- **KIN**（KANJI-IN）　… 『ここから先は全角文字ですよ。』
- **KOUT**（KANJI-OUT）　… 『ここまでが全角文字でした。』

■ シフト JIS コード

全角文字コードの第1バイトが、半角文字と識別できる範囲に収まるように、JIS 漢字コードをずらしたものです。たとえば、"漢" の文字コードは **0x8ABF** です。

▶ シフト（shift）は、"ずらす" という意味です。なお、第1バイトの **0x8A** は、**Table 3-1**（p.72）の空欄です。

各バイトの値の範囲は、次のとおりです（図の水色の網の部分）。

- 第1バイト ＝ **0x81** ～ **0x9F** ／ **0xE0** ～ **0xEF**（～ **0xFC** ～ **0xFE**）
- 第2バイト ＝ **0x40** ～ **0x7E** ／ **0x80** ～ **0xFC**

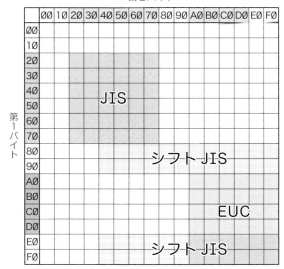

Fig.3-7 文字コード別の文字コードの範囲

☐ EUC コード

Extended Unix Code の略である EUC という名前が示すとおり、UNIX で広く用いられていた文字コードです。

JIS 漢字コードの第1バイトと第2バイトの両方の最上位ビットを立てる（1にする）ことで、値を 0x80 だけシフトしたものです。たとえば "漢" の文字コードは 0xB4C1 です。

各バイトの値の範囲は、次のとおりです（図の薄い網の部分）。

- 第1バイト ＝ 0xA1 ～ 0xFE
- 第2バイト ＝ 0xA1 ～ 0xFE

▶ この他にも、比較的新しい OS の内部やプログラミング言語などで採用されている Unicode による表現法などがあります。

Column 3-3	全角文字

コンピュータで漢字が使われ始めた頃は、右の **a** のように、漢字などの日本語文字の横幅は、英数字文字の2倍でした（**等幅フォント**）。そのような背景もあり、**全角文字**、**半角文字**という用語が生まれました。

a 12AHiW漢字
b 12AHiW漢字

ただし、現在では **b** のように、文字によって横幅の異なる**プロポーショナルフォント**も使われますので、全角や半角という用語は適切ではなくなっています。

しかし、2バイト文字として表されるカナ文字 'ア' や英字 'Ａ' やギリシア文字 'Σ' を含めた文字の総称として、《漢字文字》や《日本語文字》という用語は不適切であるため、本書では、便宜的に**全角文字**という用語を使っています。

3

じゃんけんゲーム

三つの文字コード体系における **List 3-4**（p.76）の実行結果を **Fig.3-8** に示します。

シフト JIS コード   EUC コード   JIS コード

```
実行結果一例          実行結果一例          実行結果一例
漢字                 漢字                 漢字
    8A  10001010        B4  10110100        1B  00011011
    BF  10111111        C1  11000001    $   24  00100100 ←── KIN
    8E  10001110        BB  10111011    B   42  01000010
    9A  10011010        FA  11111010    4   34  00110100
                                        A   41  01000001
12日本語AB            12日本語AB          ;   3B  00111011
1   31  00110001    1   31  00110001    z   7A  01111010
2   32  00110010    2   32  00110010        1B  00011011
    93  10010011        C6  11000110    (   28  00101000 ←── KOUT
    FA  11111010        FC  11111100    B   42  01000010
    96  10010110        CB  11001011
{   7B  01111011        DC  11011100    12日本語AB
    8C  10001100        B8  10111000    1   31  00110001
    EA  11101010        EC  11101100    2   32  00110010
A   41  01000001    A   41  01000001        1B  00011011
B   42  01000010    B   42  01000010    $   24  00100100 ←── KIN
                                        B   42  01000010
                                        F   46  01000110
                                        |   7C  01111100
                                        K   4B  01001011
                                        8   38  00111000
                                        l   6C  01101100
                                            1B  00011011
                                        (   28  00101000 ←── KOUT
                                        B   42  01000010
                                        A   41  01000001
                                        B   42  01000010
```

▶   JIS コード体系を採用する環境では、KIN および KOUT のコードとして、ここに示す実行例とは異なる値が表示されることもあります。

Fig.3-8   **List 3-4 の実行結果の一例**

二つの文字列の内部の概略を示したのが **Fig.3-9** です。シフト JIS コードと EUC コードでは全角文字は 2 バイトを占有します。一方、KIN と KOUT が挿入される JIS コードでは文字数が多くなります。

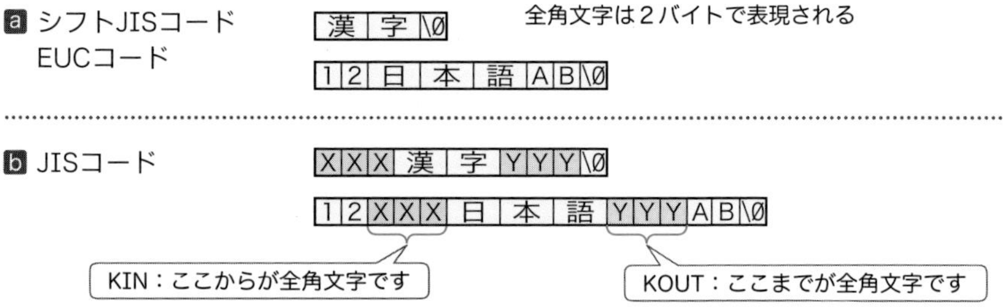

a シフトJISコード
EUC コード | 漢 | 字 | \0 | 全角文字は 2 バイトで表現される

| 1 | 2 | 日 | 本 | 語 | A | B | \0 |

b JISコード | X | X | X | 漢 | 字 | Y | Y | Y | \0 |

| 1 | 2 | X | X | X | 日 | 本 | 語 | Y | Y | Y | A | B | \0 |

KIN：ここからが全角文字です   KOUT：ここまでが全角文字です

Fig.3-9   **漢字コードと文字列の内部の一例**

それでは、**Fig.3-4**（p.72）に示した宣言を検討しましょう。

```
char hd[3][7] = {"グー", "チョキ", "パー"};
```

　最も長い文字列 **"チョキ"** を格納するための列数 7 は、シフト JIS コードや EUC コードでは
ピッタリの値です。しかし、KIN や KOUT が必要な JIS コードでは、この値では不十分です。

　そこで、要素数を大きくして、**Fig.3-10** のように、列数を 13 にして宣言するという手も考え
られます。これだと三つの漢字コード環境のいずれでも OK です。ただし、シフト JIS コード
や EUC コードの環境では記憶域を浪費することになります。

```
char hd[3][13] = {"グー", "チョキ", "パー"};
```

ⓐ シフトJISコード／EUCコード

	0	1	2	3	4	5	6	7	8	9	10	11	12
0	グ	ー	\0										
1	チ	ョ	キ	\0									
2	パ	ー	\0										

ⓑ JISコード

	0	1	2	3	4	5	6	7	8	9	10	11	12
0	X	X	X	グ	ー	Y	Y	Y	\0				
1	X	X	X	チ	ョ	キ	Y	Y	Y	\0			
2	X	X	X	パ	ー	Y	Y	Y	\0				

Fig.3-10　手を表す文字列の配列

▶　OS の内部で使われる文字コードと、OS のシェルで使われる文字コードと、ソースコードの記述に
使う文字コードと、コンパイルによって生成された実行ファイルが利用する文字コードがすべて同一で
あるとは限りません（環境やコンパイラなどに依存します）。
　なお、Unicode の一種である UTF-8 を使う環境では、漢字の内部は 3 バイトとなるのが基本です。

 まとめ

❄ **文字の内部**

　文字は、正の整数値の**コード**で表される。

❄ **表示文字の判定**

　ある文字が**表示文字**（表示可能な文字）であるかどうかは *isprint* 関数によって判定できる。

❄ **char 型の特性**

　char 型の特性は処理系によって異なる。**<limits.h>** ヘッダでは、char 型のビット数を表す CHAR_
BIT や、各 char 型の最小値や最大値を表すオブジェクト形式マクロが定義されている。

❄ **文字列の走査**

　ポインタ *s* が指す文字列の走査は、**s* が 0 すなわちナル文字
になるまで *s* をインクリメントすることによって行える。
　※　式 **s* は、*s* が指す文字のエイリアス＝別名（あだ名）となる。

```
while (*s) {
    //--- 中略 ---//
    s++;
}
```

❄ **全角文字を含む文字列**

　全角文字は 2 バイトで表現されることが多い。ただし、JIS 漢字コード体系では、全角文字と半角文
字のコードが重なるため、全角文字と半角文字の境界に、**KIN**（ここからが全角文字）と**KOUT**（こ
こまでが全角文字）のコードが挿入される。

文字列へのポインタの配列

　長さが異なる文字列の集合は（全角文字の有無とは関係なく）、**2次元配列**ではなくて**文字列へのポインタの配列**で実現したほうが都合のよいケースが少なくありません。

　このことを **List 3-5** と **List 3-6** のプログラムの比較によって考察します。

> ▶ 二つのプログラムの実行結果は同一です。

List 3-5　　　　　　　　chap03/strary1.c
```
// 文字列の配列（2次元配列）

#include <stdio.h>          実行結果
                           Super
int main(void)             X
{                          TRY
    char a[][6] = {
        "Super", "X", "TRY"
    };

    for (int i = 0; i < 3; i++)
        printf("%s\n", a[i]);

    return 0;
}
```

List 3-6　　　　　　　　chap03/strary2.c
```
// 文字列の配列（ポインタの配列）

#include <stdio.h>          実行結果
                           Super
int main(void)             X
{                          TRY
    char *p[] = {
        "Super", "X", "TRY"
    };

    for (int i = 0; i < 3; i++)
        printf("%s\n", p[i]);

    return 0;
}
```

2次元配列

　List 3-5 の a は、2次元配列です。右ページの **Fig.3-11 a** に示すように、**要素が縦横に並んだ表のイメージ**であり、構成要素の個数は、"**行数×列数**" です。

> ▶ C言語の多次元配列の正体は、"**配列の配列**" です。そのため、配列 a の型をより厳密に説明すると、次のようになります。
>
> 　『**char** 型を要素型とする要素数6の配列』を要素型とする要素数3の配列。

　図中、縦に並んだ 0、1、2 は先頭側の添字で、横に並んだ 0、1、2、3、4、5 は末尾側の添字です。

　そのため、文字列リテラル **"Super"** 内の文字 'S'、'u'、…、'\0' をアクセスする添字式は、それぞれ a[0][0]、a[0][1]、…、a[0][5] となります。

　図に示すように、配列 a の占有バイト数は **sizeof(a)** で求められます。求められた値は、構成要素数の個数 3 × 6 ＝ 18 と一致します（**char** 型が1バイトだからです）。

> ▶ 一般に、2次元配列 a の要素数（行数と列数）は、次の式で求められます。
>
> 　▪ 行数（この例では 3）… sizeof(a) / sizeof(a[0])
> 　▪ 列数（この例では 6）… sizeof(a[0]) / sizeof(a[0][0])

　なお、二つ目の文字列 **"X"** を格納する a[1] は4文字分、三つ目の文字列 **"TRY"** を格納する a[2] は2文字分が未使用であって記憶域を浪費していることが、図からも分かります。

ⓐ 2次元配列

```
char a[][6] = {
    "Super",
    "X",
    "TRY"
};
```

末尾側を浪費する

	0	1	2	3	4	5
0	S	u	p	e	r	\0
1	X	\0				
2	T	R	Y	\0		

占有バイト数

sizeof(a)

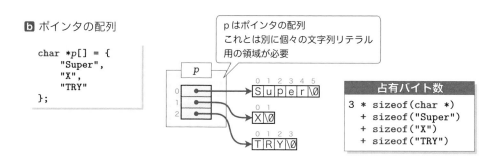

ⓑ ポインタの配列

```
char *p[] = {
    "Super",
    "X",
    "TRY"
};
```

pはポインタの配列
これとは別に個々の文字列リテラル
用の領域が必要

占有バイト数

```
3 * sizeof(char *)
  + sizeof("Super")
  + sizeof("X")
  + sizeof("TRY")
```

Fig.3-11 文字列の配列

□ 文字列（の先頭文字）へのポインタの配列

List 3-6 の p は、『char へのポインタ型』を要素型とする要素数 3 の配列です（図ⓑ）。

3個の要素 p[0]、p[1]、p[2] に対して、文字列リテラル "Super"、"X"、"TRY" が初期化子として与えられています。文字列リテラルを評価して得られるのは、その文字列の先頭文字へのポインタです。そのため、各要素は、各文字列リテラルの先頭文字 'S'、'X'、'T' へのポインタで初期化されます。

▶ 初期化の結果、

『p[0] は "Super" の先頭文字 'S' を指す。』

ことになります。ただし、この表現は少々長たらしいため、通常は、

『p[0] は "Super" を指す。』

と省略して表現されます（厳密には "文字へのポインタ" であるにもかかわらず、"文字列へのポインタ" と呼ばれるわけです）。

2次元配列と同様に、各文字をアクセスする式は、2個の添字を使った p[i][j] という形式です。先頭側の添字 i は配列 p の添字で、末尾側の添字 j は各文字列内の添字です。

2次元配列版のプログラムとは違い、文字列末尾の領域の浪費はありません。その代わり、個々の文字列リテラル用の領域と、それを指すためのポインタの配列の両方が必要です。

▶ たとえば、char * 型ポインタが占有するのが4バイトの環境であれば、文字列リテラル用の領域 6＋2＋4＝12バイトとは別に、ポインタの配列用の領域 3×4＝12バイトが必要です。すなわち、合計で24バイトになります。

■ プログラムの改良

手の文字列 "グー"、"チョキ"、"パー" は、**"文字列へのポインタの配列"** で実現すべきことが分かりました。そのように書きかえたプログラムを **List 3-7** に示します。

▶ 実行例は省略します。見かけ上は **List 3-2** (p.70) と同じです。

List 3-7   chap03/jyanken3.c

```c
// じゃんけんゲーム（その３：手を表す文字列を導入）

#include <time.h>
#include <stdio.h>
#include <stdlib.h>

int main(void)
{
    char *hd[] = {"グー", "チョキ", "パー"};        // 手　　　　　　　━━❶

    srand(time(NULL));          // 乱数の種を設定

    printf("じゃんけんゲーム開始!!\n");

    int retry;                  // もう一度？
    do {
        int comp = rand() % 3;      // コンピュータの手：0～2の乱数
        int human;                  // 人間の手

        do {
            printf("\nじゃんけんポン …");
            for (int i = 0; i < 3; i++)
                printf(" (%d)%s", i, hd[i]);
            printf(" : ");
            scanf("%d", &human);        // 人間の手を読み込む
        } while (human < 0 || human > 2);

        printf("私は%sで、あなたは%sです。\n", hd[comp], hd[human]);    ━❷

        int judge = (human - comp + 3) % 3;     // 勝敗を判定

        switch (judge) {
         case 0: puts("引き分けです。");        break;
         case 1: puts("あなたの負けです。");    break;
         case 2: puts("あなたの勝ちです。");    break;
        }

        printf("もう一度しますか…(0)いいえ (1)はい：");
        scanf("%d", &retry);
    } while (retry == 1);

    return 0;
}
```

手の文字列 *hd* を宣言するのが❶です。配列 *hd* の要素 *hd[0]*、*hd[1]*、*hd[2]* は、各文字列 "グー"、"チョキ"、"パー" の先頭文字を指すように初期化されます。

その様子を **Fig.3-12** に示しています。漢字コードによる文字列の長さの違いは、うまく吸収されます。

```
char *hd[] = {"グー", "チョキ", "パー"};
```

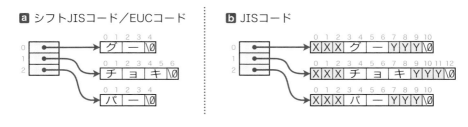

a シフトJISコード／EUCコード   **b** JISコード

Fig.3-12 文字列（の先頭文字）へのポインタの配列

　さらに、配列 *hd* の添字 0、1、2 が、グー、チョキ、パーの各手を表す整数値 0、1、2 にそのまま対応する点も好都合です。

＊

　変更前のプログラム（**List 3-2**）では、人間とコンピュータの手を表示する箇所は、別々の **switch** 文で実現されていて 10 行近くありました。今回は、**b**に示す1行だけと、極めて簡潔になっています。

▶　ただし、「じゃんけんポン…**(0)** グー **(1)** チョキ **(2)** パー：」と表示する黒色部のコードは逆に長くなっています。

　手を **"ぐー"**、**"ちょき"**、**"ぱー"** とひらがなに変えるのも容易です。配列 *hd* の宣言の初期化子を次のように変更するだけです。プログラムを書きかえて確認してみましょう。

```
char *hd[] = {"ぐー", "ちょき", "ぱー"};   // 手
```

✎ **まとめ**

❉ 文字列の配列
　文字列の集合は**2次元配列**や**ポインタの配列**で表現できる。文字列の長さが異なる場合（特に全角文字を含む場合）は、後者を利用すると都合よいことが多い。

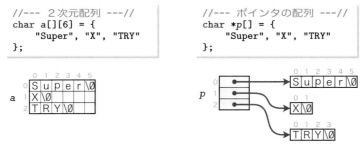

```
//--- 2次元配列 ---//
char a[][6] = {
    "Super", "X", "TRY"
};
```

```
//--- ポインタの配列 ---//
char *p[] = {
    "Super", "X", "TRY"
};
```

- 2次元配列は、行×列の表である。
- ポインタの配列は、個々の文字列用の領域と、ポインタの配列用の領域とが必要である。

手の値と判定

　グー、チョキ、パーの値0、1、2を入れかえるとどうなるのかを検証しましょう。手の値の順序の組合せには全部で6通りあります（**Fig.3-13**）。

123：ある手に対して負ける手が、次に置かれている（最後の手に負ける手は先頭に置かれている）という点で共通しています。
　配列の宣言以外の箇所を変更する必要はありません。

456：ある手に対して勝つ手が、次に置かれている（最後の手に勝つ手は先頭に置かれている）という点で共通しています。

```
1  char *hd[] = {"グー", "チョキ", "パー"};
2  char *hd[] = {"チョキ", "パー", "グー"};
3  char *hd[] = {"パー", "グー", "チョキ"};
   int judge = (human - comp + 3) % 3;

4  char *hd[] = {"グー", "パー", "チョキ"};
5  char *hd[] = {"チョキ", "グー", "パー"};
6  char *hd[] = {"パー", "チョキ", "グー"};
   int judge = (comp - human + 3) % 3;
```

Fig.3-13 手の順序と宣言

　なお、勝敗の判定の式における減算のオペランドを逆にして（*comp* - *human* + 3）% 3とする必要があります。実際にプログラムを書きかえて確かめてみましょう。

Column 3-4　ワイド文字

　いわゆる半角文字として表現できない全角文字を取り扱いには、**<stddef.h>** ヘッダで **wchar_t** 型として定義される**ワイド文字**（wide character）を使うのが原則です。

　とはいえ、規格が決まるよりも遙か前から、各コンパイラが、全角文字を含む文字列を **char** 型の配列で扱えるようにしていたことから、**char** の配列にそのまま全角文字を入れてコーディングするスタイルが現在でも引き継がれているのが実情です。

　参考のために、単純で簡単なプログラム例を **List 3C-1** に示します。文化圏固有の環境に設定するための *setlocale* 関数は **<locale.h>** ヘッダで宣言され、ワイド文字に対応した *wprintf* 関数は **<wchar.h>** ヘッダで宣言されます。

List 3C-1　　　　　　　　　chap03/wchar_t.c

```
// ワイド文字の利用例
#include <wchar.h>
#include <stdio.h>
#include <locale.h>
int main(void)
{
    wchar_t c = L'ア';
    wchar_t *h[3] = {L"グー", L"チョキ", L"パー"};
    setlocale(LC_ALL, "");
    wprintf(L"%lc\n", c);
    for (int i = 0; i < 3; i++)
        wprintf(L"h[%d] = %ls\n", i, h[i]);
    return 0;
}
```

実行結果
```
ア
h[0] = グー
h[1] = チョキ
h[2] = パー
```

後出しコンピュータ

　人間が手を入力した後に、それに勝つようにコンピュータの手を決定する後出しを行うプログラムを **List 3-8** に示します。

List 3-8　　　　　　　　　　　　　　　　　　　　　　　　　　　chap03/trick.c

```c
// コンピュータが必ず勝つじゃんけんゲーム
#include <stdio.h>

int main(void)
{
    char *hd[] = {"グー", "チョキ", "パー"};          // 手

    printf("じゃんけんゲーム開始!!\n");

    int retry;              // もう一度？

    do {
        int human;          // 人間の手

        do {
            printf("\nじゃんけんポン …");
            for (int i = 0; i < 3; i++)
                printf(" (%d)%s", i, hd[i]);
            printf("：");
            scanf("%d", &human);        // 人間の手を読み込む
        } while (human < 0 || human > 2);

        int comp = (human + 2) % 3;     // コンピュータは後出し！

        printf("私は%sで、あなたは%sです。\n", hd[comp], hd[human]);

        int judge = (human - comp + 3) % 3;     // 勝敗を判定

        switch (judge) {
         case 0: puts("引き分けです。");       break;
         case 1: puts("あなたの負けです。");     break;
         case 2: puts("あなたの勝ちです。");     break;
        }

        printf("もう一度しますか…(0)いいえ (1)はい：");
        scanf("%d", &retry);
    } while (retry == 1);

    return 0;
}
```

> コンピュータが《ズル》をする

```
                    実行例
 じゃんけんゲーム開始!!

 じゃんけんポン…(0)グー (1)チョキ (2)パー：2⏎
 私はチョキで、あなたはパーです。
 あなたの負けです。
 もう一度しますか…(0)いいえ (1)はい：1⏎

 じゃんけんポン…(0)グー (1)チョキ (2)パー：0⏎
 私はパーで、あなたはグーです。
 あなたの負けです。
 もう一度しますか…(0)いいえ (1)はい：0⏎
```

▶　本プログラムは、《手》に対する理解を深めるためのものです。
　このプログラムを友人に行わせて、友人が全敗するのを見て喜ぶ、といったことはしないように。

　変数 *human* に値が読み込まれた後に、計算によって *comp* の値を求めますので、乱数関連のコードが、ごっそりと削除されています。

3-2 関数の分割と構造体の導入

最後の仕上げとして、プログラムを機能別に関数として独立させるとともに、スコア（勝敗回数）を格納するための構造体を導入します。

勝敗回数

これまでのプログラムは、ただじゃんけんを行って繰り返すだけでした。ゲームが終了したら、最終的なスコアを『○勝○敗○分けでした。』と表示するように変更しましょう。

List 3-9 に示すのが、そのプログラムです。

▶ プログラムの実行例は、p.93 にふしています。

List 3-9　　　　　　　　　　　　　　　　　　　　　　　　　chap03/jyanken4.c

```c
// じゃんけんゲーム（その４：関数に分割＋構造体によるスコアを記録）

#include <time.h>
#include <stdio.h>
#include <stdlib.h>

//--- スコア用構造体 ---//
typedef struct {
    int draw;         // 引き分けた回数
    int lose;         // 負けた回数
    int win;          // 勝った回数
} Score;

char *hd[] = {"グー", "チョキ", "パー"};          // 手

//--- 初期処理 ---//
void initialize(Score *s)
{
    s->win = s->lose = s->draw = 0;      // スコアをクリア

    srand(time(NULL));                    // 乱数の種を設定

    printf("じゃんけんゲーム開始!!\n");
}

//--- じゃんけん実行（コンピュータの手の生成／ユーザの手の読込み）---//
void jyanken(int *h_hand, int *c_hand)
{
    *c_hand = rand() % 3;            // コンピュータの手（0〜2）を乱数で生成

    do {
        printf("\nじゃんけんポン …");
        for (int i = 0; i < 3; i++)
            printf(" (%d)%s", i, hd[i]);
        printf(" : ");
        scanf("%d", h_hand);          // 人間の手を読み込む
    } while (*h_hand < 0 || *h_hand > 2);
}

//--- スコアを更新 ---//
void update_score(Score *s, int result)
```

```c
{
    switch (result) {
     case 0: s->draw++;  break;                   // 引き分け
     case 1: s->lose++;  break;                   // 負け
     case 2: s->win++;   break;                   // 勝ち
    }
}

//--- 判定結果を表示 ---//
void disp_result(int result)
{
    switch (result) {
     case 0: puts("引き分けです。");       break;   // 引き分け
     case 1: puts("あなたの負けです。");   break;   // 負け
     case 2: puts("あなたの勝ちです。");   break;   // 勝ち
    }
}

//--- 再挑戦するかを確認 ---//
int confirm_retry(void)
{
    int x;

    printf("もう一度しますか…(0)いいえ (1)はい：");
    scanf("%d", &x);

    return x;
}

int main(void)
{
    Score score;              // スコア

    initialize(&score);       // 初期処理

    int retry;                // もう一度？

    do {
        int human;            // 人間の手
        int comp;             // コンピュータの手

        jyanken(&human, &comp);              // じゃんけん実行

        // コンピュータと人間の手を表示
        printf("私は%sで、あなたは%sです。\n", hd[comp], hd[human]);

        int judge = (human - comp + 3) % 3; // 勝敗を判定

        update_score(&score, judge);          // スコアを更新

        disp_result(judge);                   // 判定結果を表示

        retry = confirm_retry();              // 再挑戦するかを確認

    } while (retry == 1);

    printf("%d勝%d敗%d分けでした。\n", score.win, score.lose, score.draw);

    return 0;
}
```

関数と識別子の有効範囲

本プログラムは、機能ごとに関数として独立させたため、**main** 関数がすっきりしています。
骨格と注釈を抜き出したのが **Fig.3-14** です。
注釈を読むだけで、プログラムの大まかな流れが
把握できるでしょう。

手の文字列を表す配列の宣言

手の文字列を表す配列 **hd** の宣言が、プログラ
ムの冒頭、すなわち、すべての関数の外側に移動
しています。

ファイル有効範囲（file scope）が与えられる
ため、配列 **hd** は、すべての関数からのアクセス
が可能になっています。

```
int main(void)
{
    // 初期処理
    do {
        // じゃんけん実行
        // コンピュータと人間の手を表示
        // 勝敗を判定
        // スコアを更新
        // 判定結果を表示
        // 再挑戦するかを確認
    } while (retry == 1);
}
//--- 最終的なスコアの表示 --//
```

Fig.3-14 数当てゲームの骨組み

▶ 本プログラムでは、配列 **hd** を利用しているのは、
main 関数と関数 **jyanken** の二つです。もちろん、たとえば『手を表示する関数』を新規に作成した
場合でも、その関数の中から配列 **hd** がアクセスできます。

なお、変数や関数などの名前である**識別子**（identifier）が通用する範囲を表す**有効範囲**については、
Column 3-8（p.98）で学習します。

スコア用の構造体

スコア（引き分けた回数／負けた回数／勝った回数の３値）をひとまとめのものとして格納
するために、**構造体**（structure）が導入されています（構造体タグ名は与えられず、*Score* と
いう **typedef** 名が与えられています）。

s が *Score* 型オブジェクトで、ポインタ *p* が
Score 型オブジェクトへのポインタであれば、スコ
アの３値は、**Fig.3-15** の各式でアクセスできます。

▶ 構造体については、**Column 3-6**（p.94）でまと
めて学習します。

引き分けた回数	s.draw	p->draw
負 け た 回数	s.lose	p->lose
勝 っ た 回数	s.win	p->win

Fig.3-15 スコアをアクセスする式

関数 initialize

じゃんけんゲームの前準備の処理を実行する関数です。

▶ 次のように処理を行います。

- スコアをクリアする（引き分けた回数／負けた回数／勝った回数の３値に 0 を代入する）。
- *srand* 関数を呼び出して、現在の時刻に基づいて乱数の種を設定する。
- 『じゃんけんゲーム開始！！』と表示する。

関数 jyanken

コンピュータの手を 0、1、2 の乱数で決定して、人間の手をキーボードから読み込みます。

関数 update_score

判定結果に応じて、スコアを更新します。もちろん、引数 *result* に受け取る判定結果は、*0*（引き分け）、*1*（人間の負け）、*2*（人間の勝ち）のいずれかです。

この値に応じて、スコアのメンバ *draw*（引き分けた回数）／ *lose*（人間が負けた回数）／ *win*（人間が勝った回数）をインクリメントします。

```
                          実行例
じゃんけんゲーム開始!!

じゃんけんポン…(0)グー (1)チョキ (2)パー：2⏎
私はグーで、あなたはパーです。
あなたの勝ちです。
もう一度しますか…(0)いいえ (1)はい：1⏎

…中略…

じゃんけんポン…(0)グー (1)チョキ (2)パー：2⏎
私はチョキで、あなたはパーです。
あなたの負けです。
もう一度しますか…(0)いいえ (1)はい：0⏎
5勝3負2分けでした。
```

関数 disp_result

勝敗の判定結果を表示する関数です。

引数 *result* に受け取る値は、関数 *update_score* と同じです。この値をもとに、『引き分けです。』『あなたの負けです。』『あなたの勝ちです。』のいずれかを表示します。

関数 confirm_retry

じゃんけんゲームを続けるかどうかを確認するための関数です。

「もう一度しますか…(0) いいえ (1) はい：」と表示し、キーボードから読み込まれた整数値をそのまま返却します。

Column 3-5	ポインタの指す整数値への読込み

関数 *jyanken* での手を読む込む箇所に着目します。関数呼出しが *scanf("%d", h_hand)* であって、値の読込みを依頼するにもかかわらず、変数 *h_hand* にアドレス演算子 **&** が適用されていません。

その理由を **Fig.3C-2** を見ながら考えていきましょう。

関数 *jyanken* が呼び出された際に仮引数 *h_hand* に受け取るのは、値の格納先へのポインタ、すなわち、main 関数で宣言された変数 *human* のアドレス &human です。

図の例であれば、変数 *human* が 214 番地に格納されていますので、受け取るのは 214 です。

main 関数から受け取ったのがポインタであるため、そのまま *scanf* 関数に「たらい回し」できるのです。

なお、*h_hand* に対してアドレス演算子 **&** を適用した式を渡す *scanf("%d", &h_hand)* だと、ポインタ型の変数 *h_hand* に対して、int 型の10進整数を読み込ませようとする、不正な呼出しとなってしまいます。

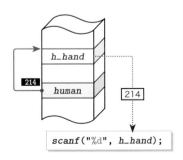

214 番地に格納されている変数に読み込んだ整数を格納してください !!

Fig.3C-2 ポインタのたらい回し

Column 3-6	構造体

構造体（structure）を使いこなすために、文法的な事項を正確に押さえていきましょう。

宣言とタグ名

右に示す宣言の例で考えます。

構造体の宣言は、**struct** で始まって、**構造体タグ**（structure tag）と呼ばれる**名前**（この場合は **xyz**）の後ろに、本体となる **{ }** が続き、セミコロン **;** で終わる形式です。

```
//=== xyz構造体 ===//
struct xyz {
    int    x;
    long   y;
    double z;
};
```

本体の **{ }** の中で宣言されている **x** と **y** と **z** は、構造体の**構成要素**であり、**メンバ**（member）と呼ばれます。

この宣言で作られる構造体の型名は、タグ名『**xyz**』ではなく、2個の単語の『**struct xyz**』です。

『**struct xyz**』型が、3個のメンバ（**int** 型メンバ **x**、**long** 型メンバ **y**、**double** 型メンバ **z**）で構成される構造体として宣言されていることが分かりました。

オブジェクトの宣言・定義

構造体は、タコ焼きでいうところの《カタ》に相当します。実際に食べられるタコ焼き、すなわち、変数（オブジェクト）を定義するのが、右の宣言です。

```
struct xyz a;
```

作られた構造体オブジェクト内のメンバは、宣言と同じ順で記憶域上に並びます（メンバのアドレスは、先頭側が小さくなり、末尾側が大きくなる、ということです）。

なお、右に示すように、構造体の本体末尾の **}** とセミコロン **;** のあいだに変数名を置いて宣言すると、構造体の型と同時に、変数（オブジェクト）や、ポインタの定義が行えます。

```
struct xy {
    int    x;
    long   y;
} obj, *ptr;
```

メンバの初期化

構造体オブジェクトの宣言時に与える初期化子の形式は、配列用の初期化子と似ています。

各メンバに与える初期化子の後ろにコンマ **,** を置いて並べたものを **{ }** で囲んだ形式です。

```
struct xyz b = {
    1,  // xの初期化子
    2,  // yの初期化子
};
```
省略可

末尾の初期化子の後ろのコンマが省略可能であることも、配列と同じです。

さらに、**{ }** 内に初期化子が与えられていない要素が **0** で初期化されることも、配列と同じです。

右上の宣言で **b** に与えられている初期化子は **{1, 2,}** です。

オブジェクト **b** のメンバ **x** と **y** が **1** と **2** で初期化され、初期化子が与えられていないメンバ **z** は自動的に **0.0** で初期化されます。

メンバのアクセス

構造体オブジェクト内の、個々のメンバをアクセスする式について、右ページの **Fig.3C-3** の例で考えていきましょう。

c は、**struct xyz** 型オブジェクトであり、それを指すのが、**struct xyz *** 型のポインタ **p** です。

構造体オブジェクトのメンバのアクセスに使う演算子には、**.** と **->** の2種類があります。

■ ドット演算子 . によるメンバのアクセス

　構造体オブジェクト内の個々のメンバのアクセスに利用するのが、一般に**ドット演算子**と呼ばれる **.演算子**（. operator）です。

　たとえば、オブジェクト c のメンバ x をアクセスする式は、c.x です。その c.x は、int 型のオブジェクトですから、普通の int 型の変数と同じように、値を代入したり取り出したりできます。

　もちろん、c.y と c.z も同様です（それぞれ long 型オブジェクトと double 型オブジェクトです）。

■ アロー演算子 -> によるメンバのアクセス

　ポインタ p が指すオブジェクト内の各メンバをアクセスする式は、(*p).x、(*p).y、(*p).z です。

※ **Column 3-2**（p.78）で学習したように、間接演算子 * を適用した間接式が、そのポインタが指すオブジェクトそのものを表すからです（本ページの図では、*p は c のエイリアスです）。

　なお、( ) を省略した *p.x でアクセスすることはできません。ドット演算子 . の優先順位が、間接演算子 * よりも高いことから、*(p.z) と解釈されてしまうからです。

　さて、(*p).x、(*p).y、(*p).z という表記だと、( ) の書き忘れなどを起こしがちです。そのため、ポインタの指すオブジェクトのメンバを簡潔に表せるようにする **-> 演算子**（-> operator）が用意されています。なお、この演算子は矢印の形をしているため、**アロー演算子**と呼ばれます。

　そのアロー演算子 -> を使うと、ポインタ p が指すオブジェクトの各メンバをアクセスする式は、それぞれ p->x、p->y、p->z となります。

　. 演算子と -> 演算子の総称が、**メンバアクセス演算子**（member-acceess operator）です。

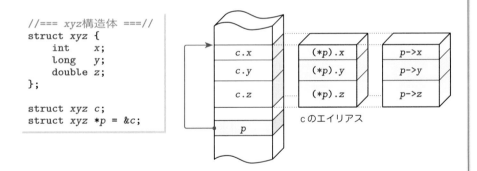

```
//=== xyz構造体 ===//
struct xyz {
    int     x;
    long    y;
    double  z;
};

struct xyz c;
struct xyz *p = &c;
```

c のエイリアス

Fig.3C-3 ドット演算子とアロー演算子によるメンバのアクセス

■ 構造体に typedef 名を与える

　List 3-9（p.90）のプログラムでは、typedef 宣言を利用することで、スコア用の構造体に対して typedef 名を与えています。そのため、型名が、『struct タグ名』という2個の単語ではなく、1個の単語の『Score』で表せるようになっています。

※ typedef 宣言は、既存の型に対して、typedef 名と呼ばれる別名を与える宣言です（**Column 2-3**：p.61）。

　なお、右のように、typedef の宣言時にタグ名を与えると、型名として『struct xy』と『XY』の両方が使えるようになります。

```
typedef struct xy {
    int     x;
    long    y;
} XY;
```

3回勝負

じゃんけんを続けるかどうかを人間の選択にまかせずに、コンピュータと人間のいずれかが
3勝したらゲームが終わるように変更しましょう。**List 3-10** に示すのが、そのプログラムです。

List 3-10　　　　　　　　　　　　　　　　　　　　　　　　chap03/jyanken5.c

```c
// じゃんけんゲーム（その5：3回勝負＝3回先勝したほうが勝ち）

#include <time.h>
#include <stdio.h>
#include <stdlib.h>

//--- スコア用構造体 ---//
typedef struct {
    int draw;        // 引き分けた回数
    int lose;        // 負けた回数
    int win;         // 勝った回数
} Score;

char *hd[] = {"グー", "チョキ", "パー"};          // 手

//--- 初期処理 ---//                        これら4個の関数は前のプログラムと同じ
void initialize(Score *s) { /*… 中略 …*/ }

//--- じゃんけん実行（コンピュータの手の生成／ユーザの手の読込み） ---//
void jyanken(int *h_hand, int *c_hand) { /*… 中略 …*/ }

//--- スコアを更新 ---//
void update_score(Score *s, int result) { /*… 中略 …*/ }

//--- 判定結果を表示 ---//
void disp_result(int result) { /*… 中略 …*/ }

int main(void)
{
    Score score;         // スコア

    initialize(&score);  // 初期処理

    do {
        int human;       // 人間の手
        int comp;        // コンピュータの手

        jyanken(&human, &comp);              // じゃんけん実行

        // コンピュータと人間の手を表示
        printf("私は%sで、あなたは%sです。\n", hd[comp], hd[human]);

        int judge = (human - comp + 3) % 3;  // 勝敗を判定

        update_score(&score, judge);         // スコアを更新

        disp_result(judge);                  // 判定結果を表示

    } while (score.win < 3 && score.lose < 3);

    printf(score.win == 3 ? "\nあなたの勝ちです。\n" : "\n私の勝ちです。\n");

    printf("%d勝%d敗%d分けでした。\n", score.win, score.lose, score.draw);

    return 0;
}
```

4個の関数 *initialize*、*jyanken*、*update_score*、*disp_result* は、前のプログラムからそのまま流用しています。

▶ ただし、ゲーム続行を確認するための関数 *confirm_retry* は、不要となったため削除しています。

さて、コンピュータと人間のどちらかが3勝するということは、人間が勝った回数 *score.win* と、人間が負けた回数 *score.lose* のいずれかが3になるということです。

<table>
<tr><th>実行例</th></tr>
<tr><td>じゃんけんゲーム開始!!

じゃんけんポン…(∅)グー　(1)チョキ　(2)パー：2⏎
私はチョキで、あなたはパーです。
あなたの負けです。
じゃんけんポン…(∅)グー　(1)チョキ　(2)パー：2⏎
私はチョキで、あなたはパーです。
あなたの負けです。

… 中略 …

じゃんけんポン…(∅)グー　(1)チョキ　(2)パー：2⏎
私はグーで、あなたはパーです。
あなたの勝ちです。

あなたの勝ちです。
3勝2敗1分けでした。</td></tr>
</table>

その条件が成立したときに、do 文による繰返しを終了すればよいわけです。

逆にいうと、変数 *score.win* と *score.lose* のいずれもが3未満である限り繰返しを続けます。その判定を行うのが水色部の制御式 *score.win < 3 && score.lose < 3* です。

▶ この do 文は、次のように実現することもできます。
```
do {
    //… 中略 …//
} while (!(score.lose == 3 || (score.win == 3));
```

do 文が終了すると、どちらのプレーヤが勝ったのかを表示してプログラムを終了します。

Column 3-7 | ポインタのインクリメントとデクリメント

ポインタのインクリメントとデクリメントについて、次のことを必ず覚えておきます。

配列の要素を指すポインタは、
インクリメントされると1個後方の要素を指すように更新され、
デクリメントされると1個前方の要素を指すように更新される。

といっても、増分演算子 ++ と減分演算子 -- が、ポインタに対して特別な働きをしているのではありません。

そもそも、*p* がポインタであるかどうかに限らず、次の規則があります。

p++ は *p = p + 1* のことであり、
p-- は *p = p - 1* のことである。

ポインタ *p* が配列内のある要素を指すとき、それに1を加えたポインタ *p + 1* は、1個後方に位置する要素を指します（**Column 3-2**：p.78）。そのため、*p++* を実行すると、1個後方の要素を指すように *p* が更新されるのです。

もちろん、デクリメントも同様であり、ポインタ *p - 1* は、1個前方に位置する要素を指します。

Column 3-8	有効範囲

　変数や関数などの名前である識別子が通用する範囲を表すのが**有効範囲**（scope）です。

　ブロック{ }内で宣言された識別子は、その宣言を囲むブロックの末尾である}まで通用し、その外では通用しません。これが**ブロック有効範囲**（block scope）です。

　関数の外で宣言された変数の識別子は、そのソースプログラムの終端まで通用します。これが**ファイル有効範囲**（file scope）です。

＊

　ファイル有効範囲とブロック有効範囲をもつ同一名の変数が存在する場合、ブロック有効範囲のものが"見えて"、ファイル有効範囲のものは隠されます。

　また、ブロック有効範囲をもつ同一名の変数が存在する場合は、より内側のものが"見えて"、より外側のものが隠されます。

＊

　List 3C-2 のプログラムで確認しましょう。

1 　最初に呼び出される関数 *print_x* は、ファイル有効範囲をもつ *x* の値を表示します。

　　　x = 77

2 　続く *printf* 関数では、main 関数の冒頭で宣言された *x* の値を表示します。

　　　x = 88

3 　for 文の中でも、*x* が宣言・定義されています。for 文のループ本体であるブロック{ }内での *x* は、そこで宣言・定義されている *x* のことです。

　　この for 文は5回の繰返しを行いますから、その過程で、次のように表示します。

　　　x = 0
　　　x = 11
　　　x = 22
　　　x = 33
　　　x = 44

　　ただし、for 文が終了すると、この *x* は消滅し、その名前も通用しません。

4 　最後の *printf* 関数では、main 関数の冒頭で宣言された x の値が

　　　x = 88

と表示されます。

＊

List 3C-2	chap03/scope.c

```c
// 識別子の有効範囲

#include <stdio.h>

int x = 77;

void print_x(void)
{
    printf("x = %d\n", x);
}

int main(void)
{
    int x = 88;
    print_x();                      ■1
    printf("x = %d\n", x);          ■2
    for (int i = 0; i < 5; i++) {
        int x = i * 11;
        printf("x = %d\n", x);
    }                               ■3

    printf("x = %d\n", x);          ■4

    return 0;
}
```

　なお、ここで学習した有効範囲の他にも、**関数有効範囲**（function scope）と**関数原型有効範囲**（function prototype scope）があります。

✍ 自由課題

☑ **演習 3–1**

List **3-9**(p.90)のプログラムの関数 *update_score* と関数 *disp_result* を、一つの関数にまとめるように仕様を変更したプログラムを作成せよ。さらに、変更前後のプログラムについての比較検討を行うこと。

☑ **演習 3–2**

List **3-10**(p.96)の3回勝負を、一般化して *n* 回勝負とせよ。最初に「何回勝負しますか：」とたずねて、人間に *n* の値を入力させること。

☑ **演習 3–3**

コンピュータがグーとパーの手しか出さない《じゃんけんゲーム》を作成せよ。

☑ **演習 3–4**

コンピュータが初回に必ずグーの手を出す《じゃんけんゲーム》を作成せよ。
※ 2回目以降は、グー、チョキ、パーのいずれかをランダムに出すものとする。

☑ **演習 3–5**

コンピュータが5回ごとに"後出し"する《じゃんけんゲーム》を作成せよ。
人間が望む限りゲームを繰り返せるものと、*n* 回勝負の両方を作ること。

☑ **演習 3–6**

ゲーム終了時に、人間とコンピュータが出したすべての手と勝敗の履歴を表示する《じゃんけんゲーム》を作成せよ。
人間が望む限りゲームを繰り返せるものと、*n* 回勝負の両方を作ること。
※ 履歴の保存については、第1章や第5章を参考に作るとよい。

☑ **演習 3–7**

3人で行う《じゃんけんゲーム》を作成せよ。コンピュータが2人であり、それらの手はいずれも乱数で生成すること。
人間が望む限りゲームを繰り返せるものと、*n* 回勝負の両方を作ること。

☑ **演習 3–8**

4人で行う《じゃんけんゲーム》を作成せよ。コンピュータが3人であり、それらの手はいずれも乱数で生成すること。
人間が望む限りゲームを続行できるものと、*n* 回勝負の両方を作ること。

第4章

マスターマインド

本章で作成する《マスターマインド》は、出題者からヒントをもらいながら、重複のない数値の並びを解答者であるプレーヤが当てるゲームです。

この章で学ぶおもなこと

- 重複しない乱数の生成
- 配列内の重複要素の調査
- 文字列で表す数値
- 文字種の判定
- 数字文字の性質
- 数字文字と整数値の相互変換
- 関数の引数としてのポインタ
- atof 関数
- atoi 関数
- atol 関数
- atoll 関数
- isalnum 関数

- isalpha 関数
- iscntrl 関数
- isdigit 関数
- isgraph 関数
- islower 関数
- isprint 関数
- ispunct 関数
- isspace 関数
- isupper 関数
- isxdigit 関数

4-1　マスターマインド

《マスターマインド》は、重複のない数字の並びを当てるゲームです。解答者の推測に対して出題者がヒントを与える対話を正解するまで繰り返します。

マスターマインド

　本章で作成するのは、**マスターマインド**という、出題者と解答者の二人のプレーヤが対話しながら対戦するゲームです。

　出題者＝コンピュータは、0〜9の数字を4個並べたものを問題として作成します。すべての数字は相異なるため、"3513"のように同一の数字が重複することはありません。

　問題が"9847"であるときの、ゲーム進行の一例を示したのが **Fig.4-1** です。

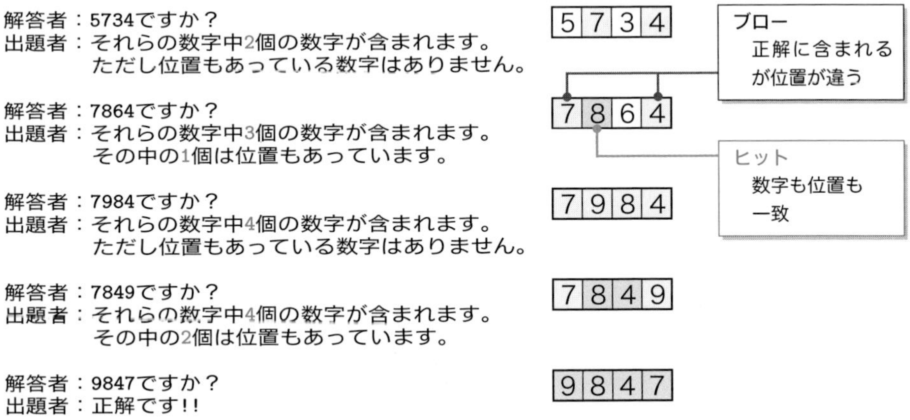

解答者：5734ですか？
出題者：それらの数字中2個の数字が含まれます。
　　　　ただし位置もあっている数字はありません。

解答者：7864ですか？
出題者：それらの数字中3個の数字が含まれます。
　　　　その中の1個は位置もあっています。

解答者：7984ですか？
出題者：それらの数字中4個の数字が含まれます。
　　　　ただし位置もあっている数字はありません。

解答者：7849ですか？
出題者：それらの数字中4個の数字が含まれます。
　　　　その中の2個は位置もあっています。

解答者：9847ですか？
出題者：正解です!!

| 5 7 3 4 | ブロー 正解に含まれるが位置が違う |
| 7 8 6 4 | ヒット 数字も位置も一致 |
| 7 9 8 4 |
| 7 8 4 9 |
| 9 8 4 7 |

Fig.4-1　マスターマインドの進行の一例（正解は9847）

　解答者＝人間は、数字の並びを推測します。その推測に対して、出題者＝コンピュータは、何個の数字が正解に含まれるのか、そして、その内の何個が位置もあっているのかをヒントとして教えます。

　図に示すように、数字も位置もあっているのが**ヒット**で、正解に含まれているものの位置が違うのが**ブロー**です。

▶　出題者は、『ヒットとブローの合計数』と『ヒット数』をヒントとして与えているわけです。

　このような対話を繰り返しながら、正解する（すべての数字がヒットする）まで対話を繰り返します。

解答者の推測 "1234" に対して『それらの数字中2個の数字が含まれます。』とヒントが出されて、続く解答者の推測 "1235" に対して『それらの数字中2個の数字が含まれます。』と同じヒントが出されたとします。

このような場合、次のパターンが考えられることに注意しましょう。

- 1と2と3の内の2個が正解に含まれており、4と5は正解に含まれない。
- 1と2と3の内の1個が正解に含まれており、4も5も正解に含まれている。

Column 4-1	マスターマインド

マスターマインドは、イギリスのインヴィクタ社が1973年に販売を開始して、これまでに世界中で3,000万セット以上販売されたといわれているパズルゲームです。

1974年にゲーム賞を獲得した後、1975年に米国に上陸し、1976年にはAult H. Leslie博士によって "The Official Master Mind Handbook" という研究書までもが出版されています。

ゲームは、次のセットで構成されます。

- 8色のカラーピン（白、黒、赤、青、黄、緑、橙、茶）
- 2色の判定ピン（白、黒）
- ピンを差すゲーム盤

1人が出題者、もう1人が解答者です。ゲームは次のように進めます。

① 出題者は、異なる4色のカラーピンを解答者に見られないように並べます。

② 解答者は、出題者が並べた順番を推測してカラーピンを並べます。

③ これに対して、出題者は判定ピンを次のように立てます。

　　◆黒ピン … 色と位置があっている（ヒット）。
　　◇白ピン … 色はあっているが、位置が違っている（ブロー）。

黒ピンも白ピンも、いずれも最大で4本立つことになります。

④ 立っている白ピンが4本未満であれば②へと戻ります。黒ピンが4本立っていれば正解ですから⑤に進みます。

⑤ 出題者と解答者は立場を交替して①に戻ります。何回か勝負を繰り返して、どちらが早く当てられるかを競います。

同一カラーのピンを重複して置くことはありませんが、重複を認めたり、無色を加えたりして、複雑なルールで行われることもあります。

＊

この他にも、数字のコマを用いる「ナンバー・マスターマインド」、アルファベットのコマを用いて出題者の隠した単語を当てる「ワード・マスターマインド」、形、色、位置を当てる「グランド・マスターマインド」などもあります。

本章で取り上げているのは、「ナンバー・マスターマインド」の一種です。

問題の作成

まず、出題する問題、すなわち "相異なる4個の数字の並び" の作成法を考えます。

問題の格納先を、`int[4]` 型の配列 `x` とします。右に
示すコードによって、各要素 `x[0]`、`x[1]`、`x[2]`、`x[3]`
に 0 ～ 9 の乱数を代入すればよさそうです。

```
//--- これではダメ ---//
for (int i = 0; i < 4; i++)
    x[i] = rand() % 10;
```

しかし、これだと、**同じ数が重複する可能性がある**ため、マスターマインドの問題作成としては不適切です。

この点を考慮して実現したのが、**List 4-1** に示す関数 `make4digits` です。

List 4-1   chap04/make4digits.c

```
//--- 相異なる4個の数字の並びを生成して配列xに格納 ---//
void make4digits(int x[])
{
    for (int i = 0; i < 4; i++) {
        int j, val;
        do {
            val = rand() % 10;          // 0～9の乱数
            for (j = 0; j < i; j++)      // 既に得られているか
                if (val == x[j])
                    break;
        } while (j < i);                // 重複しない値が得られるまで繰り返す
        x[i] = val;
    }
}
```

`for` 文の中に `do` 文が入り、さらにその中に `for` 文が入っている 3 重ループの構造です。

外側の `for` 文は、`x[0]`、`x[1]`、`x[2]`、`x[3]` を順に走査する繰返しであって、そのループ本体**1**では、重複しないように生成した乱数を着目要素に代入します。

ここでは、右ページ **Fig.4-2** に示すように、`x[0]` と `x[1]` に 7 と 5 が格納ずみであって、3 番目の乱数を生成する局面を例に考えていきます。

▶ このとき、外側の `for` 文における繰返しが 3 回目で、変数 `i` の値は 2 となっています。

プログラムの流れが `do` 文に入ると、最初に行う**2**で、0 ～ 9 の乱数を生成して変数 `val` に代入します。

続く**3**の `for` 文で行うのが、変数 `val` の値が、格納ずみの `x[0]` や `x[1]` と重複していないかを調べることです。変数 `j` の値を 0、1、… とインクリメントしながら配列 `x` を走査します。

▪ 重複している場合（生成した乱数 `val` が 7 もしくは 5 である）

生成した乱数 `val` が 7 であれば、`j` が 0 のときに `val` と `x[j]` が等しいかどうかを判定する `if` 文が成立します（図**a**）。また、5 であれば、`j` が 1 のときに `if` 文が成立します（図**b**）。

`break` 文の働きによって `for` 文の繰返しが強制的に中断されるため、変数 `j` の値は、**a**では 0 となり、**b**では 1 となります。

▪ 重複していない場合（生成した乱数 val が7でも5でもない）

生成した乱数 val が 7 でも 5 でもなければ，val と x[j] が等しいかどうかを判定する if 文は成立しません。内側の for 文は中断されることなく最後まで実行されて終了します。

図 **c** に示すように、for 文が終了したときの j の値は、i と同じ 2 です。

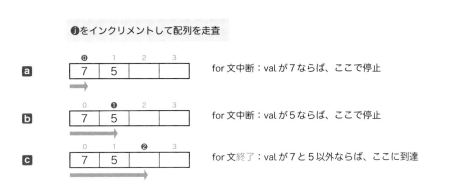

❶をインクリメントして配列を走査

a 　for 文中断：val が7ならば、ここで停止

b 　for 文中断：val が5ならば、ここで停止

c 　for 文終了：val が7と5以外ならば、ここに到達

Fig.4-2　重複した数値の探索

新しく生成した乱数が、配列に格納ずみの値と重複している場合と、重複していない場合を考えました。内側の for 文終了時の "変数 j の値" をまとめると、次のようになります。

生成した乱数 val が、生成ずみの値（a[0] 〜 a[i - 1] に格納されている値）と

- ▪ 重複していれば　　　… for 文は中断 ⇨ i より小さい値。
- ▪ 重複していなければ … for 文は終了 ⇨ i と等しい値。

内側の for 文を囲んでいる do 文の制御式は j < i です。そのため、**もし生成した乱数が重複していれば、do 文が繰り返されて乱数が再び生成されます。**

変数 j と i が等しければ（生成した乱数が重複していなければ）do 文は終了します。do 文が終了すると、**4**によって配列の要素 x[i] に val を格納します。

ここでは、具体例として i の値が 2 の場合を考えました。i の値が 0、1、2、3 に対して上記の処理を繰り返すと、問題の作成は終了します。

▶　本プログラムでは、生成した乱数を、いったん変数 val に代入しました。次のように実現すれば、変数 val は不要です。

```
for (int i = 0; i < 4; i++) {
    int j;
    do {
        x[i] = rand() % 10;        // 0〜9の乱数
        for (j = 0; j < i; j++)    // 既に得られているか
            if (x[i] == x[j])
                break;
    } while (j < i);               // 重複しない値が得られるまで繰り返す
}
```

ato〜関数：文字列から数値への変換

次は、解答＝数字の並びの入力法を検討していきます。まずは、**List 4-2** のプログラムです。これは、*scanf* 関数によって整数値を読み込んで、その値を表示するだけの単純なプログラムです。

実行例のように 0367 と入力すると、先頭に入力した 0 が無視されて、*x* に格納される値は 367 となります。これでは、0 で始まる数字の並びの入力は行えません。

```
List 4-2                              chap04/scanint.c
// 整数値の読込みと表示
#include <stdio.h>
int main(void)
{
    int x;
    printf("整数を入力せよ：");
    scanf("%d", &x);
    printf("%dと入力しましたね。\n", x);
    return 0;
}
```

実行例
整数を入力せよ：0367 ⏎
367と入力しましたね。

＊

それでは、読込みを数値ではなく文字列として行う方法を試すことにします。**List 4-3** のプログラムを実行しましょう。

```
List 4-3                              chap04/atoint.c
// 文字列として読み込んだ整数を変換して表示
#include <stdio.h>
#include <stdlib.h>
int main(void)
{
    char temp[20];        // 読込み用の文字列
    printf("整数を入力せよ：");
    scanf("%s", temp);
    printf("%dと入力しましたね。\n", atoi(temp));
    return 0;
}
```

変換失敗時に 0 になるとは限らない

実行例
① 整数を入力せよ：520 ⏎
   520と入力しましたね。
② 整数を入力せよ：ABC ⏎
   0と入力しましたね。
③ 整数を入力せよ：0367 ⏎
   367と入力しましたね。

本プログラムでは、文字列を int 型の数値に変換する *atoi* 関数を利用しています。

なお、long 型版の *atol* 関数、long long 型版の *atoll* 関数、double 型版の *atof* 関数も提供されています。

右ページに概要を示すように、いずれの関数も、引数 *nptr* に受け取った文字列を数値に変換して返却します。

▶ たとえば、*nptr* に "64" を受け取ったら 64 を返却します。浮動小数点数に対応する *atof* 関数は、*nptr* に "3.14" を受け取ったら 3.14 を返却します。

実行例②では、数値ではない文字列 "ABC" を受け取った *atoi* 関数が 0 を返しています。

ところが、数値とみなせない文字列を受け取った場合の結果は、処理系に依存する仕様となっています（すべての処理系が 0 を返すとは限りません）。

関数を呼び出した側では、**変換が正しく行われたかどうかを知ることはできない**のです。

▶ たとえすべての処理系が変換不能時に 0 を返す仕様となっていたとしても、変換前の文字列が "0" である場合との区別がつきません。

---

atoi

ヘッダ	#include <stdlib.h>
形　式	int atoi(const char *nptr);
機　能	nptr が指す文字列を、int 型の表現に変換する。
返却値	変換した値を返す。結果の値が int 型で表現できないときの動作は定義されない（処理系に依存する）。

---

atol

ヘッダ	#include <stdlib.h>
形　式	long atol(const char *nptr);
機　能	nptr が指す文字列を、long 型の表現に変換する。
返却値	変換した値を返す。結果の値が long 型で表現できないときの動作は定義されない（処理系に依存する）。

---

atoll

ヘッダ	#include <stdlib.h>
形　式	long long atoll(const char *nptr);
機　能	nptr が指す文字列を、long long 型の表現に変換する。
返却値	変換した値を返す。結果の値が long long 型で表現できないときの動作は定義されない（処理系に依存する）。

---

atof

ヘッダ	#include <stdlib.h>
形　式	double atof(const char *nptr);
機　能	nptr が指す文字列を、double 型の表現に変換する。
返却値	変換した値を返す。結果の値が double 型で表現できないときの動作は定義されない（処理系に依存する）。

また、実行例③では、文字列 "0367" の変換結果が、ただの 367 になっています。atoi 関数を利用する方法も、使いものになりません。

Column 4-2	文字列を数値に変換するライブラリ関数

本文で学習したように、atoi 関数、atol 関数、atoll 関数、atof 関数は、変換が不可能であった際の返却値が厳密に規定されない中途半端な仕様です。

そのため、文字列から数値への変換が失敗した場合であっても、呼出し側でそのことを区別できるように、strtoul 関数、strtol 関数、strtod 関数といった関数が提供されています。

読み込んだ文字列の妥当性のチェック

プレーヤが入力した解答文字列の解析は、標準ライブラリに頼らずに、自前で行うことにしましょう。まずは、次に示すように、**解答としての妥当性**をチェックします。

---

① 4文字か。

② 数字でない文字が含まれていないか。

③ 同一の数字が重複して含まれていないか。

これを行うのが **List 4-4** に示す関数 *check* であり、文字列 *s* がマスターマインドの解答用の文字列として妥当であれば **0** を、そうでなければ 1 から 3 のエラーコードを返す仕様です。

List 4-4   chap04/check.c

```
//--- 入力された文字列sの妥当性をチェック ---//
int check(const char s[])
{
    if (strlen(s) != 4)              // 文字列の長さが4でない          ■1
        return 1;
    for (int i = 0; i < 4; i++) {
        if (!isdigit(s[i]))
            return 2;                // 数字以外の文字が含まれている    ■2
        for (int j = 0; j < i; j++)
            if (s[i] == s[j])                                           ■3
                return 3;            // 同一の数字が含まれている
    }
    return 0;                        // 文字列は妥当                    ■4
}
```

■1 文字列の長さが 4 であるかをチェック

まず最初に行うのが文字数のチェックです。*strlen* 関数で調べた文字列 *s* の長さが 4 でなければ、エラーコードとして 1 を返します。

■2 数字文字以外の文字が含まれていないかをチェック

外側の **for** 文は、文字列中の文字 *s[i]* の妥当性をチェックする走査です。文字 *s[i]* が 10 進数字文字（'0' ～ '9'）であるかどうかを、*isdigit* 関数で判定しています。

▶ 第 3 章で学習した *isprint* 関数（p.75）の仲間です。

---

	isdigit
ヘッダ	#include <ctype.h>
形　式	int isdigit(int c);
機　能	c が 10 進数字であるかどうかを判定する。
返却値	判定が成立すれば 0 以外の値（真）を返し、成立しなければ 0 を返す。

判定の結果、*s[i]* が数字文字でなければ、エラーコードとして 2 を返します。

③ 同一数字の重複をチェック

この内側の for 文では、文字 s[i] と、それより先頭側の s[0]、s[1]、…、s[i - 1] が重複していないかをチェックします。重複を発見するとエラーコード 3 を返します。

s が "4919" の場合のチェック過程を Fig.4-3 に示しています。この図を見ながら、プログラムを理解していきましょう。

> ▶　●の中が i の値で、●の中が j の値です。

▪ 変数 i が 0 のとき

内側の for 文による繰返しは行われません（図には示していません）。

▪ 変数 i が 1 のとき … 図 a

内側の for 文は、j の値が 0 から 0 までインクリメントされて 1 回だけ実行されます。その過程で、s[i] すなわち '9' と等しい s[j] を見つけることはありません。

▪ 変数 i が 2 のとき … 図 b

内側の for 文は、j の値が 0 から 1 までインクリメントされて 2 回繰り返されます。その過程で、s[i] すなわち '1' と等しい s[j] を見つけることはありません。

▪ 変数 i が 3 のとき … 図 c

内側の for 文は、j の値が 0 から 2 までインクリメントされて 3 回繰り返されます。変数 j の値が 1 のときに、s[j] は s[i] と同じ '9' となり、重複文字を発見します。エラーコードとして 3 を返します。

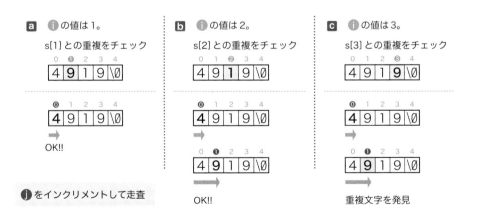

Fig.4-3　重複文字のチェック

④ 妥当性の調査の完了

①～③のチェックがすべて正常に終了すると、関数 check は 0 を返します。

文字種の判定

前章では *isprint* 関数を学習し、本章では *isdigit* 関数を学習しました。文字種を判定する関数をひととおり学習しましょう。

▶ いずれの関数も **<ctype.h>** ヘッダで宣言されており、判定が成立すると **0** 以外の値を返却して、そうでなければ **0** を返却する仕様です。各関数の判定は、文字コードやロケール（地域情報）によって異なりますので、ここでは ASCII コードを例にとって解説します。

1 int iscntrl(int c)

文字 *c* が**制御文字**であるかどうかを判定します。

ASCII では、**Fig.4-4** の黒色部に示す **0x00 〜 0x1F** であれば真です。

2 int isprint(int c)

文字 *c* が**表示文字**であるかどうかを判定します。

ASCII では、**Fig.4-4** の水色部に示す **0x20 〜 0x7E** であれば真です。

3 int isgraph(int c)

文字 *c* が**空白文字を除く表示文字**であるかどうかを判定します。

ASCII では、**Fig.4-4** の 点線部（**2**から空白文字を除いた部分）である **0x21 〜 0x7E** であれば真です。

Fig.4-4 文字コード (1)

4 int isdigit(int c)

文字 *c* が **10 進数字文字 '0'**、**'1'**、…、**'9'** であるかどうかを判定します。

ASCII では、**Fig.4-5** の 点線部 である **0x30 〜 0x39** であれば真です。

5 int isupper(int c)

文字 *c* が**英大文字 'A'**、**'B'**、…、**'Z'** であるかどうかを判定します。

ASCII では、**Fig.4-5** の黒色部に示す **0x41 〜 0x5A** であれば真です。

6 int islower(int c)

文字 *c* が**英小文字 'a'**、**'b'**、…、**'z'** であるかどうかを判定します。

ASCII では、**Fig.4-5** の水色部に示す **0x61 〜 0x7A** であれば真です。

Fig.4-5 文字コード (2)

7 int isalpha(int c)

文字 *c* が**英文字**（*islower* 関数または *isupper* 関数による判定が真となる文字）であるかどうかを判定します。

ASCII では、**Fig.4-5** の**5**と**6**をあわせた部分である 0x41 〜 0x5A ／ 0x61 〜 0x7A であれば真です。

8 int isalnum(int c)

文字 *c* が**英文字または 10 進数字文字**（*isalpha* 関数または *isdigit* 関数による判定が真となる文字）であるかどうかを判定します。

ASCII では、**Fig.4-5** の**4**と**7**をあわせた部分である 0x30 〜 0x39 ／ 0x41 〜 0x5A ／ 0x61 〜 0x7A であれば真です。

9 int ispunct(int c)

文字 *c* が**空白文字でも数字文字でも英字でない、表示文字**であるかどうかを判定します。

ASCII では、**Fig.4-6** の水色部（**3**から**8**を除いた部分）である 0x21 〜 0x2F ／ 0x3A 〜 0x40 ／ 0x5B 〜 0x60 ／ 0x7B 〜 0x7E であれば真です。

10 int isxdigit(int c)

文字 *c* が **16 進数字文字**、すなわち '0'、'1'、…、'9' ／ 'A'、'B'、…、'F' ／ 'a'、'b'、…、'f' であるかどうかを判定します。

ASCII では、**Fig.4-6** の黒色部に示す 0x30 〜 0x39 ／ 0x41 〜 0x46 ／ 0x61 〜 0x66 であれば真です。

11 int isspace(int c)

文字 *c* が**空白類文字**（空白文字 ' '、書式送り '\f'、改行 '\n'、復帰 '\r'、水平タブ '\t'、垂直タブ '\v'）であるかどうかを判定します。

ASCII では、**Fig.4-6** の濃い網部に示す 0x09 〜 0x0D ／ 0x20 であれば真です。

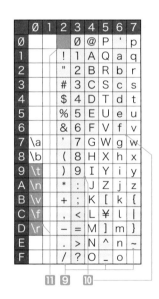

Fig.4-6 文字コード (3)

4-1

マスターマインド

ヒットとブローの判定

　プレーヤが入力した文字列の形式が妥当であれば、正解（当てるべき数字の並び）とのマッチングを行います。**ヒット**（数字も位置もあっている）の数と、**ブロー**（正解に含まれるものの位置があっていない）の個数を求めるのが、**List 4-5** に示す関数 *judge* です。

List 4-5　　　　　　　　　　　　　　　　　　　　　　　　　　　　　chap04/judge.c

```
//--- ヒット＆ブローの判定 ---//
void judge(const char s[], const int no[], int *hit, int *blow)
{
    *hit = *blow = 0;
    for (int i = 0; i < 4; i++) {
        for (int j = 0; j < 4; j++) {
            if (s[i] == '0' + no[j]) {   // 数字が一致
                if (i == j)
                    (*hit)++;             // ヒット（位置も一致）
                else
                    (*blow)++;            // ブロー（位置が不一致）
            }
        }
    }
}
```

　判定は、先頭側の二つの仮引数 *s* と *no* の値をもとに行います。前者 *s* はプレーヤが入力した文字列で、後者 *no* はコンピュータが生成した問題を格納した int の配列です（**Fig.4-7**）。

　なお、求めたヒット数とブロー数は、ポインタ *hit* と *blow* が指す変数に代入します。

▶ *hit* と *blow* は、int 型でなく、**int へのポインタ型**であることに注意しましょう。ポインタでなければならない理由は **Column 4-3**（p.114）で学習します。

　どのように判定を行うのかを理解していきましょう。

　外側の **for** 文は、文字列 *s* を先頭から順に１文字ずつ走査するための繰返しです。その走査の過程で、文字 *s[i]* が、出題した問題 *no[0]*、*no[1]*、*no[2]*、*no[3]* の各数字と、ヒットあるいはブローしているかどうかを内側の **for** 文で調べます。

　さて、配列 *s* の要素は文字で、配列 *no* の要素は整数値です。図の例であれば、*s[0]* は char 型の '3' で、*no[0]* は int 型の 3 です。

　そのため、*s[0]* == *no[0]* といった、単純な判定は行えません。

　　　　　　　　型が異なるため
　　　　　　　　単純な比較が行えない

文字列（文字の配列）
要素は char 型の文字　　　　　　　　　　　　　　　　要素は int 型の整数値

Fig.4-7　ヒットとブローの判定対象の配列

要素内の文字と数字の比較を行っているのが、if 文の制御式 s[i] == '0' + no[j] です。

char 型の文字 '0'、'1'、… である s[i] と、int 型の整数値 0、1、… である no[j] の比較を行うために、後者に '0' を加えています。この加算が必要な理由を考えていきましょう。

Fig.4-8 に示すように、ASCII ／ JIS コード体系での数字文字 '0'、'1'、…、'9' のコードは、10 進数の 48、49、…、57 です（16 進数の 0x30、0x31、…、0x39 です）。

また、主として大型計算機で利用される EBCDIC コードでは、10 進数の 240、241、…、249 です。

このように各文字のコードはコード体系によって異なるのですが、次の規則が成立します。

数字文字 '0'、'1'、…、'9' のコードは、順に一つずつ増えていく。

▶ この規則は、標準 C の規格によって保証されます。

そのため、文字コード体系とは無関係に、たとえば、'5' のコードと '0' のコードの差は 5 になりますし、'5' から '0' を引くと整数値の 5 が得られます。

数字文字	'0'	'1'	'2'	'3'	'4'	'5'	'6'	'7'	'8'	'9'
JIS コード	48	49	50	51	52	53	54	55	56	57
EBCDIC コード	240	241	242	243	244	245	246	247	248	249
'0' を引いた値	0	1	2	3	4	5	6	7	8	9

　　 文字コードに依存せずに一定

Fig.4-8 数字文字の文字コードと数値との関係

以上から、数字と整数値の相互変換は次のように行えることが分かります。

- 数字文字から '0' を引くと、対応する整数値が得られる。　　例 '5' - '0' ⇨ 5
- 整数値に '0' を加えると、対応する数字文字が得られる。　　例 5 + '0' ⇨ '5'

なお、ある文字 c が数字文字であるかどうかが、c >= '0' && c <= '9' によって判定できることも分かるでしょう。

▶ もちろん、isdigit(c) でも判定できます。

＊

さて、if 文が成立して、数字が含まれることが確認できたら、位置があっているかどうかも調べなければなりません。そのために実行されるのが内側の if 文です。

変数 i と j が等しければ**ヒット**であり、そうでなければ**ブロー**です。

Column 4-3	関数の引数としてのポインタ

　C言語の関数は **return 文**によって呼出し元に値を返却します（例外的に、返却型が **void** である関数は値を返却できません）。言語の仕様上、返却できる値は1個だけです。そのため、関数で計算した**複数の値**を呼出し元に知らせるには、返却値でなく引数を使うことになります。

　もっとも、引数の受渡しは**値渡し**（pass by value）で行われるため、引数を利用して情報を受け取るのが容易である一方で、情報を返却するのは容易ではありません。

　このことを、**List 4C-1** のプログラムで考えましょう。

List 4C-1　　　　　　　　　　　　　　　　　　　　　　　chap04/wasa_wrong.c

```
// 和と差を求める関数（誤り）
#include <stdio.h>
void wa_sa(int x, int y, int wa, int sa)
{
    wa = x + y;
    sa = x - y;
}
int main(void)
{
    int a = 5, b = 3, p = 1, m = 1;
    wa_sa(a, b, p, m);
    printf("%dと%dの和は%dで差は%dです。\n", a, b, p, m);
    return 0;
}
```

> **実行結果**
> 5と3の和は1で差は1です。

　関数 wa_sa は、x と y の和を求めて、その結果を wa と sa に格納して返却するという意図で作られたものです。しかし、このプログラムでは、期待どおりの実行結果は得られません。

　関数 wa_sa が受け取る仮引数 x、y、wa、sa は、main 関数が渡す実引数 a、b、p、m の値の**コピー**にすぎません。

　そのため、コピーである wa と sa の値を関数の中で変更しても、呼出し元の p と m に反映されないのです（**Fig.4C-1**）。

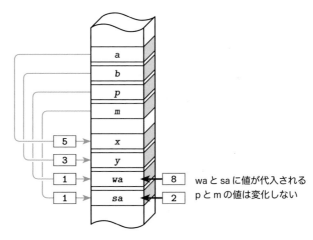

Fig.4C-1 List 4C-1 における引数の受渡し

求めた和と差を呼出し元に知らせるためには、仮引数 *wa* と *sa* は、ポインタでなければなりません。そのように実現したのが、**List 4C-2** のプログラムです。

List 4C-2 — chap04/wasa.c

```
// 和と差を求める関数
#include <stdio.h>
void wa_sa(int x, int y, int *wa, int *sa)
{
    *wa = x + y;
    *sa = x - y;
}
int main(void)
{
    int a = 5, b = 3, p = 1, m = 1;
    wa_sa(a, b, &p, &m);
    printf("%dと%dの和は%dで差は%dです。\n", a, b, p, m);
    return 0;
}
```

実行結果
5と3の和は8で差は2です。

main 関数では、変数 *p* と *m* にアドレス演算子 & を適用したアドレス式 &p と &m を渡します。そのため、関数 wa_sa に対して、次の依頼をすることになります。

変数 *p* の格納されている番地と、変数 *m* の格納されている番地を渡しますから、そこに計算した値を格納してください。

呼び出される関数 wa_sa の仮引数 wa と sa はポインタです。そのため、『wa は p を指す』ことになって、『sa は m を指す』ことになります。このとき、間接演算子 * を適用した間接式 *wa は、wa の指す変数 p の**エイリアス＝別名**（あだ名）であり、*sa は、sa の指す変数 m のエイリアスです。

wa の指す変数 *wa すなわち p に x + y を代入し、sa の指す変数 *sa すなわち m に x - y を代入するので、うまくいきます。

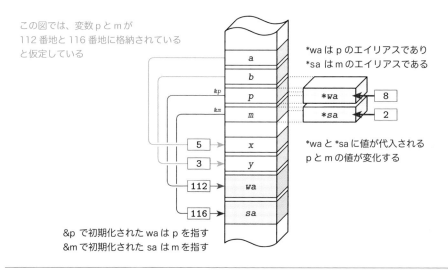

Fig.4C-2 List 4C-2 における引数の受渡し

4

マスターマインド

　主要な関数の設計と実現が終了しました。これらの関数を用いたマスターマインドのプログ
ラムを **List 4-6** に示します。

List 4-6　　　　　　　　　　　　　　　　　　　　　　　　　　　chap04/mastermind.c

```c
// マスターマインド

#include <time.h>
#include <ctype.h>
#include <stdio.h>
#include <stdlib.h>
#include <string.h>

//--- 相異なる4個の数字の並びを生成して配列xに格納 ---//
void make4digits(int x[])
{
    for (int i = 0; i < 4; i++) {
        int j, val;
        do {
            val = rand() % 10;            // 0～9の乱数
            for (j = 0; j < i; j++)       // 既に得られているか
                if (val == x[j])
                    break;
        } while (j < i);                  // 重複しない値が得られるまで繰り返す
        x[i] = val;
    }
}

//--- 入力された文字列sの妥当性をチェック ---//
int check(const char s[])
{
    if (strlen(s) != 4)                   // 文字列の長さが4でない
        return 1;
    for (int i = 0; i < 4; i++) {
        if (!isdigit(s[i]))
            return 2;                     // 数字以外の文字が含まれている
        for (int j = 0; j < i; j++)
            if (s[i] == s[j])
                return 3;                 // 同一の数字が含まれている
    }
    return 0;                             // 文字列は妥当
}

//--- ヒット＆ブローの判定 ---//
void judge(const char s[], const int no[], int *hit, int *blow)
{
    *hit = *blow = 0;
    for (int i = 0; i < 4; i++) {
        for (int j = 0; j < 4; j++) {
            if (s[i] == '0' + no[j]) {    // 数字が一致
                if (i == j)
                    (*hit)++;             // ヒット（位置も一致）
                else
                    (*blow)++;            // ブロー（位置が不一致）
            }
        }
    }
}

//--- 判定結果を表示 ---//
void print_result(int snum, int spos)
{
```

```
        if (spos == 4)
            printf("正解です!!");
        else if (snum == 0)
            printf("    それらの数字はまったく含まれません。\n");
        else {
            printf("    それらの数字中%d個の数字が含まれます。\n", snum);

            if (spos == 0)
                printf("      ただし位置もあっている数字はありません。\n");
            else
                printf("      その中の%d個は位置もあっています。\n", spos);
        }
    putchar('\n');
}

int main(void)
{
    srand(time(NULL));                      // 乱数の種を設定

    puts("・マスターマインドをしよう!!");
    puts("  当てるのは、４個の数字の並びです。");
    puts("  同じ数字が複数含まれることはありません。");
    puts("  4307のように連続して入力してください。");
    puts("  スペース文字などを入力してはいけません。\n");

    int no[4];          // 当てる数字の並び
    make4digits(no);    // 相異なる四つの数字の並びを生成

    int hit;            // 位置も数字も当たっている個数
    int blow;           // 数字が当たって位置が当たっていない数字の個数
    int try_no = 0;     // 入力回数

    time_t start = time(NULL);                       // 開始時刻

    do {
        int chk;            // 入力された文字列のチェック結果
        char buff[10];      // 読み込む数字の並びを格納する文字列
        do {
            printf("入力してください：");
            scanf("%s", buff);              // 文字列として読み込む

            chk = check(buff);              // 読み込んだ文字列をチェック

            switch (chk) {
             case 1: puts("きちんと４文字で入力してください。\a"); break;
             case 2: puts("数字以外の文字を入力しないでください。\a"); break;
             case 3: puts("同一の数字を複数入力しないでください。\a"); break;
            }
        } while (chk != 0);

        try_no++;
        judge(buff, no, &hit, &blow);   // 判定
        print_result(hit + blow, hit);  // 判定結果を表示

    } while (hit < 4);

    time_t end = time(NULL);                         // 終了時刻

    printf("%d回かかりました。\n所要時間は%.1f秒でした。\n",
                                    try_no, difftime(end, start));

    return 0;
}
```

関数 `print_result` は、ヒットの数とブローの数をもとにして、判定結果を表示する関数です。

引数 `snum` に受け取るのはヒット数とブロー数の合計、`spos` に受け取るのはヒット数です。

単純な関数ですから、よく読んで理解しましょう。

＊

`main` 関数では、ヒット数が 4 になって正解すると、所要回数と時間を表示してプログラムを終了します。

実行例
・マスターマインドをしよう!! 　当てるのは、４個の数字の並びです。 　同じ数字が複数含まれることはありません。 　4307のように連続して入力してください。 　スペース文字などを入力してはいけません。
入力してください：5671⏎ 　それらの数字中2個の数字が含まれます。 　ただし位置もあっている数字はありません。
入力してください：7891⏎ 　それらの数字中4個の数字が含まれます。 　その中の1個は位置もあっています。
入力してください：7819⏎ 　それらの数字中4個の数字が含まれます。 　その中の2個は位置もあっています。
入力してください：9817⏎ 正解です!! 4回かかりました。 所要時間は15.3秒でした。

✐ まとめ

❄ **数字文字の文字コード**

　数字文字 `'0'`、`'1'`、…、`'9'` のコードは、文字コード体系に依存するが、すべての文字コード体系で一つずつ増えていく。

❄ **数字文字と数値との変換**

　整数値 0、1、…、9 に `'0'` を加えると、対応する数字文字 `'0'`、`'1'`、…、`'9'` が得られる。逆の変換を行うには `'0'` を引く。

$$\text{整数値 } x \text{ (0～9)} \quad \xrightleftharpoons[x \Leftarrow c - \text{'0'}]{x + \text{'0'} \Rightarrow c} \quad \text{数字文字 } c \text{ ('0'～'9')}$$

❄ **数字文字の判定**

　文字 `c` が数字文字であるかどうかは、`isdigit(c)` によって判定できる。

　10 個の数字文字の文字コードは連続しているため、`c >= '0' && c <= '9'` によっても判定できる。

❄ **文字種の判定**

　文字種を判定するライブラリ関数には、次のものがある。

`iscntrl`：制御文字	`isspace`：空白文字	`isprint`：表示文字
`isdigit`：10 進数字	`isxdigit`：16 進数字	`isgraph`：空白以外の表示文字
`isupper`：英大文字	`islower`：英小文字	`isalpha`：英字
`isalnum`：英字または 10 進数字		`ispunct`：空白・数字・英字でない表示文字

　いずれの関数も、判定が成立すれば 0 以外の値を返却し、成立しなければ 0 を返却する。

❄ **文字列から数値への変換**

　文字列から数値への変換には、型に応じて `atoi` 関数、`atol` 関数、`atoll` 関数、`atof` 関数のライブラリ関数が利用できる。

✍️ 自由課題

🔲 演習 4-1

プレーヤが入力できる回数に制限を設けた《マスターマインド》を作成せよ。

🔲 演習 4-2

《マスターマインド》にヒント機能を加えよ。

※ たとえば、次のようなヒントの出し方が考えられる。

- 先頭の 1 文字をヒントとして教える。
- ヒットした数字の中で最も先頭側の 1 文字をヒントとして教える。
- ブローした数字の中で最も末尾側の 1 文字をヒントとして教える。
- 定期的に（たとえばプレーヤが 3 回解答するたびに）ヒントを与える。
- プレーヤの要求に応じてヒントを与える。
- ヒントを表示する回数に制限を設ける。

🔲 演習 4-3

桁数を 4 桁でなく可変にした《マスターマインド》を作成せよ。開始時に「何桁にしますか：」
とたずねて、プレーヤに入力させること。

🔲 演習 4-4

数字の重複を許す《マスターマインド》を作成せよ。

🔲 演習 4-5

数字ではなくて色を当てさせる《マスターマインド》を作成せよ。8 色の色（白、黒、赤、青、黄、
緑、橙、茶）から、重複のない 4 色の並びを当てさせること。

🔲 演習 4-6

人間とコンピュータの両者が同時に出題し、交互にヒントを与えて解答し、先に当てたほうを勝
者とする《マスターマインド》を作成せよ。

🔲 演習 4-7

第 1 章では、0 〜 999 の数を当てさせる《数当てゲーム》を作成した。異なる桁が同一である数（た
とえば、55 や 919 など）を出題しないように変更したプログラムを作成せよ。

第5章

記憶力トレーニング

本章では、《単純記憶トレーニング》や《プラスワントレーニング》などの、記憶力を鍛えるプログラムを作成します。

この章で学ぶおもなこと

- 整数型の表現範囲
- 処理系に依存しない英字の取扱い
- 記号文字による棒グラフ表示（横方向と縦方向）
- 文字列の比較
- 隣接する文字列リテラル
- 配列要素の循環的利用
- 記憶域の動的な確保と解放

- ⊙ size_t 型
- ⊙ calloc 関数
- ⊙ free 関数
- ⊙ malloc 関数
- ⊙ strcmp 関数
- ⊙ strncmp 関数

5-1 単純記憶トレーニング

本章では、記憶力トレーニングソフトの作成を通じて、配列や文字列の活用法などを学習します。
最初に作るのは、一瞬だけ表示される数値や文字を記憶するトレーニングソフトです。

4桁の数値を記憶するトレーニング

まずは、右ページ **List 5-1** のプログラムを実行しましょう。4桁の数値が、一瞬（0.5秒）だけ表示されますので、瞬時に記憶して、その数値をキーボードから打ち込みます。トレーニングを10回行うと、正しく解答できた回数と所要時間が表示されます。

▶ 前章までに学習した技術だけを使っていますので、プログラムの理解は容易なはずです。

整数型の表現範囲

それでは、記憶すべき数値の"桁数"を増やすことにします。プログラムの変更は容易に感じられるかもしれませんが、実はそうではありません。

Table 5-1 に示すように、整数型が有限の値しか表せないからです。

▶ この表に示すのは、標準Cが規定する**最低限の値**です。多くの処理系では、ここに示す値よりも広い範囲の数値を表現できます。

Table 5-1 整数型の表現範囲

型	少なくとも表現できる値の範囲
char	-127 ～ 127 または 0 ～ 255
signed char	-127 ～ 127
signed short int	-32767 ～ 32767
signed int	-32767 ～ 32767
signed long int	-2147483647 ～ 2147483647
signed long long int	-9223372036854775807 ～ 9223372036854775807
unsigned char	0 ～ 255
unsigned short int	0 ～ 65535
unsigned int	0 ～ 65535
unsigned long int	0 ～ 4294967295
unsigned long long int	0 ～ 18446744073709551615

変数 x や no を int 型から long 型に変更すると、出題する数値を5桁以上にできそうな気がします。

ところが、int 型の最大値が 32767 の処理系では、rand 関数が返す値は（返却値型が int 型であるため）最大でも 32767 であって、たとえ x や no を long 型に変更したところで、5桁を超える数値の出題は不可能です（**Column 5-1**：p.125）。

List 5-1　　　　　　　　　　　　　　　　　　　　　　　　chap05/kiokud1.c

```
// 単純記憶トレーニング（４桁の数値を記憶）

#include <time.h>
#include <stdio.h>
#include <stdlib.h>

#define MAX_STAGE    10                            // ステージ数
```

```
//--- xミリ秒経過するのを待つ ---//
int sleep(unsigned long x)
{
    //--- 省略：List 2-2 (p.38) と同じ ---//
}
```

```
int main(void)
{
    int success = 0;                           // 正解数

    srand(time(NULL));                         // 乱数の種を設定

    printf("４桁の数値を記憶しよう!!\n");

    time_t start = time(NULL);

    for (int stage = 0; stage < MAX_STAGE; stage++) {
        int x;                              // 読み込んだ値
        int no = rand() % 9000 + 1000;      // 記憶すべき数値

        printf("%d", no);
        fflush(stdout);
        sleep(500);        // 問題提示は0.5秒だけ

        printf("\r入力せよ：");
        fflush(stdout);
        scanf("%d", &x);

        if (x != no)
            printf("間違いです。\a\n");
        else {
            printf("正解です。\n");
            success++;
        }
    }
    time_t end = time(NULL);

    printf("%d回中%d回成功しました。\n", MAX_STAGE, success);
    printf("%.1f秒でした。\n", difftime(end, start));

    return 0;
}
```

```
┌─────────────────────────┐
│         実行例          │
├─────────────────────────┤
│ ４桁の数値を記憶しよう!!   │
│ 1397  … 0.5秒で消えます │
│ 入力せよ：1397 ⏎        │
│ 正解です。              │
│ 2468  … 0.5秒で消えます │
│ 入力せよ：2486 ⏎        │
│ 間違いです。 ♪          │
│                         │
│ … 中略 …               │
│                         │
│ 10回中8回成功しました。   │
│ 9.0秒でした。           │
└─────────────────────────┘
```

☐ 任意の桁の数値を記憶するトレーニング

　記憶すべき数値を３桁から20桁までのあいだで、自由に設定できるように拡張しましょう。それが、次ページの **List 5-2** に示すプログラムです。

　記憶すべき数値とキーボードから入力された数値を、整数型の値で表すのではなく、**数字文字が並んだ文字列**で表すように変更されています。

List 5-2　　　　　　　　　　　　　　　　　　　　　　　　　　chap05/kiokud2.c

```
// 単純記憶トレーニング（数値を記憶：レベル＝桁数の設定あり）

#include <time.h>
#include <stdio.h>
#include <stdlib.h>
#include <string.h>

#define MAX_STAGE    10              // ステージ数
#define LEVEL_MIN     3              // 最小レベル（桁数）                    ■1
#define LEVEL_MAX    20              // 最大レベル（桁数）

//--- xミリ秒経過するのを待つ ---//
int sleep(unsigned long x)
{
    //--- 省略：List 2-2（p.38）と同じ ---//
}

int main(void)
{
    int level;                  // レベル（数値の桁数）
    int success = 0;            // 正解数

    srand(time(NULL));          // 乱数の種を設定

    printf("数値記憶トレーニング\n");

    do {
        printf("挑戦するレベル（%d〜%d）：", LEVEL_MIN, LEVEL_MAX);       ■2
        scanf("%d", &level);
    } while (level < LEVEL_MIN || level > LEVEL_MAX);

    printf("%d桁の数値を記憶しましょう。\n", level);

    time_t start = time(NULL);

    for (int stage = 0; stage < MAX_STAGE; stage++) {
        char no[LEVEL_MAX + 1];             // 記憶すべき数字の並び
        char x[LEVEL_MAX * 2];              // 読み込んだ数字の並び

        no[0] = '1' + rand() % 9;           // 先頭文字は'1'〜'9'
        for (int i = 1; i < level; i++)
            no[i] = '0' + rand() % 10;      // それ以降は'0'〜'9'
        no[level] = '\0';

        printf("%s", no);
        fflush(stdout);
        sleep(125 * level);                 // 問題提示は125×levelミリ秒

        printf("\r%*s\r入力せよ：", level, "");
        scanf("%s", x);

        if (strcmp(no, x) != 0)
            printf("間違いです。\a\n");
        else {
            printf("正解です。\n");
            success++;
        }
    }
    time_t end = time(NULL);

    printf("%d回中%d回成功しました。\n", MAX_STAGE, success);
    printf("%.1f秒でした。\n", difftime(end, start));

    return 0;
}
```

5

記憶力トレーニング

□ トレーニングレベルの入力

まずは、プログラムを実行しましょう。

トレーニングの"**レベル**"を3～20の範囲で入力するよう促されます。本トレーニングでのレベルとは、記憶すべき数値の桁数です。

右に示す実行例のように、レベルとして6を入力すると、『6桁の数値を記憶しましょう。』と表示されて、トレーニングが開始します。

トレーニングレベルを自由に設定できるようになっていることもあり、前のプログラムに比べると、プログラムは複雑です。

トレーニングレベルの読込みに関連するのが**1**と**2**です。まずは、この部分を理解しましょう。

```
実行例
数値記憶トレーニング
挑戦するレベル（3～20）：6□
6桁の数値を記憶しましょう。
139237 … 0.75秒で消えます
入力せよ：139237□
正解です。
243568 … 0.75秒で消えます
入力せよ：243586□
間違いです。♪

… 中略 …

10回中8回成功しました。
32.0秒でした。
```

1 レベルの最小値 3 と最大値 20 を、それぞれ *LEVEL_MIN* と *LEVEL_MAX* というオブジェクト形式マクロとして定義しています。

▶ もし 20 桁の記憶トレーニングが簡単すぎると感じるのであれば、*LEVEL_MAX* の値を大きな値に変更するとよいでしょう。

2 レベルの入力をプレーヤに促して、変数 *level* に整数値を読み込みます。読み込んだ値が *LEVEL_MIN* 以上 *LEVEL_MAX* 以下（3 以上 20 以下）でなければ、do 文が繰り返されます。

そのため、do 文の終了時点の変数 *level* の値は、**必ず 3 以上 20 以下となります**。

▶ なお、ド・モルガンの法則を利用して、do 文を次のように実現することもできます。

```
do {
    //… 中略 …//
} while (!(level >= LEVEL_MIN && level <= LEVEL_MAX));
```

Column 5-1	rand 関数が生成する乱数の最大値 RAND_MAX について

本文では、`int` 型が表現可能な最大値に上限があるため、*rand* 関数が生成できる乱数の最大値にも上限があることを学習しました。

`int` 型で表現できる最大値 `INT_MAX` と、*rand* 関数が生成する乱数の最大値 `RAND_MAX` が一致する保証がないことにも注意する必要があります。

たとえば Microsoft Visual C++ では、`int` 型は 32 ビットであって、負数を2の補数形式で表現するため、その表現範囲は -2147483648 ～ 2147483647 です。一方、*rand* 関数が生成する乱数の最大値 `RAND_MAX` は 32767 です（`int` 型が 16 ビットであった頃の古いバージョンとの互換性を保つための仕様です）。そのため、変数 *x* や *n* が、`int` 型であっても `long` 型であっても、32767 以上の乱数を生成は行えないのです。

なお、*rand* 関数が生成する乱数の最大値 `RAND_MAX` を表示するプログラムは、**List 1-4**（p.13）で作成しました。

数値を文字列で表す

前のプログラムとの大きな違いは、記憶すべき数値とプレーヤが入力する数値を、**整数ではなく文字列で表す**ことです。それら二つの文字列は、次のように宣言されています。

```
char no[LEVEL_MAX + 1];      // 記憶すべき数字の並び
char x[LEVEL_MAX * 2];       // 読み込んだ数字の並び
```

▪ 記憶すべき数字文字の並び … no

記憶すべき数値は最大で *LEVEL_MAX* 桁 = 2Ø 桁です。文字列の末尾にはナル文字が必要ですから、配列 *no* の要素数は *LEVEL_MAX* + 1 としています（ナル文字を含めて 21 文字分です）。

▪ 読み込んだ（プレーヤが入力した）数字文字の並び … x

読み込んだ数値を格納するための配列が *x* です。その要素数は、*no* と同じ *LEVEL_MAX* + 1 でよいはずですが、*LEVEL_MAX* * 2 としています（ナル文字を含めて 4Ø 文字分です）。

要素数を大きくしているのは、プレーヤがキーボードから 2Ø 桁以上の数値を打ち込んだ場合を考慮しているためです。

問題用文字列の作成

問題用文字列は、文字数がレベルと同じであって、先頭は '1' 〜 '9' のいずれかの文字で、2文字目以降は 'Ø' 〜 '9' のいずれかの文字です。

▶ たとえば、レベルが 6 であれば、問題は "100000" 〜 "999999" の文字列です。

問題用文字列生成の手順を、**Fig.5-1** を見ながら理解していさ

ましょう。

まず、先頭の *no[Ø]* に '1' 〜 '9' のいずれかの文字を生成・格納し、さらに、それ以降の *no[1]*、*no[2]*、…、*no[level − 1]* に 'Ø' 〜 '9' のいずれかの文字を生成・格納します。

▶ 数字文字 'Ø'、'1'、…、'9' のコードは一つずつ増える（p.113）ため、文字 '1' に Ø 〜 8 の数値を加えると '1' 〜 '9' が得られ、文字 'Ø' に Ø 〜 9 の数値を加えると 'Ø' 〜 '9' が得られます。

最後に文字列の終端を表すナル文字を *no[level]* に格納すると、問題用文字列の作成が完了します。

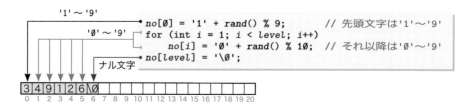

Fig.5-1 問題用文字列の作成（レベルが 6 の場合）

問題用文字列の表示と消去

問題用文字列 *no* が完成すると、その文字
列を画面に表示します。

表示する時間は、トレーニングレベルに比
例した 125 × *level* ミリ秒です。

```
printf("%s", no);
fflush(stdout);
sleep(125 * level);

printf("\r%*s\r入力せよ：", level, "");
```

▶ すなわち、数値の桁数が多くなるほど長く表示されます。たとえば、レベルが6であれば表示時間
は0.75 秒で、レベルが8であれば1.0 秒です。

「入力せよ：」と表示を行う部分は複雑です（**Fig.5-2** ）。まず、復帰 \r によってカーソル
を先頭に戻した後に、*level* 個の空白文字を表示して問題を消去します。それから、再び復
帰 \r によってカーソルを先頭に戻して「入力せよ：」と表示します。

図**b**に示すように、カーソルを行の先頭に戻した状態から「入力せよ：」と表示するのはNG
です（問題の一部が残ってしまいます）。

▶ 書式文字列 "%*s" を使って任意の個数の空白文字を表示する手法は、第2章（p.61）で学習しま
した。

a 正しいプログラム（**List 5-2**）

```
printf("\r%*s\r入力せよ：", level, "");
```

b 誤ったプログラム

```
printf("\r入力せよ：");
```

実行例
139235714854

□□□□□□□□□□□
• カーソルを先頭に戻す
• 空白文字を level 個表示

入力せよ：
• カーソルを先頭に戻す
• 「入力せよ：」と表示

実行例
139235714854

入力せよ：*854*
• カーソルを先頭に戻す
• 「入力せよ：」と表示

Fig.5-2 問題消去のための復帰と空白文字の表示

Column 5-2	strcmp 関数と strncmp 関数（その1）

文字列の大小関係を判定する標準ライブラリとして知られている *strcmp* 関数と *strncmp* 関数ですが、
次ページの表の仕様に示すように、後者の *strncmp* 関数の判定対象は、**『文字列』**ではなくて、**『文字
の配列』**と解説されています。*strncmp* 関数は、引数 *s1* と *s2* が指す先の配列の先頭 n 文字の中にナ
ル文字がなくても、きちんと大小関係の判定を行うのです。

換言すると、文字列ではない『文字の配列』の大小関係の判定の必要があれば、*strcmp* 関数ではなく、
strncmp 関数を使わなければならない、ということです。

strcmp 関数：文字列の比較

キーボードから数値が打ち込まれた後に行うのは、出題した文字列 *no* と、読み込んだ文字列 *x* が等しいかどうかの判定です。

本プログラムでは、二つの文字列 *no* と *x* の等価性を **strcmp** 関数の返却値に基づいて判定しています。

▶ この関数は、文字列の等価性というよりも、大小関係を判定するための関数です。

```
if (strcmp(no, x) != 0)
    printf("\a間違いです。\n");
else {
    printf("正解です。\n");
    success++;
}
```

正解である（二つの文字列 *no* と *x* が等しい）と判定された場合は、正解数を格納するための変数 *success* の値をインクリメントします。

なお、二つの文字列（文字の配列）の先頭 *n* 文字を判定する **strncmp** 関数も提供されていますので、こちらもあわせて覚えておきましょう。

strcmp	
ヘッダ	#include <string.h>
形　式	int *strcmp*(const char **s1*, const char **s2*);
機　能	*s1* が指す文字列と *s2* が指す文字列の大小関係（先頭から順に 1 文字ずつ比較していき、異なる文字が出現したときに、それらの文字の対に成立する大小関係とする）の比較を行う。
返却値	等しければ 0、*s1* が *s2* より大きければ正の整数値、*s1* が *s2* より小さければ負の整数値を返す。

strncmp	
ヘッダ	#include <string.h>
形　式	int *strncmp*(const char **s1*, const char **s2*, size_t *n*);
機　能	*s1* が指す文字の配列と *s2* が指す文字の配列の先頭 *n* 文字までの大小関係（先頭から順に 1 文字ずつ比較していき、異なる文字が出現したときに、それらの文字の対に成立する大小関係とする）の比較を行う。
返却値	等しければ 0、*s1* が *s2* より大きければ正の整数値、*s1* が *s2* より小さければ負の整数値を返す。

strncmp 関数の第3引数の **size_t** 型は、**<stddef.h>** ヘッダで符号無し整数型の同義語として定義されています。次に示すのが、定義の一例です。

size_t
typedef unsigned size_t;　　　　// 定義の一例

▶ **size_t** 型は、**sizeof** 演算子が生成する値を表す型です。

| Column 5-3 | strcmp 関数と strncmp 関数（その2） |

　strcmp 関数による文字列の大小関係の判定の結果は、文字コード体系に依存します。というのも、各文字の値は、その環境で採用されている文字コード体系に依存しており、その値をもとに比較を行うからです。したがって、"123" と "ABC" の大小関係や、"abc" と "ABC" の大小関係は、採用されている文字コード体系によって変わります。

　List 5C-1 と **List 5C-2** に示すのは、*strcmp* 関数と *strncmp* 関数の実現例です。

List 5C-1　　　　　　　　　　　　　　　　　　　　　　　　　chap05/strcmp.c

```c
// strcmp関数の実現例

int strcmp(const char *s1, const char *s2)
{
    while (*s1 == *s2) {
        if (*s1 == '\0')          // 等しい
            return 0;
        s1++;
        s2++;
    }
    return (unsigned char)*s1 - (unsigned char)*s2;
}
```

List 5C-2　　　　　　　　　　　　　　　　　　　　　　　　chap05/strncmp.c

```c
// strncmp関数の実現例

#include <stddef.h>
int strncmp(const char *s1, const char *s2, size_t n)
{
    while (n && *s1 && *s2) {
        if (*s1 != *s2)          // 等しくない
            return ((unsigned char)*s1 - (unsigned char)*s2);
        s1++;
        s2++;
        n--;
    }
    if (!n) return 0;
    if (*s1) return 1;
    return -1;
}
```

✐ まとめ

✴ 整数の表現範囲

　整数型は**有限の範囲の値を表現する**型である。処理系に依存することなく、32767 を超える値を int 型や *rand* 関数で取り扱うことはできない。

　rand 関数の返却値型は int 型であるものの、乱数の最大値 **RAND_MAX** の値が、int 型で表現できる最大値 **INT_MAX** と等しいとは限らない。

　値の大きな数値を表す手法の一つが、数字文字を並べた文字列として取り扱う方法である。

✴ 文字列の比較

　二つの文字列の大小関係を判定するには ***strcmp*** 関数を利用し、文字列の先頭部分のみの大小関係を判定するには ***strncmp*** 関数を利用する。

　いずれの関数も、第1引数の文字列が第2引数の文字列よりも小さければ負の値を、大きければ正の値を、等しければ 0 を返却する。

英字記憶トレーニング（大文字）

次は、英字（アルファベットの大文字）の並びを記憶するトレーニングソフトを作りましょう。List 5-3 が、そのプログラムであり、全体の骨組みは数値記憶トレーニングと同じです。

List 5-3   chap05/kioku1tr1.c

```c
// 単純記憶トレーニング（英字記憶・その1：大文字のみ）

#include <time.h>
#include <stdio.h>
#include <stdlib.h>
#include <string.h>

#define MAX_STAGE   10          // ステージ数
#define LEVEL_MIN    3          // 最小レベル（文字数）
#define LEVEL_MAX   20          // 最大レベル（文字数）

//--- xミリ秒経過するのを待つ ---//
int sleep(unsigned long x)
{
    //--- 省略：List 2-2 (p.38) と同じ ---//
}

int main(void)
{
    int level;                  // レベル（文字数）
    int success = 0;            // 正解数
    const char ltr[] = "ABCDEFGHIJKLMNOPQRSTUVWXYZ";     // 英大文字

    srand(time(NULL));          // 乱数の種を設定

    printf("英字記憶トレーニング\n");

    do {
        printf("挑戦するレベル（%d～%d）：", LEVEL_MIN, LEVEL_MAX);
        scanf("%d", &level);
    } while (level < LEVEL_MIN || level > LEVEL_MAX);

    printf("%d個の英字を記憶しましょう。\n", level);

    time_t start = time(NULL);

    for (int stage = 0; stage < MAX_STAGE; stage++) {
        char mstr[LEVEL_MAX + 1];       // 記憶すべき英字の並び
        char x[LEVEL_MAX * 2];          // 読み込んだ英字の並び

        for (int i = 0; i < level; i++)         // 問題の文字列を作成
            mstr[i] = ltr[rand() % strlen(ltr)];
        mstr[level] = '\0';

        printf("%s", mstr);
        fflush(stdout);
        sleep(125 * level);             // 問題提示は125×levelミリ秒

        printf("\r%*s\r入力せよ：", level, "");
        fflush(stdout);
        scanf("%s", x);

        if (strcmp(x, mstr) != 0)
            printf("間違いです。\a\n");
```

```
        else {
            printf("正解です。\n");
            success++;
        }
    }
    time_t end = time(NULL);

    printf("%d回中%d回成功しました。\n", MAX_STAGE, success);
    printf("%.1f秒でした。\n", difftime(end, start));

    return 0;
}
```

▢ ランダムなアルファベット文字の生成

水色部は、アルファベット文字 'A' から 'Z' までを並べた文字列を格納する配列 ltr の宣言です。

Fig.5-3 に示すように、問題用文字列 mstr の作成にあたっては、この配列をうまく利用します。

配列 ltr[0]〜ltr[25] からランダムに取り出した文字を mstr[0]、mstr[1]、…、mstr[level - 1] に代入して、末尾の mstr[level] にナル文字を格納する、という手順です。

実行例

英字記憶トレーニング
挑戦するレベル（3〜20）：6⏎
6個の英字を記憶しましょう。
FAXZBC　… 0.75秒で消えます
入力せよ：**FAXZBC**⏎
正解です。
EEKLCI　… 0.75秒で消えます
入力せよ：**FFKLCI**⏎
間違いです。♪

… 中略 …
10回中8回成功しました。
32.0秒でした。

▶ 数字記憶トレーニングでの問題用文字列作成と同じ要領で、mstr[i] に 'A' + rand() % 26 を代入するようなことを行ってはいけません。

というのも、英文字 'A'、'B'、…、'Z' のコードが一つずつ増えていくという保証がない（事実、主として大型計算機で利用される EBCDIC コードでは連続しない）からです。

'A' に 0〜25 を加えて 'A' 〜 'Z' を得ようとするプログラムは可搬性に欠けます（意図どおりに動作するかどうかが文字コード体系に依存します）。

Fig.5-3 問題用文字列の作成（レベルが 6 の場合）

なお、問題の作成法と、記憶すべき文字列用の配列名が異なっていること以外は、前のプログラムと、ほとんど同じです。プログラムをよく読んで理解しましょう。

英字記憶トレーニング（大文字と小文字）

前のプログラムは、対象文字がアルファベットの大文字に限られていました。大文字と小文字の両方を出題するように書きかえたのが、**List 5-4** に示すプログラムです。

List 5-4	chap05/kiokultr2.c

```
// 単純記憶トレーニング（英字記憶・その2：大文字と小文字）
```

```
const char ltr[] = "ABCDEFGHIJKLMNOPQRSTUVWXYZ"     // 英大文字
                   "abcdefghijklmnopqrstuvwxyz";    // 英小文字
```

文字列リテラルの連結

配列 *lstr* の宣言を、水色部に差しかえるだけで、プログラムは完成します。

2個の文字列リテラルが与えられているように感じられ
るかもしれませんが、この初期化子は、**"ABCDEFGHIJKLMNO**
PQRSTUVWXYZabcdefghijklmnopqrstuvwxyz" という単一の
文字列リテラルです。

というのも、C言語の規定によって、**改行・空白・タブ**
などのスペース（空白類文字）をはさんで並べられた文字
列リテラルは、**自動的に連結される**からです。

```
┌─────────── 実行例 ───────────┐
│ 英字記憶トレーニング          │
│ 挑戦するレベル（3～20）：4⏎  │
│ 4個の英字を記憶しましょう。   │
│ aCdx  … 0.5秒で消えます       │
│ 入力せよ：aCdx⏎              │
│ 正解です。                    │
│                               │
│ … 中略 …                      │
│ 10回中9回成功しました。       │
│ 29.0秒でした。                │
└───────────────────────────────┘
```

▶ たとえば、空白をはさむ **"ABC" "DEF"** は、連結された **"ABCDEF"** という1個の文字列リテラルになります。

なお、本プログラムのように、文字列リテラルのあいだに注釈（コメント）があっても連結は正しく行われます。といっのも、コンパイルの過程で、注釈が1個の空白文字に置換されるからです。

前のプログラムは、問題用文字列の作成のために *mstr[0]* ～ *mstr[25]* からランダムに文字を取り出していましたが、本プログラムでの取出しの対象は *mstr[0]* ～ *mstr[51]* です。

✏ まとめ

✿ 英字の文字コード

EBCDIC コードなどでは、英字 **'A'**、**'B'**、…、**'Z'** のコードが一つずつ増えていくわけではない。そのため、英字の各文字を次のように扱う方法には可搬性はない。

- **'A'** に 0～25 を加えて **'A'** ～ **'Z'** を得る ＝ 先頭から n 個後ろの文字を **'A'** + n で求める。
- **'a'** に 0～25 を加えて **'a'** ～ **'z'** を得る ＝ 先頭から n 個後ろの文字を **'a'** + n で求める。　**NG**

処理系に依存することなく英字を取り扱うためには、次のような配列を定義するとよい。

- 大文字　const char upr[] = "ABCDEFGHIJKLMNOPQRSTUVWXYZ";
- 小文字　const char lwr[] = "abcdefghijklmnopqrstuvwxyz";

これらの配列を使うと、先頭から n 個後ろの文字は upr[i] あるいは lwr[i] としてアクセスできる。

Column 5-4	オブジェクトの記憶域期間と初期化

オブジェクトの生存期間（寿命）である**記憶域期間**には、次に示す3種類があります。

▪ 自動記憶域期間（automatic storage duration）

そのオブジェクトが宣言されているブロック { /* … */ } を抜け出るまで生き続けるオブジェクトの生存期間（寿命）です。

- 関数が受け取る仮引数
- 関数の中で、次のように定義されたオブジェクト
  - 記憶域クラス指定子なしで定義されたオブジェクト
  - 記憶域クラス指定子 auto を伴って定義されたオブジェクト
  - 記憶域クラス指定子 register を伴って定義されたオブジェクト

これらのオブジェクトは、プログラムの流れが宣言を通過する際に生成されて初期化されます。なお、明示的に初期化子が与えられなければ、**不定値**で初期化されます。

register 記憶域クラス指定子を付けて

```
register int ax;
```

と宣言すると、コンパイラに対して、『変数 ax を、主記憶よりも（高速な）レジスタに格納したほうがよい。』というヒントが与えられます（その結果、演算が高速になることが期待できます）。

　　ただし、レジスタの個数には限りがありますし、コンパイル技術が進歩した現在では、どの変数をレジスタに格納すればよいのかを、コンパイラ自身が判断して最適化します（レジスタに格納する変数を、プログラムの実行時に動的に変えるものまであります）。

　　もはや register 宣言を行う意味はなくなりつつあります。

▪ 静的記憶域期間（static storage duration）

各関数の実行とは無関係に、プログラムの起動時から終了時まで生き続けるオブジェクトの生存期間です。

- 関数の外で定義されたオブジェクト
- 関数の中で記憶域クラス指定子 static を伴って定義されたオブジェクト

初期化が行われるのは、プログラム実行前の準備が行われるとき（main 関数の実行が開始される前）の一度だけです。そのため、プログラムの流れが宣言を通過するたびに初期化されることはありません。なお、明示的に初期化子が与えられなければ、**0** で初期化されます。

▪ 割付け記憶域期間（allocated storage duration）

5-3 節で学習する記憶域期間です。

プログラムの指示によって、任意のタイミングで生成され、解放されるオブジェクトの生存期間です。

生成は calloc 関数、malloc 関数、realloc 関数による確保（割付け）によって行い、解放は free 関数および realloc 関数によって行います。

malloc 関数によって確保された領域は**不定値**で初期化され、calloc 関数によって確保された領域の**全ビット**が **0** で初期化されます。

5-2　プラスワントレーニング

提示された数値を単純に記憶するだけでなく、それに単純な変形を加えたものを解答させることによって、脳の情報処理能力を高めるトレーニングソフトを作ります。

プラスワントレーニング

まずは、**List 5-5** に示す《プラスワントレーニング》のプログラムを実行しましょう。

▶ プログラムの実行例は p.136 に示しています。

最初にレベルがたずねられます。2 ～ 6 の数値を入力すると、その個数だけ "2桁の数値" を記憶するように指示されて、問題が消去されます。

プレーヤが入力するのは、記憶した各数値に "**1を加えた値**" です。

問題と解答の一例を **Fig.5-4** に示しています。レベルが 4 であれば、4個の数値が問題として出題されます。図のように、53、76、51、88 が提示されたときの解答は、それぞれに 1 を加えた 54、77、52、89 です。

もちろん、レベルが高いほど難しいトレーニングとなります。プログラムを何度も実行して、頭の働きを活性化させましょう。

| 問題：53 76 51 88 | 2桁の数値が出題される |

| 解答：54 77 52 89 | 各数値に1を加えた値を解答する |

Fig.5-4　プラスワントレーニング

List 5-5　　　　　　　　　　　　　　　　　　chap05/plusone1.c

```
// プラスワントレーニング（複数の数値を記憶して1を加えた値を入力）

#include <time.h>
#include <stdio.h>
#include <stdlib.h>

#define MAX_STAGE    10          // ステージ数
#define LEVEL_MIN    2           // 最小レベル（数値の個数）
#define LEVEL_MAX    6           // 最大レベル（数値の個数）

//--- xミリ秒経過するのを待つ ---//
int sleep(unsigned long x)
{
    //--- 省略：List 2-2 (p.38) と同じ ---//
}

int main(void)
{
    int level;                  // レベル
    int success = 0;            // 全ステージの正解数の合計
    int score[MAX_STAGE];       // 各ステージの正解数

    srand(time(NULL));          // 乱数の種を設定

    printf("プラスワントレーニング開始!!\n");
    printf("2桁の数値を記憶します。\n");
    printf("1を加えた値を入力してください。\n");
```

```
    do {
        printf("挑戦するレベル（%d～%d）：", LEVEL_MIN, LEVEL_MAX);
        scanf("%d", &level);
    } while (level < LEVEL_MIN || level > LEVEL_MAX);

    time_t start = time(NULL);

    for (int stage = 0; stage < MAX_STAGE; stage++) {
        int no[LEVEL_MAX];                  // 記憶する数
        int x[LEVEL_MAX];                   // 読み込んだ値
        int seikai = 0;                     // このステージでの正解数

        printf("\n第%dステージ開始!!\n", stage + 1);

        for (int i = 0; i < level; i++) {   // level個だけ
            no[i] = rand() % 90 + 10;       // 10～99の乱数を生成して
            printf("%d ", no[i]);           // 表示する
        }
        fflush(stdout);
        sleep(300 * level);                 // 0.3×level秒待って
        printf("\r%*s\r", 3 * level, "");   // 問題を消す
        fflush(stdout);

        for (int i = 0; i < level; i++) {   // 解答を読み込む
            printf("%d番目の数：", i + 1);
            scanf("%d", &x[i]);
        }

        for (int i = 0; i < level; i++) {   // 正誤を判定・表示
            if (x[i] != no[i] + 1)
                printf("✕ ");
            else {
                printf("◯ ");
                seikai++;
            }
        }
        putchar('\n');

        for (int i = 0; i < level; i++)     // 正解を表示
            printf("%2d ", no[i]);

        printf(" … %d個正解です。\n", seikai);
        score[stage] = seikai;              // ステージの正解数を記録
        success += seikai;                  // 全体の正解数を更新
    }

    time_t end = time(NULL);

    printf("%d個中%d個正解しました。\n", level * MAX_STAGE, success);

    for (int stage = 0; stage < MAX_STAGE; stage++)
        printf("第%2dステージ：%d\n", stage + 1, score[stage]);

    printf("%.1f秒でした。\n", difftime(end, start));

    return 0;
}
```

レベルの入力

プログラムの実行例を右に示しています。

プログラムを開始すると、プレーヤに対してレベルの入力が求められます。レベルは、**記憶する数値の個数**であって2〜6の範囲です。

前節の記憶力トレーニングのプログラムと同様に、レベルの格納先は変数 *level* です。

トレーニングは10回であり、全部で10×*level* 個の数値が出題されます。

▶ 実行例のようにレベルが3であれば、のべ3×10個すなわち30個が出題されます。

それでは、各ステージのトレーニングで行われる処理を順に理解していきましょう。

```
実行例
プラスワントレーニング開始!!
2桁の数値を記憶します。
1を加えた値を入力してください。
挑戦するレベル（2〜6）：3⏎

第1ステージ開始!!
22 52 37  … 0.9秒で消えます
1番目の数：23⏎
2番目の数：52⏎
3番目の数：38⏎
○ × ○
22 52 37 …  2個正解です。
… 中略 …
30個中13個正解しました。
第 1ステージ：2
第 2ステージ：1
… 中略 …
第 9ステージ：3
第10ステージ：2
24.0秒でした。
```

問題の作成と表示

まず最初に行うのが、出題する *level* 個の整数を決定して表示することです。

次に示す **for** 文によって、*no[0]*、*no[1]*、…、*no[level - 1]* に10〜99の乱数を生成・格納して、その値を画面に表示します。

```
for (int i = 0; i < level; i++) {      // level個だけ
    no[i] = rand() % 90 + 10;          // 10〜99の乱数を生成して
    printf("%d ", no[i]);              // 表示する
}
```

もし *level* が5であれば、表示されるのは、*no[0]* 〜 *no[4]* の5個の乱数です。

問題の消去

問題を表示する時間は、レベルに比例した **0.3 × *level*** 秒です（レベルが5であれば、1.5秒です）。

出題した数値を完全に消去するために、復帰 \r によってカーソルを行の先頭に戻してから、3×*level* 個のスペース文字を表示し、再び復帰 \r によってカーソルを先頭に戻しています。

```
sleep(300 * level);              // 0.3×level秒待って
printf("\r%*s\r", 3 * level, ""); // 問題を消す
```

▶ 復帰と空白文字を出力した後に、もう一度復帰を出力しているのは、問題を確実に消去するためです（前節までのプログラムと同じ要領です）。

解答の入力

解答を入力するように促して、*level* 個の整数を *x[0]*、*x[1]*、…、*x[level - 1]* に読み込みます。

```
for (int i = 0; i < level; i++) {
    printf("%d番目の数：", i + 1);
    scanf("%d", &x[i]);
}
```

正誤の判定

次に行うのは、正誤の判定です。**for** 文の繰返しによって、読み込んだ *level* 個の解答の正誤を判定します。

入力された数値 *x[i]* が、出題された数値に 1 を加えた値 *no[i]* + 1 と等しくなければ**不正解**と判定して「×」と表示します。

```
for (int i = 0; i < level; i++) {
    if (x[i] != no[i] + 1)
        printf("× ");
    else {
        printf("○ ");
        seikai++;
    }
}
```

等しい場合は、**正解**ですから、「○」と表示して変数 *seikai* をインクリメントします。

▶ 変数 *seikai* は、現在のステージの正解数を格納する変数です。すべて不正解であれば 0 となり、すべて正解すれば *level* となりますので、変数 *seikai* の値は、必ず 0 以上 *level* 以下となります。

正解数の保存

次に、正解数の保存を行います。

各ステージの正解数を記憶

```
printf(" … %d個正解です。\n", seikai);
score[stage] = seikai;  // ステージの正解数を記録
success += seikai;       // 全体の正解数を更新
```

するための配列が *score* であり、第 1 ステージから第 10 ステージまでの正解数の格納先は、それぞれ *score[0]*、*score[1]*、…、*score[9]* です。

ここでは、現在のステージの正解数 *seikai* を *score[stage]* に保存して、全ステージの正解数の合計である変数 *success* に *seikai* を加えます。

トレーニング結果の表示

トレーニングが終了すると、ステージごとの正解数や、その変化の様子をプレーヤが把握できるように、全ステージの正解数を表示します。

```
printf("%d個中%d個正解しました。\n", level * MAX_STAGE, success);

for (int stage = 0; stage < MAX_STAGE; stage++)
    printf("第%2dステージ：%d\n", stage + 1, score[stage]);

printf("%.1f秒でした。\n", difftime(end, start));;
```

トレーニングに要した時間を表示したら、プログラムを終了します。

横向きグラフ表示

グラフ形式で正解数を表示することによって、正解数の変化の様子をつかみやすくしましょう。前のプログラムの水色部（p.135）を、**List 5-6** と差しかえます。

各ステージごとに、正解と等しい個数の★記号が横方向に並べて表示されます。

```
List 5-6                                        chap05/plusone2.c
    printf("\n■□ 成績 □■\n");
    printf("------------------------\n");
    for (int stage = 0; stage < MAX_STAGE; stage++) {
        printf("第%2dステージ：", stage + 1);          ─■
        for (int i = 0; i < score[stage]; i++)          ─■
            printf("★");
        putchar('\n');                                   ─■
    }
    printf("------------------------\n");
```

```
         実 行 例
… 中略 …
■□ 成績 □■
------------------------
第 1ステージ：★★★
第 2ステージ：★★
第 3ステージ：★★★★
第 4ステージ：★
第 5ステージ：★★
第 6ステージ：
第 7ステージ：★
第 8ステージ：★★★★★
第 9ステージ：★★★
第10ステージ：★★★★
------------------------
36.0秒でした。
```

▶ 実行例に示すのは、配列 *score* の各要素に格納されている値が、**Table 5-2** のようになっているときのものです。

Table 5-2 各ステージの正解数の一例

stage	0	1	2	3	4	5	6	7	8	9
score[stage]	3	2	4	1	2	0	1	5	3	4

グラフを表示する部分は2重ループです。外側の **for** 文は、変数 *stage* の値を 0、1、… とインクリメントして、*MAX_STAGE* 回繰り返します。

それでは、ループ本体で行うことを理解していきましょう。

■ ステージ番号の表示

ステージ番号として *stage* に 1 を加えた値を表示します。そのため、たとえば *stage* が 0 のときは、「第 1 ステージ：」と表示されます。

■ グラフ本体の表示

内側の **for** 文では、そのステージの正解数である *score[stage]* 回だけ★記号の出力を繰り返します。

たとえば、第1ステージの正解数 *score[0]* は 3 ですから、変数 *i* の値が 0、1、2とインクリメントされて **for** 文が 3 回繰り返されます。その結果、画面に「★★★」と表示されます。

■ 改行の出力

1ステージ分のグラフの表示が終了すると、改行します。

以上の処理を 10 ステージ分行うと、グラフの表示は完了します。

縦向きグラフ表示

今度はグラフの方向を縦向きにします。**List 5-5** の水色の箇所を、**List 5-7** と差しかえます。今回は、プログラムが少し複雑です。

List 5-7   chap05/plusone3.c

```c
printf("\n■□ 成績 □■\n");
for (int i = level; i >= 1; i--) {
    for (int stage = 0; stage < MAX_STAGE; stage++)
        if (score[stage] >= i)
            printf(" ★ ");
        else
            printf("    ");
    putchar('\n');
}
printf("---------------------------------\n");
for (int stage = 1; stage <= MAX_STAGE; stage++)
    printf(" %02d ", stage);
putchar('\n');
```

レベルが 5 で、成績が左ページの **Table 5-2** の場合を例に、処理の流れを追ってみましょう。

■ グラフ本体の表示

外側の for 文では変数 i を level から 1 までデクリメントしていきます（繰返しの初回時の変数 i の値は、変数 level と同じ 5 です）。

内側の for 文では、変数 stage を 0、1、2、…、9 とインクリメントして第 1 ステージから第 10 ステージまでの正解数に着目します。

その過程では、score[stage] >= i の判定結果に基づいて、次のように表示を行います。

- 正解数が i 以上のステージ … " ★ " を出力。
- 正解数が i 未満のステージ … "   " を出力。

これで、実行例の **5** の部分が表示されます（5 点以上のステージにのみ★が表示されます）。

その表示が完了して改行文字を出力すると、外側の for 文の制御によって i の値は 4 になります。

i が 4 のときに行われる表示は、実行例の **4** の部分です（4 点以上のステージにのみ★が表示されます）。

以上の作業を i の値が 1 になるまで繰り返すと、グラフ本体の表示は完了します。

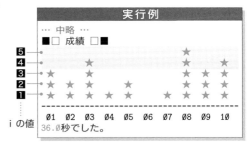

■ ステージ番号の表示

for 文によって、ステージ番号を表示して、グラフを完成させます。

配列への数値の格納

トレーニングを 10 ステージに限定せず、好きなだけ繰り返せるように仕様変更することを考えましょう。そうすると、**正解数をどのように格納するのか**が問題となります。

というのも、正解数を格納する配列の要素数を、たとえば **50** に増やしたところで、プレーヤが 50 ステージ以上のトレーニングを行えば容量が不足するからです。

そこで、正解数を格納する配列の要素数を **10** に固定しておき、**10 ステージを超えてトレーニングを行った場合は、最後の 10 ステージの正解数のみを記憶する**ことにします。

▶ たとえば、トレーニングを 25 ステージ行った場合は、配列に格納するのは、第 16 ステージから第 25 ステージまで、ということです。

どのようにして正解数を配列に格納すべきであるのかを、段階を追って考えていくことにします。まずは、**List 5-8** のプログラムを理解しましょう。

List 5-8　　　　　　　　　　　　　　　　　　　　　　　chap05/storeary0.c

```
// 最大10個の値を読み込んで要素数10の配列に格納

#include <stdio.h>

#define MAX     10      // 配列の要素数

int main(void)
{
    int a[MAX];         // 読み込んだ値を格納する配列
    int cnt = 0;        // 読み込んだ個数
    int retry;          // もう一度？

    printf("整数を入力してください。\n");
    printf("入力できるのは最大で%d個です。\n", MAX);

    do {
        printf("%d個目の整数：", cnt + 1);
        scanf("%d", &a[cnt++]);

        if (cnt == MAX)     // cnt個すべての入力が完了したら
          break;            // 終了

        printf("続けますか？（Yes…1／No…0）: ");
        scanf("%d", &retry);
    } while (retry == 1);

    for (int i = 0; i < cnt; i++)
        printf("%2d個目 : %d\n", i + 1, a[i]);

    return 0;
}
```

このプログラムは、最大で 10 個の整数値を読み込みます。その格納先は、要素数が 10 である配列 a の各要素であり、読み込んだ順に値を格納します。

10 個の整数の入力が完了するか、「続けますか？」との問いに対して 0 を入力すると、読み込んだ値を順に表示します。

▪ 読み込んだ値が10個未満の場合

実行例①では、3個の値を読み込んでいます。

Fig.5-5 に示すように、入力された 62、78、39 は、順に a[0]、a[1]、a[2] に格納されます。

▶ 各要素の上に示している□で囲んだ数値は "何番目に読み込んだ値なのか" を表します（添字ではありません）。

```
┌──────────────────────────────┐
│         実行例❶              │
│ 整数を入力してください。      │
│ 入力できるのは最大で10個です。│
│ 1個目の整数：62↵            │
│ 続けますか？（Yes…1／No…0）：1↵│
│ 2個目の整数：78↵            │
│ 続けますか？（Yes…1／No…0）：1↵│
│ 3個目の整数：39↵            │
│ 続けますか？（Yes…1／No…0）：0↵│
│   1個目 ： 62               │
│   2個目 ： 78               │
│   3個目 ： 39               │
└──────────────────────────────┘
```

▪ 読み込んだのは10個未満（3個）

①	②	③							
62	78	39							

Fig.5-5 読み込んだ整数値の配列要素への格納（10個未満）

▪ 読み込んだ値がちょうど10個の場合

実行例②に示すのは、ぴったり10個だけ読み込んだ場合です。

Fig.5-6 に示すように、入力された 15、32、…、55 は、順に a[0] ～ a[9] に格納されています。

10個目の整数を読み込んだ直後に cnt の値が MAX と等しい 10 となるため、水色部内の break 文によって、do 文を強制的に脱出します。

```
┌──────────────────────────────┐
│         実行例❷              │
│ 整数を入力してください。      │
│ 入力できるのは最大で10個です。│
│ 1個目の整数：15↵            │
│ 続けますか？（Yes…1／No…0）：1↵│
│ 2個目の整数：32↵            │
│ 続けますか？（Yes…1／No…0）：1↵│
│ 3個目の整数：64↵            │
│ 続けますか？（Yes…1／No…0）：1↵│
│ …中略…                      │
│ 8個目の整数：23↵            │
│ 続けますか？（Yes…1／No…0）：1↵│
│ 9個目の整数：44↵            │
│ 続けますか？（Yes…1／No…0）：1↵│
│ 10個目の整数：55↵           │
│   1個目 ： 15               │
│   2個目 ： 32               │
│   3個目 ： 64               │
│   4個目 ： 57               │
│   5個目 ： 99               │
│   6個目 ： 21               │
│   7個目 ： 5                │
│   8個目 ： 23               │
│   9個目 ： 44               │
│  10個目 ： 55               │
└──────────────────────────────┘
```

▶ 変数 cnt の値が MAX に到達したかどうかの判定を行うタイミングが、「続けますか？」とたずねる前であることに注意しましょう。

プログラムが次のように（判定を行うタイミングが、たずねた後に）なっていると、10個目の入力後に「続けますか？」とたずねられたときに Yes を意味する 1 を選べてしまう（しかも、11個目の値の入力ができない）からです。

```
do {
    printf("%d個目の整数：", cnt + 1);
    scanf("%d", &a[cnt++]);

    printf("続けますか？（Yes…1／No…0）：");
    scanf("%d", &retry);
} while (retry == 1 && cnt < MAX);
```

▪ ちょうど10個読み込んだ

①	②	③	④	⑤	⑥	⑦	⑧	⑨	⑩
15	32	64	57	99	21	5	23	44	55

Fig.5-6 読み込んだ整数値の配列要素への格納（ちょうど10個）

5

記憶力トレーニング

配列の要素数を超える数値の格納（その１）

次に考えるのは、10 個を超えた数値を読み込めるように拡張した、**List 5-9** のプログラム
です。10 個を超えて数値を読み込んだ場合は、**最後の 10 個の値を表示**します。

List 5-9　　　　　　　　　　　　　　　　　　　　　　　　　　chap05/storeary1.c

```
// 好きな個数だけ値を読み込んで要素数10の配列に最後の10個を格納（その1）
#include <stdio.h>
#define MAX        10            // 配列の要素数
int main(void)
{
    int a[MAX];               // 読み込んだ値を格納する配列
    int cnt = 0;              // 読み込んだ個数
    int retry;               // もう一度？
    printf("整数を入力してください。\n");

    do {
        if (cnt >= MAX) {        // MAX+1個目以降を読み込む前に
            for (int i = 0; i < MAX - 1; i++)   // 要素a[1]～a[MAX-1]を
                a[i] = a[i + 1];               // 一つ前方にずらす
        }
        printf("%d個目の整数：", cnt + 1);
        scanf("%d", &a[cnt < MAX ? cnt : MAX - 1]);
        cnt++;

        printf("続けますか？（Yes…1／No…0）：");
        scanf("%d", &retry);
    } while (retry == 1);

    if (cnt <= MAX)                // 読み込んだのはMAX個以下
        for (int i = 0; i < cnt; i++)
            printf("%2d個目：%d\n", i + 1, a[i]);
    else                          // 読み込んだのはMAX個より多い
        for (int i = 0; i < MAX; i++)
            printf("%2d個目：%d\n", cnt - MAX + 1 + i, a[i]);

    return 0;
}
```

■1
■2
■3

実行例
```
整数を入力してください。
1個目の整数：15↵
続けますか？（Yes…1／No…0）：1↵
2個目の整数：32↵
… 中略 …
11個目の整数：97↵
続けますか？（Yes…1／No…0）：1↵
12個目の整数：85↵
続けますか？（Yes…1／No…0）：0↵
 3個目： 64
 4個目： 57
 5個目： 99
 6個目： 21
 7個目： 5
 8個目： 23
 9個目： 44
10個目： 55
11個目： 97
12個目： 85
```

■1に着目します。ここで行っているのは、11 個
目以降の数値の読込みの直前に、**配列の要素の値を
ごっそりと 1 要素分前にずらす**ことです。

右ページの **Fig.5-7** に示すのがその具体例であり、
a[1] 以降の全要素を一つ前方に移動します。

a[i] に対して一つ後方の要素 a[i + 1] の値を
代入する処理を、i の値を 0、1、2、… とインクリ
メントして MAX - 1 回だけ繰り返す for 文で実現し
ています。

▶ すなわち、a[1] ～ a[9] の値が、a[0] ～ a[8] に
コピーされるわけです。

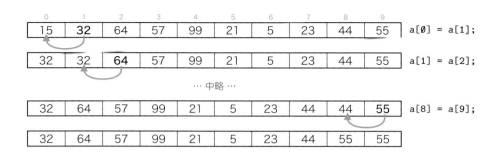

Fig.5-7 11個目以降に読み込む前に行う処理（全要素を一つ前方にずらす）

読み込んだ値を格納する**2**では、cnt が MAX 以上であれば（11個目以降の読込みであれば）、入力された値を末尾要素である a[MAX - 1] すなわち a[9] に格納します。

▶ cnt が MAX 未満であれば（1個目から10個目の読込み時は）、読み込んだ値を a[cnt] に格納します。

その結果、10個目、11個目、12個目の読込みは、**Fig.5-8** に示すように行われます。

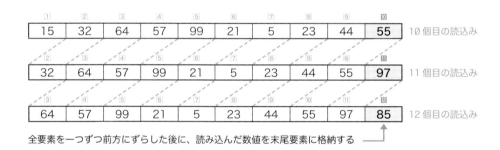

全要素を一つずつ前方にずらした後に、読み込んだ数値を末尾要素に格納する ──┘

Fig.5-8 10個目〜12個目に読み込んだ値の格納

表示を行う**3**では、読み込んだ個数 cnt に応じて異なる処理を行います。

▪ **読み込んだ数値が MAX 個以下**

配列の先頭 cnt 個の値を順に表示します。表示する a[i] は i + 1 個目に読み込んだ値です。

▶ 読み込んだ数値が3個であれば、a[0]〜a[2] を1個目〜3個目として表示します。

▪ **読み込んだ数値が MAX 個より多い**

配列の全要素を表示します。表示する a[i] は cnt - MAX + 1 + i 個目に読み込んだ値です。

▶ 実行例のように、読み込んだ数値が12個であれば、a[0]〜a[9] を3個目〜12個目として表示します。

本プログラムが効率の悪い手法であることは明らかです。たとえば配列の要素数が 1000 であれば、1,001個目以降の読込みのたびに 999 個もの要素をずらす必要があるからです。

配列の要素数を超える数値の格納（その２）

　読み込んだ値の配列への格納を、**要素を移動することなく**行うように改良しましょう。それが **List 5-10** のプログラムであり、先ほどのプログラムより短く簡潔です。

　▶　実行例は省略します（見かけ上の動作は、前のプログラムと同じです）。

List 5-10　　　　　　　　　　　　　　　　　　　　　　　　　　chap05/storeary2.c

```c
// 好きな個数だけ値を読み込んで要素数10の配列に最後の10個を格納（その２）

#include <stdio.h>

#define MAX        10          // 配列の要素数

int main(void)
{
    int a[MAX];                // 読み込んだ値を格納する配列
    int cnt = 0;               // 読み込んだ個数
    int retry;                 // もう一度？

    printf("整数を入力してください。\n");

    do {
        printf("%d個目の整数：", cnt + 1);
        scanf("%d", &a[cnt++ % MAX]);

        printf("続けますか？ (Yes…1／No…0)  : ");
        scanf("%d", &retry);
    } while (retry == 1);

    int i = cnt - MAX;
    if (i < 0) i = 0;

    for ( ; i < cnt; i++)
        printf("%2d個目：%d\n", i + 1, a[i % MAX]);

    return 0;
}
```

　水色の箇所では、数値を **a[cnt % MAX]** に読み込んで、その直後に **cnt++** によって **cnt** の値をインクリメントしています。右ページ **Fig.5-9** の具体例で理解していきましょう。

■ 10 個目の読込み

　cnt の値は 9 であって、**MAX** すなわち 10 で割った剰余は 9 です。図**a**に示すように、読み込んだ整数が **a[9]** に格納されます（その直後に **cnt** がインクリメントされて 10 になります）。

■ 11 個目の読込み

　cnt の値は 10 であって、**MAX** すなわち 10 で割った剰余は 0 です。図**b**に示すように、読み込んだ整数が **a[0]** に格納されます（その直後に **cnt** がインクリメントされて 11 になります）。

■ 12 個目の読込み

　cnt の値は 11 であって、**MAX** すなわち 10 で割った剰余は 1 です。図**c**に示すように、読み込んだ値を **a[1]** に格納します（その直後に **cnt** がインクリメントされて 12 になります）。

a 1Ø個目の読込み

①	②	③	④	⑤	⑥	⑦	⑧	⑨	⑩
15	32	64	57	99	21	5	23	44	55

↓

b 11個目の読込み

⑪	②	③	④	⑤	⑥	⑦	⑧	⑨	⑩
97	32	64	57	99	21	5	23	44	55

↓

c 12個目の読込み

⑪	⑫	③	④	⑤	⑥	⑦	⑧	⑨	⑩
97	85	64	57	99	21	5	23	44	55

Fig.5-9 1Ø個目〜12個目に読み込んだ値の格納（改良版）

　Fig.5-10に示すのは、12個読み込んだ際に、最後の1Ø回で（3個目〜12個目に）読み込んだ値が、順にa[2]、a[3]、…、a[9]、a[Ø]、a[1]に格納されている様子です。

　この図が示すように、配列aは、末尾要素a[9]の後ろに先頭要素a[Ø]が位置する**循環構造**として扱われています。

　そのため、前のプログラムとは異なり、値を読み込むたびに**要素を移動する処理が不要**です。

　ただし、読み込んだ値の表示の際には、ちょっとした工夫が必要です。

　読み込んだ個数cntが1Ø以下であれば、次の値を順に表示するだけです。

　a[Ø] 〜 a[cnt - 1]

　しかし、この図のように、たとえば12個読み込んだ場合は、

　a[2]、a[3]、…、a[9]、a[Ø]、a[1]

の順で表示する必要があります。

＊

　本プログラムでは、剰余演算子%を使って簡潔に処理しています。

　ご自身で解読して理解しましょう。

末尾要素a[9]の後ろに位置するのは
先頭要素であるa[Ø]

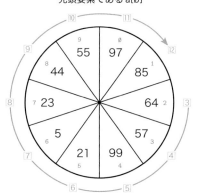

※小さな水色の数値は要素の添字を表す

Fig.5-10 循環構造とみなされた配列

✏️ **まとめ**

　配列を、古く入れられた値から順に切り捨てる有限バッファとして利用するためには、**循環構造**とみなしてアクセスするとよい。

□ プラスワントレーニングの改良

配列に対して最新のデータを効率よく格納する方法が分かりました。この方法を用いて、プラスワントレーニングを改良したプログラムを **List 5-11** に示します。

何度も繰り返せるようにするとともに、最後の 10 ステージ分の正解数を記憶してゲーム終了後に表示するようになっています。

▶ プログラムの実行例は省略します（1 回のトレーニングが終了するたびに、もう一度続けるかどうかたずねられます。もしトレーニングを 15 回行ったら、6 回目～ 15 回目の 10 回分の正解数が表示されます）。

なお、配列の要素数 10 を表すマクロは、*MAX_RECORD* として定義されています。この値を変更すれば、正解数を記憶するステージ数を変更できます。

List 5-11   chap05/plusone4.c

```
// プラスワントレーニング（その４：最後のMAX_RECORDステージの正解数を表示）

#include <time.h>
#include <stdio.h>
#include <stdlib.h>

#define LEVEL_MIN     2              // 最小レベル（数値の個数）
#define LEVEL_MAX     5              // 最大レベル（数値の個数）
#define MAX_RECORD   10              // 正解数を記録するステージ数
```
```
//--- xミリ秒経過するのを待つ ---//
int sleep(unsigned long x)
{
    //--- 省略：List 2-2 (p.38) と同じ ---//
}
```
```
int main(void)
{
    int level;                   // レベル
    int success = 0;             // 全ステージの正解数の合計
    int score[MAX_RECORD];       // 各ステージの正解数

    srand(time(NULL));           // 乱数の種を設定
    printf("プラスワントレーニング開始!!\n");
    printf("２桁の数値を記憶します。\n");
    printf("１を加えた値を入力してください。\n");

    do {
        printf("挑戦するレベル（%d～%d）：", LEVEL_MIN, LEVEL_MAX);
        scanf("%d", &level);
    } while (level < LEVEL_MIN || level > LEVEL_MAX);

    int stage = 0;

    time_t start = time(NULL);
    int retry;                   // もう一度？

    do {
        int no[LEVEL_MAX];       // 記憶する数
        int x[LEVEL_MAX];        // 読み込んだ値
        int seikai = 0;          // このステージでの成功数

        printf("\n第%dステージ開始!!\n", stage + 1);
```

```
        for (int i = 0; i < level; i++) {    // level個だけ
            no[i] = rand() % 90 + 10;         // 10～99の乱数を生成して
            printf("%d ", no[i]);             // 表示する
        }
        fflush(stdout);
        sleep(300 * level);                   // 0.3×level秒待って
        printf("\r%*s\r", 3 * level, "");     // 問題を消す
        fflush(stdout);

        for (int i = 0; i < level; i++) {     // 解答を読み込む
            printf("%d番目の数：", i + 1);
            scanf("%d", &x[i]);
        }

        for (int i = 0; i < level; i++) {     // 正誤を判定・表示
            if (x[i] != no[i] + 1)
                printf("× ");
            else {
                printf("○ ");
                seikai++;
            }
        }
        putchar('\n');

        for (int i = 0; i < level; i++)       // 正解を表示
            printf("%2d ", no[i]);

        printf(" … %d個正解です。\n", seikai);

        score[stage++ % MAX_RECORD] = seikai;  // ステージの正解数を記録
        success += seikai;                     // 全体の正解数を更新

        printf("続けますか？（Yes…1／No…0）：");
        scanf("%d", &retry);
    } while (retry == 1);
    time_t end = time(NULL);

    printf("\n■□ 成績 □■\n");

    int stage2 = stage - MAX_RECORD;
    if (stage2 < 0) stage2 = 0;

    for (int i = level; i >= 1; i--) {
        for (int j = stage2; j < stage; j++)
            if (score[j % MAX_RECORD] >= i)
                printf(" ★ ");
            else
                printf("   ");
        putchar('\n');
    }
    printf("---------------------------------------\n");

    for (int j = stage2; j < stage; j++)
        printf(" %02d ", j + 1);
    putchar('\n');

    printf("%d個中%d個正解しました。\n", level * stage, success);
    printf("%.1f秒でした。\n", difftime(end, start));

    return 0;
}
```

　各ステージの正解数の配列への格納法は、**List 5-10** と同じです。プログラムをよく読んで
理解しましょう。

5-3　記憶域の動的な確保と解放

本節では、プログラムの実行時に、オブジェクト用の領域を、必要に応じて確保したり解放したりする方法を学習して、前節とは異なる方法でトレーニングの正解数の記憶を行います。

割付け記憶域期間

最後の10回分の正解数を記憶するプログラムが完成しました。次は、**トレーニング回数を**プレーヤ自身が開始時に決定できるようにするとともに、そのすべての正解数を記憶するように仕様を変更したトレーニングプログラムを作ることにします。

▶ たとえば、トレーニング開始時に、プレーヤが25回のトレーニングを希望すれば、トレーニングを25回行い、その25回分すべての正解数を記憶します。

もちろん、正解数を格納する**配列の要素数の決定**は、**コンパイル時**ではなく、**実行時**に行わなければなりません。プログラム実行中の必要になった時点で記憶域を確保して、不要になった時点で解放・破棄する方法をマスターすれば、要素が15個の配列を作ったり、25個の配列を作ったり、… と任意の大きさのオブジェクトを自由自在に作れるようになります。

記憶域の確保を行うのが、*calloc* 関数と *malloc* 関数です。これらの関数は、特別に用意された、一般に**ヒープ**（heap）と呼ばれる**空き領域**から記憶域を確保します。

calloc	
ヘッダ	#include <stdlib.h>
形　式	void *calloc(size_t nmemb, size_t size);
機　能	大きさが size であるオブジェクト nmemb 個分の配列領域を確保する。その領域は、すべてのビットが 0 で初期化される。
返却値	領域確保に成功した場合は、確保した領域の先頭へのポインタを返し、失敗した場合は、空ポインタを返す。

malloc	
ヘッダ	#include <stdlib.h>
形　式	void *malloc(size_t size);
機　能	大きさが size であるオブジェクトの領域を確保する。確保されたオブジェクトの値は不定である。
返却値	領域確保に成功した場合は、確保した領域の先頭へのポインタを返し、失敗した場合は、空ポインタを返す。

▶ 『空ポインタ』と、それを表す定数 NULL の詳細は、次章（**Column 6-1**：p.165）で学習します。

これらの関数によってプログラム実行時に確保されるオブジェクトの生存期間は、**割付け記憶域期間**（allocated storage duration）と呼ばれます（**Column 5-4**：p.133）。

まずは概要を理解していきます。

記憶域の**確保**とは、記憶域を貰うことではなく、『**借りる**』ことです。プログラムを実行している環境に対して、たとえば『128 バイト貸してください。』とお願いします。そうすると、環境側が記憶域を用意した上で、『ご希望どおり 128 バイト分用意しました。先頭番地をお知らせしますので、自由にお使いください。』と応答するイメージです。

▶ 二つの関数が返却するポインタは、確保した記憶域の先頭番地です。

不要になった記憶域は**解放**します。解放は、借りていた領域を『**返す**』ことであって、それを行うのが **free** 関数です。

	free
ヘッダ	#include <stdlib.h>
形　式	void free(void *ptr);
機　能	ptr が指す領域を解放して、その後の割付けに使用できるようにする。ptr が空ポインタの場合は、何も行わない。それ以外の場合、実引数が calloc 関数、malloc 関数もしくは realloc 関数によって以前に返されたポインタと一致しないとき、またはその領域が free もしくは realloc の呼出しによって既に解放されているときの動作は定義されない。
返却値	なし。

この関数の呼出しは、『お借りしていた○○番地の領域を返します。』というイメージです。

▶ 各関数が、どのように記憶域をやりくりするのかは、プログラムの実行環境によって異なります。
なお、ここで学習した三つの関数の他に、いったん確保したオブジェクトの大きさを変更して確保し直すための **realloc** 関数が提供されます。

void へのポインタ

三つの関数は、**int** 型オブジェクト、**double** 型オブジェクト、さらには配列や構造体オブジェクトなど、あらゆる型の確保・解放に利用されます。そのため、融通のきく万能なポインタである **void へのポインタ**を返却したり、受け取ったりする仕様となっています。

▶ 特定の型のポインタをやりとりする仕様となっていては、まずいからです。

void へのポインタ（**void *** 型のポインタ）は、任意の型のオブジェクトを指すことのできる特殊なポインタです。**Fig.5-11** に示すように、**void** へのポインタの値は、任意の型 Type へのポインタに代入できますし、その逆の代入も可能です（**Column 5-5**：p.152）。

Fig.5-11 void へのポインタと他のポインタ型

☐ 単一オブジェクトの動的な確保と解放

　それでは、実際にオブジェクトを動的に確保します。**List 5-12** は、`int` 型のオブジェクトを確保して、そのオブジェクトへの値の代入と表示を行うプログラムです。

```
List 5-12                                              chap05/dynamic1.c
// 動的に確保したint型オブジェクトに値を代入して表示

#include <stdio.h>
#include <stdlib.h>
                                                         ┌─────────┐
int main(void)                                           │ 実行結果 │
{                                                        ├─────────┤
    int *x = calloc(1, sizeof(int));       // 確保 ●──1   │ *x = 67 │
                                                         └─────────┘
    if (x == NULL)
        puts("記憶域の確保に失敗しました。");
    else {
        *x = 67;
        printf("*x = %d\n", *x);                     ●──2
        free(x);                           // 解放 ●──3
    }

    return 0;
}
```

　1では、`calloc` 関数を呼び出すことによってオブジェクトの確保を行うとともに、その返却値で `int *` 型ポインタ `x` を初期化しています。

　続く`if`文では、`calloc` 関数がオブジェクトの確保に成功したか、それとも失敗したかを調べます。`calloc` 関数が空ポインタを返却した場合は、`if`文の制御式 `x == NULL` が成立するため、『記憶域の確保に失敗しました。』と表示します。

　記憶域の確保に成功した場合に実行されるのは、`else` 部です。

　Fig.5-12 に示すように、ポインタ `x` の指す先が確保された領域の先頭番地となるため、確保した領域は、間接式 `*x` でアクセスできます（図**a**：p.76、p.115）。

　すなわち、この領域が、あたかも『`*x`』という名前の変数であるかのように扱えるようになっている状態です。

　その `*x` に整数値 67 を代入して、その値を `printf` 関数で表示するのが**2**です。

　なお、`calloc` 関数は確保した領域の全ビットを0で埋める仕様なので、値の代入を行う

　　`*x = 67;`

の文を削除して実行すると、『`*x = 0`』と表示されます。実際に確かめてみましょう。

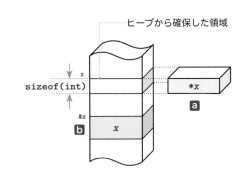

Fig.5-12 確保領域のアクセス

変数の利用が終了した**3**では、*free*関数を呼び出して、確保していた領域を解放します。

▶ 次に示すように、*free*関数を呼び出すコードは、if文の後ろに移動することも可能です。

```
int *x = calloc(1, sizeof(int));        // 確保

if (x == NULL)
    puts("記憶域の確保に失敗しました。");
else {
    *x = 67;
    printf("*x = %d\n", *x);
}

free(x);                                // 解放
```

こうすると、記憶域の確保が成功した場合だけでなく、失敗した場合も*free*関数が呼び出されることになりますが、問題はありません。

というのも、*calloc*関数による確保に失敗した場合はポインタ*x*にはNULLが格納されており、*free*関数は引数にNULLを受け取った場合は『何も行わない』からです（p.149）。

*calloc*関数によって確保したオブジェクトに対して、定数値67ではなく、キーボードから読み込んだ値を格納するように作りかえましょう。**List 5-13**に示すのが、そのプログラムです。

▶ if文のelse部のみを差しかえます。

List 5-13　chap05/dynamic2.c

```
// 動的に確保したint型オブジェクトにキーボードから値を読み込んで表示

    else {
        printf("*xに格納する値：");
        scanf("%d", x);
        printf("*x = %d\n", *x);
        free(x);                        // 解放
    }
```

実行例
```
*xに格納する値：64⏎
*x = 64
```

*scanf*関数の呼出しに着目しましょう。第2引数は、&*x*ではなく、単なる*x*です。アドレス演算子&を*x*に適用する必要はありません。

▶ というのも、**Column 3-5**（p.93）で学習した、ポインタの「たらい回し」と同じ要領だからです。*x*自身がポインタですから、&*x*とすると、読み込まれた整数値は、確保した記憶域ではなく、ポインタである変数*x*の領域（左ページの**Fig.5-12 b**）に格納されてしまいます。もしもint型が4バイトで、ポインタが8バイトであれば、*scanf*関数は、その*x*の領域の後方の4バイトにまで値を書き込むことになります。もし、後方の領域に、他の変数が格納されていれば、その値は破壊されます。

Column 5-5	void へのポインタと型変換

List 5-12 での *calloc* 関数を呼び出す箇所に着目しましょう。

    Ⓐ `int *x = calloc(1, sizeof(int));`   // 暗黙の内にキャスト

`int *` 型ポインタ *x* に与えられている初期化子の型は、*calloc* 関数が返却する `void *` 型のポインタです。そのため、初期化の過程では、《`void *` 型 ⇨ `int *` 型》の暗黙の型変換が行われます。なお、**初期化**だけではなく、**代入**でも同様ですので、以下の解説では、**代入**という言葉を使います。

さて、宣言を次のように書きかえると、型変換を行っていることが見た目に分かりやすくなります。

    Ⓑ `int *x = (int *)calloc(1, sizeof(int));`   // 明示的なキャスト

とはいえ、このような明示的なキャストは必須ではありません。`void *` 型のポインタは、任意の型へのポインタに代入できますし、その逆も可能だからです（p.149）。

ところが、C++ では事情が違います。C++ では、**void へのポインタ**を、別の型へのポインタに代入する際には、**キャストが必須**です。

念のためにまとめると、次のようになります。

    宣言Ⓐ（`void *` 型⇨別のポインタ型の**暗黙の型変換**）　C言語ではOK。C++ では**不可**。
    宣言Ⓑ（`void *` 型⇨別のポインタ型の**明示的型変換**）　C言語ではOK。C++ でもOK。

ところで、どうして C++ では、C言語との互換性を捨ててまで、キャストを必須としているのでしょうか？　その理由の背景を探りながら、**void へのポインタ**について、深く学習しましょう。

＊

まずは、オブジェクトの格納場所の制約について考えていきます。

実は、すべてのオブジェクトは、必ずしも任意のアドレスに格納できるのではありません。というのも、オブジェクトを高速に読み書きできるように、その先頭を偶数番地（2の倍数の番地）、4の倍数の番地、8の倍数の番地、… に格納するといった環境があるからです。このようにオブジェクトの格納位置が適切に調整されることを**境界調整**と呼びます。

たとえば、`sizeof(double)` が 8 であって、境界調整も8バイトであるとします。その場合は、`double` 型のオブジェクトは、先頭が8で割り切れるアドレスとなるように格納されます。

ということは、8番地や16番地など、8の倍数のアドレスを指すポインタは、不都合なく `double` 型オブジェクトを指すことができます。しかし、1番地とか5番地を指すポインタは、正しく `double` 型オブジェクトを指すことはできないわけです。

このことを **List 5C-3** のプログラムで検証しましょう。

右ページの **Fig.5C-1** に示すように、`double` 型の *x* が8番地に格納されていると仮定します。

プログラムでは二つのポインタが宣言されていますが、ポインタ *pd* は `double *` 型であり、*pc* は `char *` 型です。

❶では、`char *` 型ポインタ *pc* は、*x* が格納されている8番地を指すように初期化されます。

初期化子の `&x` は `double *` 型ポインタであり、暗黙の内に `double *` から `char *` への型変換が行われます。

❷では、その *pc* をインクリメントしています。ポインタをインクリメントすると、一つ後方の要素を指すことになるのでした（p.77）。

List 5C-3	chap05/pointconv.c

```
// ポインタと型変換

#include <stdio.h>

int main(void)
{
    double x;
    double *pd;
    char *pc = (char *)&x;    ←❶

    pc++;                     ←❷

    pd = (double *)pc;        ←❸

    printf("pc = %p\n", pc);
    printf("pd = %p\n", pd);

    return 0;
}
```

```
実行結果一例
pc = 9
pd = 16
```

文字は1バイトですから、インクリメントの結果、*pc*は9番地を指すことになります。

3では、ポインタ*pc*の値を、`double *`型ポインタ*pd*に代入しています。

しかし、`double`型が8バイトの境界調整をもつのであれば、`double`型のポインタは8の倍数でなければなりません。処理系によっても異なるでしょうが、8バイト単位に切り捨てあるいは切り上げられて、8番地あるいは16番地となる可能性があります。

ポインタを他の型へのポインタに型変換するということは、その値までもが変わる可能性のある危険な行為であることが分かりました。

ここまでは、`char *`型を例にとって考えてきましたが、`void *`型は1バイトの境界調整をもち、任意のアドレスを指すことができるという点で`char *`型と共通ですから、`void *`型のポインタを他の型のポインタに変換すると、値が変わる可能性がある、ということです。

ここまでの考察で、C++で、`void`へのポインタを別の型へのポインタに代入する局面では、明示的なキャストが必須となっている背景が分かるでしょう。

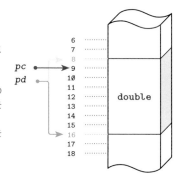

異なる型のポインタに代入することによって値が変化してしまう例
※ double型が8バイトの境界調整をもつ環境を想定

8番地を指していたpcがインクリメントされて9番地を指している

doubleへのポインタであるpdは8の倍数の番地しか指せないので9番地を指すことは不可能
そのため、8番地あるいは16番地を指すように調整される可能性がある

Fig.5C-1 List 5C-3における二つのポインタ

C言語では明示的なキャストが必須でないとはいえ、ポインタの値を、異なるポインタ型に代入する際は、『代入に伴って、ポインタ値が変わる可能性がある』ということを、処理系やプログラムを読む人に伝えるべきです。そういう意味では、(キャストが必須でないC言語でも)明示的なキャストを行うほうが好ましいといえます。

*

`calloc`関数、`malloc`関数、`realloc`関数は、適当に境界調整された値を返すことが保証されています。たとえば、最大で8バイトの境界調整をもつ処理系であれば、これらの関数が返却するアドレスは、原則的に8で割り切れる値となります。

そのため、これらの関数の返却した値を代入する局面に限っては、境界調整との整合性を考慮する必要がないため、`void *`ポインタから他の型へのポインタへの変換の際に、明示的なキャストを行う必然性は小さいともいえます。

配列オブジェクトの動的な確保と生成

次は、配列オブジェクトを動的に確保します。**List 5-14** に示すのは、要素型が int の配列を動的に確保するプログラムです。

```
// int型の配列を動的に確保

#include <stdio.h>
#include <stdlib.h>

int main(void)
{
    int n;                          // 要素数

    printf("要素数：");
    scanf("%d", &n);

    int *x = calloc(n, sizeof(int));            // 確保

    if (x == NULL)
        puts("記憶域の確保に失敗しました。");
    else {
        for (int i = 0; i < n; i++)             // 値を代入
            x[i] = i;

        for (int i = 0; i < n; i++)             // 値を表示
            printf("x[%d] = %d\n", i, x[i]);

        free(x);                                // 解放
    }

    return 0;
}
```

```
実行例
要素数：5↵
x[0] = 0
x[1] = 1
x[2] = 2
x[3] = 3
x[4] = 4
```

List 5-14 / chap05/dynamicary.c

まずは実行しましょう。確保した配列の要素に対して，先頭から順に 0、1、2、… と添字と同じ値が代入されて、それらの値が順に表示されます。

さて、**List 5-12** と **List 5-13** のプログラムにおける *calloc* 関数の呼出しと、本プログラムにおける *calloc* 関数の呼出しとを対比したのが、**Table 5-3** です。

Table 5-3 各プログラムにおける calloc 関数の呼出し

プログラム	calloc 関数の呼出し
単一オブジェクトの生成 List 5-12 ／ List 5-13	*calloc(1, sizeof(int))*
配列オブジェクトの生成 List 5-14	*calloc(n, sizeof(int))*

異なるのは第1引数の値（1 と n）のみであり、それ以外は同じです。すなわち、『単なる整数を確保せよ。』とか『配列を確保せよ。』といった指定はありません。

というのも、*calloc* 関数や *malloc* 関数が確保するのは、ある特定の型のオブジェクトではなく、**単なる記憶域の "かたまり" にすぎない**からです。

本プログラムで確保した記憶域と、その領域のアクセスの様子を **Fig.5-13** に示しています。

calloc 関数は、確保した記憶域のアドレスを返し、その値で *x* が初期化されます。そのため、確保した領域は、あたかも配列であるかのように、*x*[Ø]、*x*[1]、*x*[2]、… という式でアクセスできます。

▶ このようにできるのは、ポインタ *x* と確保した領域とのあいだに、**ポインタと配列の表記の可換性**（**Column 3-2**：p.78）が成立するからです。

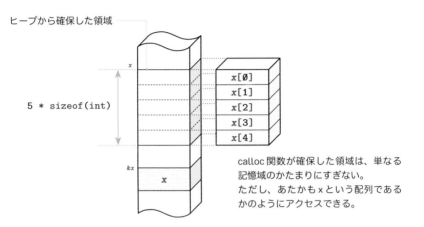

Fig.5-13 ヒープから確保した領域の配列としてのアクセス

プログラム実行時に、任意の要素数の配列を確保する方法が分かりました。本節の課題は、トレーニング回数をプレーヤ自身が開始時に決定できるようにするとともに、そのすべての正解数を記憶するトレーニングプログラムを作ることでした（p.148）。

Fig.5-14 に示すように、プログラムを書きかえるとよさそうです。

a List 5-5の宣言

```
// ステージ数と配列

#define MAX_STAGE    1Ø

int main(void)
{
    int score[MAX_STAGE];
    // …
}
```

b 変更後の宣言

```
// ステージ数と配列

int main(void)
{
    int max_stage;
    printf("トレーニング回数：");
    scanf("%d", &max_stage);

    int *score = calloc(max_stage, sizeof(int));
    // …
    free(score);
    // …
}
```

Fig.5-14 正解数を格納するための配列の宣言

この方針に基づいて作成したプログラムが **List 5-15** です。

▶ 水色の部分が、**List 5-5**（p.134）からの正解数関連の主要な変更箇所です。なお、プログラムの
実行例は省略します。

```
List 5-15                                                    chap05/plusone5.c
// プラスワントレーニング（その5：複数の数値を記憶して1を加えた値を入力）

#include <time.h>
#include <stdio.h>
#include <stdlib.h>

#define LEVEL_MIN   2              // 最小レベル（数値の個数）
#define LEVEL_MAX   6              // 最大レベル（数値の個数）
-------------------------------------------------------------------------------
//--- xミリ秒経過するのを待つ ---//
int sleep(unsigned long x)
{
    //--- 省略：List 2-2 (p.38) と同じ ---//
}
-------------------------------------------------------------------------------
int main(void)
{
    int level;                     // レベル
    int max_stage;                 // ステージ数

    srand(time(NULL));             // 乱数の種を設定

    printf("プラスワントレーニング開始!!\n");
    printf("2桁の数値を記憶します。\n");
    printf("1を加えた値を入力してください。\n");

    do {
        printf("挑戦するレベル（%d～%d）：", LEVEL_MIN, LEVEL_MAX);
        scanf("%d", &level);
    } while (level < LEVEL_MIN || level > LEVEL_MAX);

    do {
        printf("トレーニング回数：");
        scanf("%d", &max_stage);
    } while (max_stage <= 0);

    int success = 0;                       // 全ステージの正解数の合計
    int *score = calloc(max_stage, sizeof(int));    // 各ステージの正解数

    time_t start = time(NULL);

    for (int stage = 0; stage < max_stage; stage++) {
        int no[LEVEL_MAX];             // 記憶する数
        int x[LEVEL_MAX];              // 読み込んだ値
        int seikai = 0;                // このステージでの正解数

        printf("\n第%dステージ開始!!\n", stage + 1);

        for (int i = 0; i < level; i++) {   // level個だけ
            no[i] = rand() % 90 + 10;       // 10～99の乱数を生成して
            printf("%d ", no[i]);           // 表示する
        }
        fflush(stdout);
        sleep(300 * level);                 // 0.3×level秒待って
        printf("\r%*s\r", 3 * level, "");   // 問題を消す
```

```
        fflush(stdout);

        for (int i = 0; i < level; i++) {      // 解答を読み込む
            printf("%d番目の数：", i + 1);
            scanf("%d", &x[i]);
        }

        for (int i = 0; i < level; i++) {      // 正誤を判定・表示
            if (x[i] != no[i] + 1)
                printf("× ");
            else {
                printf("○ ");
                seikai++;
            }
        }
        putchar('\n');

        for (int i = 0; i < level; i++)        // 正解を表示
            printf("%2d ", no[i]);

        printf(" … %d個正解です。\n", seikai);
        score[stage] = seikai;                 // ステージの正解数を記録
        success += seikai;                     // 全体の正解数を更新
    }
    time_t end = time(NULL);

    printf("%d個中%d個正解しました。\n", level * max_stage, success);

    printf("\n■□ 成績 □■\n");
    for (int i = level; i >= 1; i--) {
        for (int stage = 0; stage < max_stage; stage++)
            if (score[stage] >= i)
                printf(" ★ ");
            else
                printf("    ");
        putchar('\n');
    }
    printf("----------------------------------------\n");
    for (int stage = 1; stage <= max_stage; stage++)
        printf(" %02d ", stage);
    putchar('\n');

    printf("%.1f秒でした。\n", difftime(end, start));

    free(score);

    return 0;
}
```

▶ 本プログラムでは、**calloc** 関数の返却値のチェック（記憶域が正しく確保できたかどうかのチェック）は省略しています。

✏ まとめ

❋ 記憶域の動的な確保と解放

　プログラム実行時の任意のタイミングで、記憶域を必要な大きさだけ確保して、不要になったら解放・破棄することができる。

　記憶域の確保を行うのが、**calloc 関数**と **malloc 関数**である。これらの関数は、**ヒープ**と呼ばれる特別に用意された空き領域から記憶域を確保する（借りる）。前者の **calloc 関数**は、確保した領域のすべてのビットを **0** で初期化するが、後者の **malloc 関数**は初期化を行わない。

　これらの関数によってプログラム実行時に確保されるオブジェクトの生存期間（寿命）は、**割付け記憶域期間**と呼ばれる。

　不要になった領域を解放する（返す）のが、**free 関数**である。

```
1  long *x;
2  x = calloc(2, sizeof(long));
3  free(x);
```

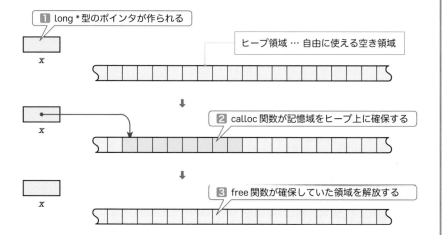

　1 long *型のポインタが作られる

　ヒープ領域 … 自由に使える空き領域

　2 calloc 関数が記憶域をヒープ上に確保する

　3 free 関数が確保していた領域を解放する

※この図は、**long** 型が 4 バイトであると仮定している

　calloc 関数、**malloc 関数**、**free 関数**の各関数がやりとりするのは、**void ＊型のポインタ**（**void へのポインタ**）である。この型のポインタは、他のポインタ型と相互代入が可能な、万能なポインタ型である。

　記憶域を確保する際に、『単なる整数を確保せよ。』とか『配列を確保せよ。』といった指定は行えない（行う必要がない）。というのも、**calloc 関数**や **malloc 関数**が確保するのは、ある特定の型のオブジェクトではなく、単なる記憶域の "かたまり" だからである。

　確保した領域を *Type* ＊型のポインタ *p* に代入した場合、

- 間接式 ***p** によって、単一の *Type* 型オブジェクトであるかのようにアクセスする。
- 添字式 **p[i]** によって、*Type* 型を要素とする配列であるかのようにアクセスする。

といった柔軟な運用が行える。

✍ 自由課題

▢ **演習 5–1**

記憶した整数の各桁を逆順に入力させる《記憶力トレーニング》のプログラムを作成せよ。たとえば、問題として 5892 が提示された場合は、2985 と入力しなければならない。

List 5-1（p.123）と同様に int 型の整数として扱うものと、**List 5-2**（p.124）と同様に文字列として扱うものの両方を作成すること。

▢ **演習 5–2**

整数を記憶させて、その中の一つの桁の値を解答させる《記憶力トレーニング》のプログラムを作成せよ。たとえば、問題として 5982 を提示して「先頭から 3 桁目の数字は何ですか：」と問いかけた場合は、8 と入力することになる（前問と同様に、二つの版を作ること）。

▢ **演習 5–3**

List 5-3（p.130）と **List 5-4**（p.132）をもとにして、記憶した level 個の英字を逆順に入力させる《記憶力トレーニング》のプログラムを作成せよ。たとえば、問題として AWNJK が提示された場合は、KJNWA と入力することになる。

▢ **演習 5–4**

List 5-3 と **List 5-4** をもとにして、level 個の英字を記憶させて、その中の一つの文字を解答させる《記憶力トレーニング》のプログラムを作成せよ。たとえば、問題として AWNJK を提示して「先頭から 2 文字目の文字は何ですか：」と出題された場合は、W と入力することになる。

▢ **演習 5–5**

level 個の英字を記憶させ、その中の一つの文字が何番目であったかを入力させるプログラムを作成せよ。たとえば、問題として AWNJKQBP を提示して消去した後に「B は何文字目ですか：」と出題された場合は、7 と入力することになる。なお、問題中の文字は重複しないものとする。

▢ **演習 5–6**

List 5-15（p.156）の《プラスワントレーニング》における数値入力の際に −1 を入力すると一つ前の数値の入力に戻るように改良せよ。たとえば、3 番目の数値入力の際に −1 を入力すると 2 番目の数値入力に戻り、2 番目の数値入力の際に −1 を入力すると 1 番目の数値入力に戻れるようにする。

▢ **演習 5–7**

前問をもとにして《マイナスワントレーニング》を作成せよ。プレーヤが入力するのは、記憶した数値から 1 を引いた値である。

▢ **演習 5–8**

List 3-9（p.90）の《じゃんけんゲーム》を、手や勝敗の履歴を配列に格納するように変更したプログラムを作成せよ。終了時に履歴を表示すること。最後の 10 回の履歴を保存するものと、プレーヤの入力した値に基づいて保存回数を決めるものの二つの版を作ること。

第6章

カレンダー

本章では、現在の日付・時刻を取得して表示する方法や
日付から曜日を求めるプログラムなどを学習するとともに、
《カレンダー》を表示するプログラムを作ります。

この章で学ぶおもなこと

- 暦時刻と要素別の時刻
- 現在の日付・時刻の取得
- 現在の時刻による乱数の種の
  設定
- 処理時間の計測
- 曜日の求め方とカレンダー
- 空ポインタと空ポインタ定数
- 同じ綴りの文字列リテラル
- コマンドライン引数
- struct tm 型
- time_t 型
- asctime 関数

- ctime 関数
- difftime 関数
- gmtime 関数
- localtime 関数
- mktime 関数
- sprintf 関数
- strcat 関数
- strcpy 関数
- time 関数
- tolower 関数
- toupper 関数
- NULL

6-1 今日は何日？

本章では、《カレンダー》を表示するプログラムを作成します。最初に学習するのは、現在の日付・時刻の取得法などの基礎的なことがらです。

今日の日付

まずは、**List 6-1** を理解しましょう。これは、現在（プログラム実行時）の日付と時刻を取得して表示するプログラムです。C言語の標準ライブラリでは、日付と時刻を表す型として、2種類が提供されます。水色の2行が、それらの型の変数の宣言です。

List 6-1　　chap06/localtime.c

```c
// 現在の日付・時刻を表示（localtime関数で取得）

#include <time.h>
#include <stdio.h>

//--- 日付・時刻を表示 ---//
void put_date(const struct tm *timer)
{
    char *wday_name[] = {"日", "月", "火", "水", "木", "金", "土"};

    printf("%4d年%02d月%02d日(%s)%02d時%02d分%02d秒",
            timer->tm_year + 1900,     // 年
            timer->tm_mon + 1,         // 月
            timer->tm_mday,            // 日
            wday_name[timer->tm_wday], // 曜日
            timer->tm_hour,            // 時
            timer->tm_min,             // 分
            timer->tm_sec              // 秒
        );
}

int main(void)
{
    time_t now = time(NULL);                  // 暦時刻（現在の暦時刻）
    struct tm *current = localtime(&now);     // 要素別の時刻（地方時）

    printf("現在の日付・時刻は");
    put_date(current);
    printf("です。\n");

    return 0;
}
```

実行例

現在の日付・時刻は2027年11月18日(木)21時05分24秒です。

time_t型：暦時刻

暦時刻（calendar time）と呼ばれる **time_t** 型の実体は、**long** 型や **double** 型などの加減乗除が可能な**算術型**です。

具体的にどの型の同義語となるのかが処理系によって異なるため、**<time.h> ヘッダ**で定義される仕組みがとられています。以下（右ページ）に示すのが、定義の一例です。

---
time_t 型

```
typedef long  time_t;      // 定義の一例：処理系によって異なる
```

実は、暦時刻は、**型**だけでなく、その**具体的な値**も処理系に依存します。

time_t 型については、型を **long** 型あるいは **long long** 型の同義語として、具体的な値をグリニッジ標準時（**Column 6-2**：p.166）の 1970 年 1 月 1 日 0 時 0 分 0 秒からの経過秒数とする処理系が多いようです。

time 関数：現在の時刻を暦時刻で取得

現在の時刻を暦時刻として取得するのが *time* 関数です。

---
	time
ヘッダ	#include <time.h>
形　式	time_t *time*(time_t *timer);
機　能	現在の暦時刻を決定する。その値の表現形式は、定義されない。
返却値	求めた暦時刻を、その処理系での最良の近似で返す。暦時刻が有効でない場合は、値（time_t)-1 を返す。*timer* が空ポインタでない場合は、*timer* が指すオブジェクトにも返却値を代入する。

この関数は、暦時刻を求めた上で、その暦時刻を引数 *timer* が指すオブジェクトに格納すると同時に、返却値としても戻します。そのため、**Fig.6-1** に示すように、用途や文脈や好みなどに応じて、いろいろな呼出し方が選べます。

> **1** … 現在の時刻が引数 *now* の指す変数に格納される。
> **2** … 現在の時刻が引数 *now* の指す変数に格納されるととともに、返却・代入される。
> **3** … *time* 関数に NULL を与える。現在の時刻が返却されて *now* に代入される。

▶ 次のように、引数と返却値を別々の変数にする方法もあります。
> ```
> c1 = time(&c2);      // 現在の時刻をc1とc2の両方に格納
> ```

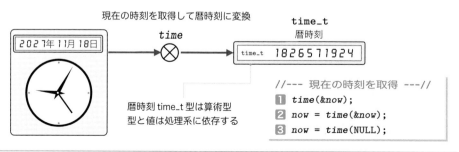

Fig.6-1 time 関数による暦時刻の取得

tm 構造体：要素別の時刻

暦時刻 time_t 型は、コンピュータにとって計算しやすい算術型の数値であって、私たち人間が直感的に理解できるものではありません。

そのため、別の表現法として**要素別の時刻**（broken-down time）と呼ばれる **tm 構造体型**が提供されます。

右に示すのが、その定義例であり、年・月・日・曜日などの**メンバで構成**されます。

各メンバが表す値は、それぞれの注釈を読んで理解しましょう。

> tm 構造体型
> ```
> // 定義の一例：処理系によって異なる
> struct tm {
>     int tm_sec;   // 秒(Ø～6Ø)
>     int tm_min;   // 分(Ø～59)
>     int tm_hour;  // 時(Ø～23)
>     int tm_mday;  // 日(1～31)
>     int tm_mon;   // 1月からの月数(Ø～11)
>     int tm_year;  // 19ØØ年からの年数
>     int tm_wday;  // 曜日：日曜～土曜(Ø～6)
>     int tm_yday;  // 1月1日からの日数(Ø～365)
>     int tm_isdst; // 夏時間フラグ
> };
> ```

▶ メンバの宣言順序などの細かい点は処理系に依存します。

◆ 秒を表すメンバ *tm_sec* の値の範囲が Ø ～ 6Ø となっているのは、"閏秒" が考慮されているからです。

◆ メンバ *tm_isdst* の値は、夏時間が採用されていれば正、採用されていなければ Ø、その情報が得られなければ負です（夏時間とは、夏期に1時間ほど時刻をずらすことであり、現在の日本では採用されていません）。

localtime 関数：暦時刻から地方時要素別の時刻への変換

暦時刻の値を要素別の時刻に変換するのが *localtime* 関数です。

---

localtime

ヘッダ #include <time.h>

形　式 struct tm *localtime(const time_t *timer);

機　能 *timer* で指される暦時刻を地方時で表した要素別の時刻に変換する。

返却値 変換したオブジェクトへのポインタを返す。

この関数の動作イメージを示したのが **Fig.6-2** です。単一の算術型の値である暦時刻をもとに、**tm** 構造体の各メンバの値を計算して設定します。

localtime という名前が示すとおり、変換の結果得られるのは**地方時**（日本国内用に設定されている環境では**日本の時刻**）です。

▶ 図中の暦時刻の数値は、グリニッジ標準時の 1970 年 1 月 1 日 0 時 0 分 0 秒からの経過秒数を暦時刻とする処理系で、日本時間の 2027 年 11 月 18 日 21 時 5 分 24 秒の暦時刻を要素別の時刻に変換する例です。

この関数が返却するのは、（何らかの方法で）準備された **tm** 構造体のオブジェクトのポインタです。多くの処理系は、1 個の **tm** 構造体オブジェクトを「使い回す」ため、*localtime* 関数を複数回呼び出すと、過去に呼び出したときのオブジェクトの値が上書きされて変更されます。

6

カレンダー

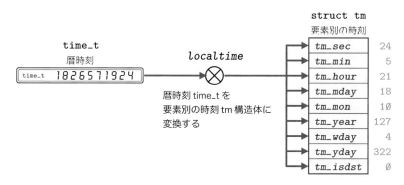

2027年11月18日21時5分24秒を暦時刻から要素別の時刻に変換
※暦時刻の具体的な値は一例であり、処理系によって異なる

Fig.6-2 localtime 関数による暦時刻から要素別の時刻への変換

それでは、プログラム全体を理解していきましょう。

main 関数では、time 関数によって、現在の時刻を time_t 型の**暦時刻**として now に取得し、それを**要素別の時刻**である tm 構造体に変換したオブジェクトへのポインタを current に取得します。

その current を受け取った関数 put_date は、要素別の暦時刻を西暦で表示します。

その際、tm_year には 1900 を加え、tm_mon には 1 を加えます。曜日を表す tm_wday は、日曜日～土曜日が 0 ～ 6 に対応しているため、配列 wday_name を利用して、日本語の文字列 "日"、"月"、…、"土" に変換して表示します。

Column 6-1	空ポインタと空ポインタ定数

空ポインタ（null pointer）は、いかなるオブジェクトへのポインタとも区別でき、いかなる関数へのポインタとも区別できる、特別なポインタです。

整数値 0 は任意のポインタ型への型変換が可能であり、その結果は空ポインタとなります。

空ポインタを表すのが**空ポインタ定数**（null pointer constant）と呼ばれるマクロ NULL です。その NULL は、標準Cで次のように定義されています。

値 0 をもつ整数定数、またはその定数式を void * にキャストした式のこと。

マクロ NULL は、<stddef.h> ヘッダで定義されています。ただし、<locale.h>、<stdio.h>、<stdlib.h>、<time.h> をインクルードしても、宣言を取り込める仕組みとなっています。

次に示すのが、NULL の定義の一例です。

```
#define NULL    0           // NULLの定義の一例（C／C++）
#define NULL    (void *)0    // NULLの定義の一例（C++では不可）
```

標準 C++ では、NULL は『値 0 をもつ汎整数定数式のこと。』と定義され、『定義内容には 0 および 0L があり得る。しかし、(void *)0 はあり得ない。』とコメントされています。

gmtime 関数：暦時刻から UTC 要素別の時刻への変換

暦時刻は、地方時ではなく**協定世界時**（UTC = coordinated universal time）で表された要素別の時刻にも変換できます。それを行うのが *gmtime* 関数です。

gmtime	
ヘッダ	#include <time.h>
形　式	struct tm *gmtime(const time_t *timer);
機　能	timer で指される暦時刻を協定世界時で表した要素別の時刻に変換する。
返却値	変換したオブジェクトへのポインタを返す。

現在の日付・時刻を協定世界時で表示するプログラムを **List 6-2** に示します。

List 6-2　　　　　　　　　　　　　　　　　　　　　　　　chap06/gmtime.c

```
// 現在の日付・時刻を協定世界時で表示（gmtime関数で取得）

#include <time.h>
#include <stdio.h>

//--- 日付・時刻を表示 ---//
void put_date(const struct tm *timer)
{
    //--- 省略：List 6-1と同じ ---//
}

int main(void)
{
    time_t now = time(NULL);                // 暦時刻（現在の暦時刻）
    struct tm *current = gmtime(&now);      // 要素別の時刻（協定世界時）

    printf("現在の日付・時刻はＵＴＣで");
    put_date(current);
    printf("です。\n");

    return 0;
}
```

実行例
```
現在の日付・時刻はＵＴＣで2027年11月18日(木)12時05分24秒です。
```

水色部では、（*localtime* 関数ではなく）*gmtime* 関数を呼び出しています。

Column 6-2　　**協定世界時と日本中央標準時**

　協定世界時（UTC）は、原子時計を利用して、地球の自転に基づく**世界時**（UT）との差が一定範囲内に収まるように決められた時刻です。**グリニッジ標準時**（GMT）における1958年1月1日0時0分0秒からの経過時間を原子時計でカウントして定めた**国際原子時**（TAI）に、GMTとのずれを調整するための"閏秒"が追加されています。

　※　地球の自転周期は年々長くなっており、GMTとUTCは100年で約18秒ずれます。このずれを1秒以下に抑えるため、ずれが0.8秒を超えるとUTCに"閏秒"を追加してGMTとの差を詰めます。

　NTTやNHKの時報などの**日本中央標準時**（JST = Japan Standard Time）は、協定世界時を9時間進めた時刻です。

現在の時刻による乱数の種の設定 ─────────────────

第1章では、乱数の種にランダムな値を設定するための定石として、次の関数呼出しを行う方法を学習しました（p.15）。

```
srand(time(NULL));    // 現在の時刻に基づいて乱数の種を設定
```

これが何を行っているのかを、きちんと理解しましょう。

- まず、time 関数の呼出し time(NULL) によって《現在の暦時刻》を取得します。
既に学習したように、得られる暦時刻の実体は、int 型や long 型などの加減乗除が可能な算術型の値（すなわち単一の数値）です。

- 取得した値を srand 関数に渡します。このとき、現在の時刻を示す time_t 型の暦時刻の値が、srand 関数が受け取る unsigned int 型へと暗黙の内に型変換されます。
呼び出された srand 関数は、受け取った値を乱数の "種" に設定します。

time 関数によって得られる《現在の時刻》は、プログラム実行のたびに変わるため、ランダムな値（現在の暦時刻を unsigned int 型に変換した値）が乱数の種に設定される、というわけです。

▶ 標準Cでは、rand 関数および srand 関数の移植可能な定義例が次のように示されています。

```
static unsigned long int next = 1;
int rand(void) // RAND_MAXを32767と仮定する
{
    next = next * 1103515245 + 12345;
    return (unsigned int)(next / 65536) % 32768;
}
void srand(unsigned int seed)
{
    next = seed;
}
```

このコードでは、種（変数 next）に対して、加算と乗除算を適用することで乱数の生成を行っています。

asctime 関数：要素別の時刻から文字列への変換

要素別の時刻を文字列に変換する **asctime** 関数を利用すると、日付・時刻の表示を簡潔に実現できます。**List 6-3** に示すのが、そのプログラムです。

```
// 現在の日付・時刻を表示（asctime関数を利用）
#include <time.h>
#include <stdio.h>

int main(void)
{
    time_t now = time(NULL);    // 現在の時刻を取得

    printf("現在の日付・時刻：%s", asctime(localtime(&now)));

    return 0;
}
```

List 6-3　chap06/asctime1.c

実 行 例
現在の日付・時刻：Thu Nov 18 21:05:24 2027

ここで行われている変換の様子を、右ページの **Fig.6-3** を見ながら理解しましょう。

asctime 関数は、《要素別の時刻 ⇨ 文字列》の変換を行う関数です。変換によって返却される文字列は、曜日／月／日／時／分／秒／年が、空白文字とコロン記号：で区切って並べられたものです。

asctime	
ヘッダ	#include <time.h>
形　式	char *asctime(const struct tm *timeptr);
機　能	timeptr で指される構造体の要素別の時刻を、次の形式の文字列に変換する。 　　Sun Sep 16 01:03:52 1973\n\0
返却値	変換したオブジェクトへのポインタを返す。

曜日と月には、それらの英語の先頭3文字（先頭の文字が大文字で、2文字目と3文字目は小文字です）が格納されます。

なお、文字列の末尾に**改行文字**と**ナル文字**が付加されるため、全部で 26 文字です。

▶ 本関数は、単一の文字列領域の「使い回し」を行います。すなわち、この関数を呼び出すたびに、準備された文字列領域が上書きされます。もし、変換した文字列を保存する必要があれば、呼出し側のプログラムで別の配列領域にコピーするなどの工夫が必要です。

さて、**asctime** 関数が返却する文字列の末尾に改行文字があるため、画面に出力すると、日付と時刻の表示後に、勝手に（？）改行されてしまいます。そのため、次のようなコードは NGです（というのも、『です。』の前で改行されるからです）。

```
printf("現在の日付・時刻は%sです。\n", asctime(localtime(&current)));
```

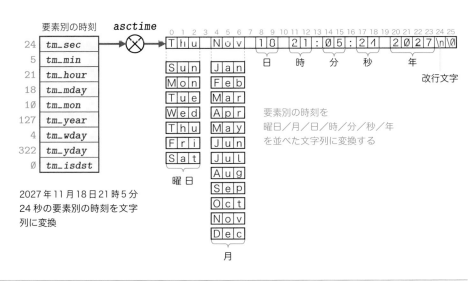

Fig.6-3 asctime 関数による要素別の時刻から文字列への変換

改行文字を付加することなく、《要素別の時刻 ⇨ 文字列》の変換を行う関数があると便利ですので作りましょう。それが、**List 6-4** に示す関数 *asctime2* です。

List 6-4   chap06/asctime2.c

```
//--- 要素別の時刻をasctime関数に準じて変換（改行文字を付加しない）---//
char *asctime2(const struct tm *timeptr)
{
    const char wday_name[7][3] = {                    // 曜日
        "Sun", "Mon", "Tue", "Wed", "Thu", "Fri", "Sat"
    };
    const char mon_name[12][3] = {                    // 月名
        "Jan", "Feb", "Mar", "Apr", "May", "Jun",
        "Jul", "Aug", "Sep", "Oct", "Nov", "Dec",
    };
    static char result[25];              // 文字列格納先は静的な領域

    sprintf(result, "%.3s %.3s %02d %02d:%02d:%02d %4d",
                    wday_name[timeptr->tm_wday], mon_name[timeptr->tm_mon],
                    timeptr->tm_mday, timeptr->tm_hour, timeptr->tm_min,
                    timeptr->tm_sec,  timeptr->tm_year + 1900);
    return result;
}
```

変換した文字列の格納先は配列 *result* です。記憶域クラス指定子 **static** 付きで宣言することで、**静的記憶域期間**（プログラム実行の開始から終了まで存在し続ける生存期間）を与えています（**Column 5-4**：p.133）。

この **static** は省略できません。仮に配列 *result* に自動記憶域期間を与えると、関数の実行終了とともに *result* が消滅するため、**関数の呼出し側から文字列を参照できる保証がなくなってしまう**からです。

▶ この関数で利用している *sprintf* 関数については p.186 で学習します。

ctime 関数：暦時刻から文字列への変換

asctime 関数を利用する際は、**time_t** 型の暦時刻を **tm** 構造体の要素別の時刻へ変換するために、事前に *localtime* 関数を呼び出す必要があります。すなわち、暦時刻から文字列への変換処理は2段階にわたることになります。

しかし、次に示す **ctime** 関数を使うと、《暦時刻 ⇨ 文字列》の変換が、 *localtime* 関数を呼び出すことなく**一気に行える**ようになります。

ctime	
ヘッダ	#include <time.h>
形　式	char *ctime(const time_t *timer);
機　能	timer で指される暦時刻を asctime 関数と同じ文字列形式の地方時に変換する。すなわち、asctime(localtime(timer)) と等価である。
返却値	要素別の時刻を実引数とした asctime 関数が返却するポインタを返す。

この関数を利用して **List 6-3** を書きかえたのが、**List 6-5** のプログラムです。

List 6-5　　　　　　　　　　　　　　　　　　chap06/ctime1.c
```
// 現在の日付・時刻を表示 (ctime関数を利用)

#include <time.h>
#include <stdio.h>

int main(void)
{
    time_t current = time(NULL);    // 現在の時刻を取得

    printf("現在の日付・時刻：%s", ctime(&current));

    return 0;
}
```

実行例
現在の日付・時刻：Thu Nov 18 21:05:24 2027

水色部の *ctime(&current)* は、実質的に *asctime(localtime(&current))* と同じです。

さて、*asctime* 関数と同様に、*ctime* 関数が生成する文字列にも、余計な改行文字が付加されます。先ほどと同様に、改行文字を付加しない関数を作成しましょう。

ただし一から作るのでは効率よくありません。先ほど作成した関数 *asctime2* を利用すれば、右ページの **List 6-6** に示すように簡潔に実現できます。

Column 6-3	時刻を設定する関数は提供されない

コンピュータに内蔵されている時計の時刻を設定する権利を、管理者にのみ許可して一般のユーザには与えない OS もあります。そのため、標準Cのライブラリでは、時刻を設定するための関数は**提供されません**。

List 6-6　　　　　　　　　　　　　　　　　　　　　　　　　　chap06/ctime2.c

```
//--- time_t型による時刻をctime関数に準じて変換（改行文字は付加しない）---//
char *ctime2(const time_t *timer)
{
    return asctime2(localtime(timer));
}
```

▶　もちろん、この関数を使う際は、関数 *asctime2* の定義もあわせて必要です。

✏️　**まとめ**

　日付と時刻は、**暦時刻**と**要素別の時刻**で表現できる。

❋ **暦時刻（time_t 型）**

　暦時刻は、算術型の同義語として定義される**time_t 型**で表される。多くの処理系では、1970 年
1 月 1 日 0 時 0 分 0 秒からの経過秒数が、暦時刻の値として採用されている。
　現在（プログラム実行時）の暦時刻は、**time 関数**によって取得できる。

❋ **要素別の時刻（tm 構造体）**

　要素別の時刻を表す **tm 構造体**は、年月日時分秒などを、個々のメンバとしてもつ構造体として定義
される。
　現在の時刻の取得と、暦時刻／要素別の時刻／文字列間の変換は下図のように行える。

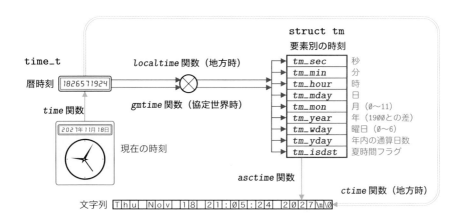

　localtime 関数と *gmtime* 関数を使うと、《**暦時刻 ⇨ 要素別の時刻**》の変換が行える。前者の変換
は**地方時**、後者は**協定世界時**である。

　asctime 関数を使うと《**要素別の時刻 ⇨ 文字列**》の変換が行え、*ctime* 関数を使うと《**暦時刻
⇨ 文字列**》の変換が行える。

　これらの関数が生成する文字列の末尾には改行文字が付加される。改行文字が不要であれば、
List 6-4 の関数 *asctime2* と **List 6-6** の関数 *ctime2* を利用するとよい。

☐ difftime 関数：時刻の差を求める

第 2 章では、*clock* 関数を用いて処理時間を計測する手法を学習しました（p.47）。この手法では、プログラム開始からの経過時間が **clock_t** 型で表現できる値を超えたときに正しく計測できません。

time 関数で得られる暦時刻を利用することで、長い時間の計測が可能となります。その際に使うのが、二つの暦時刻の差を求める **difftime 関数**です。

difftime
ヘッダ　#include \<time.h\>
形　式　double *difftime*(time_t *time1*, time_t *time0*);
機　能　二つの暦時刻の差 *time1* - *time0* を計算する。
返却値　求めた差を秒単位で表し double 型として返す。

List 6-7 に示すのが、この関数を使ったプログラム例です。$0 \sim 99$ の整数を四つ加える暗算に要する時間を **time_t** 型と同じ精度（多くの処理系では秒単位）で計測します。

List 6-7	chap06/mental.c

```
// 暗算トレーニング（0～99の整数を四つ加算するのに要する時間を計測）

#include <time.h>
#include <stdio.h>
#include <stdlib.h>

int main(void)
{
    srand(time(NULL));       // 乱数の種を設定

    int a = rand() % 100;    // 加える値：0～99の乱数
    int b = rand() % 100;    //      〃
    int c = rand() % 100;    //      〃
    int d = rand() % 100;    //      〃

    printf("%d + %d + %d + %dは何ですか：", a, b, c, d);

    time_t start = time(NULL);                        // 開始時刻

    while (1) {
        int x;                     // 読み込んだ値
        scanf("%d", &x);
        if (x == a + b + c + d)
            break;
        printf("\a違いますよ!!\n再入力してください：");
    }

    time_t end = time(NULL);                          // 終了時刻

    printf("%.0f秒かかりました。\n", difftime(end, start));

    return 0;
}
```

実行例
```
46 + 74 + 31 + 65は何ですか：216⏎
14秒かかりました。
```

$difftime$ 関数の使い方は単純であり、二つの $time\_t$ 型の値を引数として与えるだけで、それらの時刻の差が秒単位の $double$ 型の値として返却されます。

本プログラムでは、$difftime(end,\ start)$ の関数呼出し式によって、$time\_t$ 型の end から $start$ を引いた値を秒単位の値として求めています。

一定時間の処理停止

第2章で学習した関数 $sleep$ も、内部の計算を $clock\_t$ 型で行っているため（p.50）、処理の停止を長時間行う用途には向きません。

暦時刻を用いて実現したのが、**List 6-8** に示す関数 $ssleep$ です。

List 6-8   chap06/ssleep.c

```
//--- x秒経過するのを待つ ---//
int ssleep(double x)
{
    time_t t1 = time(NULL), t2;

    do {
        if ((t2 = time(NULL)) == (time_t)-1)        // エラー
            return 0;
    } while (difftime(t2, t1) < x);
    return 1;
}
```

関数 $sleep$ とは異なり、引数 x に指定する値の単位は、**ミリ秒**ではなく**秒**です。そのため、処理停止の時間には、最大で1秒近い誤差が生じます。

▶ $time\_t$ 型の精度が1秒の環境で $ssleep(1.0)$ と呼び出されたとします。関数の冒頭で $t1$ に取得した時刻が3時2分0.4秒であれば、およそ3時2分1秒になったときに do 文が終了しますので、関数から戻るのは約0.6秒後となります。

✐ まとめ

❊ 暦時刻の差

　二つの暦時刻 $t1$ と $t2$ の差 $t1\ -\ t2$ は、$difftime$ 関数を呼び出す $difftime(t1,\ t2)$ によって、秒単位の $double$ 型実数値として求められる。

❊ 一定時間処理を停止

　一定時間だけ処理を停止させるには、次の関数を使い分ける。
- 関数 $sleep$ … 時間が短く高い精度が必要な場合（**List 2-8**：p.50）
- 関数 $ssleep$ … 時間が長く精度が要求されない場合（**List 6-8**）

174

6–2 曜日を求める

本節では、与えられた日付の曜日を求める方法を学習します。

mktime 関数：地方時要素別の時刻から暦時刻への変換

本節では、与えられた日付の曜日を求める方法を学習します。まずは、西暦年／月／日の3値を読み込んで、その曜日を表示するプログラムを作りましょう。

そのプログラムが右ページの **List 6-9** です。曜日を求めるために、*mktime* 関数を利用しています。

	mktime
ヘッダ	#include <time.h>
形 式	time_t mktime(struct tm *timeptr);
機 能	*timeptr* で指される構造体中の現地時刻を表現している要素別の時刻を、*time* 関数が返す値と同じ表現形式をもった暦時刻値に変換する。構造体の *tm_wday* および *tm_yday* 要素の値は無視する。その他の要素の値は、p.164 の tm 構造体の定義例の注釈で示した値の範囲内でなくても構わない。正常に動作が完了した場合、構造体の *tm_wday* および *tm_yday* 要素の値を適切に設定し、他の要素は指定された暦時刻を表すように設定する。それらの値は p.164 の注釈で示した範囲に強制的に収める。ここで、*tm_mday* の最終値は *tm_mon* および *tm_year* が決まるまで設定しない。
返却値	指定された要素別の時刻を型 time_t の値に表現形式を変換して返す。暦時刻が表現できない場合、関数は値 (time_t)-1 を返す。

この関数は、要素別の時刻 tm 構造体型の時刻（地方時）を、暦時刻 time_t 型の値に変換します。すなわち、*localtime* 関数と逆の変換です（**Fig.6-4**）。

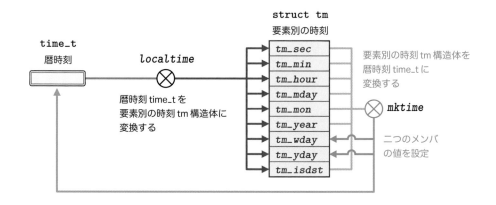

Fig.6-4 mktime 関数と localtime 関数の働き

```
List 6-9                                                    chap06/dayofweek1.c
// 曜日を求める（その1．mktime関数を利用）

#include <time.h>
#include <stdio.h>

//--- year年month月day日の曜日を求める ---//
int dayofweek(int year, int month, int day)
{
    struct tm t;

    t.tm_year  = year - 1900;      // 年を調整
    t.tm_mon   = month - 1;        // 月を調整
    t.tm_mday  = day;              // 日
    t.tm_hour  = 0;                // 時
    t.tm_min   = 0;                // 分
    t.tm_sec   = 0;                // 秒
    t.tm_isdst = -1;               // 夏時間

    if (mktime(&t) == (time_t)-1)  // 変換に失敗したら
        return -1;                 // -1を返却
    return t.tm_wday;              // mktime関数で設定された曜日を返却
}

int main(void)
{
    int  y, m, d;
    char *ws[] = {"日", "月", "火", "水", "木", "金", "土"};

    printf("曜日を求めます。\n");
    printf("年：");   scanf("%d", &y);
    printf("月：");   scanf("%d", &m);
    printf("日：");   scanf("%d", &d);

    int w = dayofweek(y, m, d);           // 曜日を求める

    if (w != -1)
        printf("それは%s曜日です。\n", ws[w]);
    else
        printf("求められませんでした。\n");

    return 0;
}
```

```
              実行例
曜日を求めます。
年：2028␍
月：11␍
日：18␍
それは土曜日です。
```

　さらに、この関数には、変換元の構造体の曜日メンバ *tm_wday* と年内経過日数メンバ *tm_yday* の値を計算して設定するというオ・マ・ケ・の機能が付いています。

　このオマケを利用すると、（たとえ `time_t` 型の値への変換が必要なくても）要素別の時刻の年／月／日を設定して *mktime* 関数を呼び出すだけで曜日が求められます。

＊

　本プログラムで定義している関数 *dayofweek* は、受け取った年／月／日の3値をもとに要素別の時刻を作り、それから *mktime* 関数を呼び出しています。そして、オ・マ・ケ・の機能によって *tm_wday* メンバに設定された値を求めます。求めた曜日の値は、日曜日が 0、月曜日が 1、火曜日が 2、…、土曜日が 6 です。

　なお、*mktime* 関数がエラーを返した場合は、正しく曜日が求められていない可能性があるため、関数 *dayofweek* は -1 を返す仕様としています。

⬜ ツェラーの公式 ────────────────

C言語が提供する日付や時間に関するライブラリは、**1970年より前の日付を正しく取り扱える保証がありません**（**Column 6-4**）。1970年より前の日付を扱うプログラムでは、標準ライブラリには頼れない、ということです。

そこで、**ツェラー**（Zeller）の公式と呼ばれる方法に基づいて曜日を求めることにします。右ページの **List 6-10** に示すのが、そのプログラムです。

関数 *dayofweek* は、ツェラーの公式をC言語の関数として実現したものです。前ページのプログラムと同様、日曜日～土曜日を **0 ～ 6** として求めます。

なお、ツェラーの公式はグレゴリオ暦を前提としていますので、関数 *dayofweek* が曜日を求められるのは、1582年10月15日以降の日付です。

本プログラムでは、それ以前の日付が与えられても、そのチェックはしませんので注意してください。

▶ 公式どおりに曜日を求めているだけですから、計算式そのものを理解する必要はありません。

ご自身の生まれた日付の曜日を知っていますか。知らなければ、本プログラムを実行して調べてみましょう。

Column 6-4	**暦とC言語のライブラリ**

C言語とUNIXの誕生は1970年代初頭でした。システムの時刻やファイルに記録される更新日の時刻などが、1970年より前になることはなかったわけですから、C言語の標準ライブラリで処理できる日付は、1970年1月1日以降となっています。

さて、現在、多くの国で使われている**グレゴリオ暦**は、地球が太陽を1周するのに要する日数（1回帰年 = 365.2422日）を365日として数え、その調整を次のように行う方法です。

① 年が4で割り切れる年は閏年にする。
② 100で割り切れる年は平年にする。
③ 400で割り切れる年は閏年にする。

ヨーロッパでは、古くは**ユリウス暦**が使われていました。これは1回帰年を365.25日としたもので、実際の1回帰年である365.2422日との差の補正を行わず、4で割り切れる年を閏年とするものです。すなわち、①のみを適用するため、誤差が累積していたわけです。

そこで、その誤差を一気に解消するために、ユリウス暦の1582年10月4日の翌日をグレゴリオ暦の10月15日として、現在のグレゴリオ暦に切りかえられました。

なお、イギリスがユリウス暦からグレゴリオ暦に切りかえたのは1752年11月24日からであり、日本が太陰太陽暦からグレゴリオ暦に切りかえたのは1873年1月1日からです。

このように、各国によって異なる暦を使っているために、古い文献の日付を調べたり、プログラムで取り扱ったりする際には、注意が必要です。

＊

ちなみに、標準Cの厳密な定義は『`time_t`型 ≒ 暦時刻』ですが、あたかも『`time_t`型 = 暦時刻』であるかのように解説されていますので、本書でもそれにならっています。

chap06/dayofweek2.c

```c
// 曜日を求める（その２：ツェラーの公式を利用）

#include <stdio.h>

//--- year年month月day日の曜日を求める ---//
int dayofweek(int year, int month, int day)
{
    if (month == 1 || month == 2) {
        year--;
        month += 12;
    }
    return (year + year/4 - year/100 + year/400 + (13*month+8)/5 + day) % 7;
}

int main(void)
{
    int  y, m, d;
    char *ws[] = {"日", "月", "火", "水", "木", "金", "土"};

    printf("曜日を求めます。\n");
    printf("年：");   scanf("%d", &y);
    printf("月：");   scanf("%d", &m);
    printf("日：");   scanf("%d", &d);

    int w = dayofweek(y, m, d);            // 曜日を求める

    printf("それは%s曜日です。\n", ws[w]);

    return 0;
}
```

実行例
```
曜日を求めます。
年：2028⏎
月：11⏎
日：18⏎
それは土曜日です。
```

6-2
曜日を求める

✏ まとめ

✳ 日付・時刻のライブラリの制限

　C言語が提供する日付・時刻関連の標準ライブラリが正しく取り扱えることが保証されているのは、1970年1月1日以降の日付・時刻である。

✳ 要素別の時刻から暦時刻への変換

　《要素別の時刻 ⇨ 暦時刻》の変換は、mktime 関数によって行える。その際、変換元である要素別の時刻の曜日 tm_wday と年内経過日数 tm_yday が自動的に計算され設定される。そのため、たとえ変換の必要がなくても、mktime 関数を呼び出すだけで曜日が求められる。

　※ 設定される tm_wday は、日曜日が 0、月曜日が 1、火曜日が 2、…、土曜日が 6 となる。

✳ ツェラーの公式

　ツェラーの公式を利用すれば、1582年10月15日以降の日付の曜日が求められる。次に示すのが、year 年 month 月 day 日の曜日を求める式である。

　　year + year / 4 - year / 100 + year / 400 + (13 * month + 8) / 5 + day) % 7

6-3　カレンダー

　本節では、前節までに学習してきた内容を応用して、《カレンダー》を表示するプログラムを作ります。

☐ カレンダー表示

　List 6-11 に示すのが、西暦年と月を読み込んで、その月のカレンダーを表示するプログラムです。

List 6-11   chapØ6/calendar1.c

```c
// カレンダー表示

#include <stdio.h>

//--- 各月の日数 ---//
int mday[12] = {31, 28, 31, 30, 31, 30, 31, 31, 30, 31, 30, 31};

//--- year年month月day日の曜日を求める ---//
int dayofweek(int year, int month, int day)
{
    //--- 省略：List 6-10と同じ ---//
}

//--- year年は閏年か？（Ø…平年／1…閏年） ---//
int is_leap(int year)
{
    return year % 4 == Ø && year % 100 != Ø || year % 400 == Ø;
}

//--- year年month月の日数（28～31） ---//
int monthdays(int year, int month)
{
    if (month-- != 2)                       // monthが２月でないとき
        return mday[month];
    return mday[month] + is_leap(year);      // monthが２月であるとき
}

//--- y年m月のカレンダーを表示 ---//
void put_calendar(int y, int m)
{
    int wd = dayofweek(y, m, 1);      // y年m月1日の曜日
    int mdays = monthdays(y, m);      // y年m月の日数

    printf(" 日 月 火 水 木 金 土 \n");
    printf("--------------------\n");

    printf("%*s", 3 * wd, "");        // 1日より左側のスペースを表示

    for (int i = 1; i <= mdays; i++) {
        printf("%3d", i);
        if (++wd % 7 == Ø)            // 土曜日を表示したら
            putchar('\n');            // 改行
    }
    if (wd % 7 != Ø)
        putchar('\n');
}
```

```
int main(void)
{
    int y, m;

    printf("カレンダーを表示します。\n");
    printf("年：");    scanf("%d", &y);
    printf("月：");    scanf("%d", &m);

    putchar('\n');

    put_calendar(y, m);

    return 0;
}
```

実行例
カレンダーを表示します。
年：2029
月：11

```
 日 月 火 水 木 金 土
---------------------
                1  2  3
 4  5  6  7  8  9 10
11 12 13 14 15 16 17
18 19 20 21 22 23 24
25 26 27 28 29 30
```

6-3

カレンダー

曜日を求める

カレンダー表示に欠かせない処理の一つが、"曜日"を求めることです。関数 *dayofweek* は、前のプログラムからそのまま流用しています。

▶ 月内のすべての日の曜日を求める必要はありません。次ページで学習するように、曜日を求めるのは1回だけです。

閏年の判定

year 年が閏年であるかどうかを調べるのが、関数 *is_leap* です。閏年であれば 1 を、平年であれば 0 を返します。

▶ Column 6-4 (p.176) で学習したように、4 で割り切れれば閏年ですが、100 で割り切れても 400 で割り切れなければ閏年ではなく平年です。

月の日数

関数 *monthdays* は、*year* 年 *month* 月の日数を返す関数です。2月以外の月の日数は年によらず一定ですが、2月は平年が 28 日、閏年が 29 日です。

プログラムの冒頭で定義している配列 *mday* と、関数 *is_leap* を利用して計算します。

▶ 配列 *mday* の要素 mday[0]、mday[1]、…、mday[11] には、1月から12月までの各月の日数が格納されています。

求める日数が2月以外の月であれば、該当する要素の値（たとえば3月であれば、mday[2] の値である 31）を返却します。

求める日数が2月であれば、mday[1] の値 28 に対して、*isleap(year)* の返却値（閏年では 1 で、平年では 0）を加えた値を返します。

■ カレンダー表示の原理 ─────────────────────

　本プログラムのメインともいえる関数 *put_calendar* は、西暦 *y* 年 *m* 月のカレンダーを表示する関数です。この関数を理解していきましょう。

■ 第1日の曜日の算出

　関数 *dayofweek* を呼び出すことによって、*y* 年 *m* 月1日の曜日を求めます。

　返却値で初期化される変数 *wd* の値は、日曜日～土曜日が 0 ～ 6 です。

```c
//--- y年m月のカレンダーを表示 ---//
void put_calendar(int y, int m)
{
    int wd = dayofweek(y, m, 1);         ■1
    int mdays = monthdays(y, m);         ■2

    printf(" 日 月 火 水 木 金 土 \n");    ■3
    printf("--------------------\n");

    printf("%*s", 3 * wd, "");           ■4

    for (int i = 1; i <= mdays; i++) {
        printf("%3d", i);
        if (++wd % 7 == 0)               ■5
            putchar('\n');
    }
    if (wd % 7 != 0)                     ■6
        putchar('\n');
}
```

■ 月の日数の算出

　関数 *monthdays* を呼び出すことで、*y* 年 *m* 月の日数を求めます。

　返却値で初期化される変数 *mdays* の値は、年と月に応じた 28 以上 31 以下の値となります。

■ タイトルの表示

　カレンダーのタイトル部、すなわち **Fig.6-5** **a** の部分を表示します。

■ 第1日より左側のスペースの表示

　第1日の日付は、日曜日であれば行の先頭に表示できますが、それ以外の曜日であれば、左側に余白が必要です。このカレンダーでは各日付を3桁の幅で出力するため、余白の文字数は、1日の曜日を表す 0 ～ 6 に 3 を乗じた値です。ここでは、その個数の空白を表示します。

▶ **Fig.6-5** は、第1日が金曜日の例です。図**b**に示すように、15 個の空白文字を出力します。なお、書式文字列 "%*s" を使って空白文字を出力する方法は、 p.61 で学習しました。

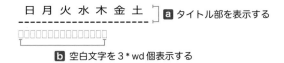

　　　　　日 月 火 水 木 金 土 ⎤ **a** タイトル部を表示する
　　　　　-------------------- ⎦
　　　　　　　　　　　　　　　　　b 空白文字を 3 * wd 個表示する

Fig.6-5 カレンダー表示の過程（その1）

■ 日付の表示

　日付を一つずつ順に表示する **for** 文です。変数 *i* の値を 1 から始めて、その月の日数である *mdays* になるまで繰り返します。

　右ページの **Fig.6-6** を見ながら理解していきましょう。

図に示すのは、第 1 日が金曜日で、月の日数が 3∅ 日の月のカレンダーを表示する過程です。

for 文では変数 i の値が 1 から 3∅ までインクリメントされ、ループ本体では、3 桁分の幅で変数 i の値を日付として表示していきます。

日付を表示した直後に行っているのが、変数 wd のインクリメントです。図**b**に示すように、インクリメント後の wd を 7 で割った剰余が ∅ になったタイミングで改行文字を出力することによって、**土曜日の表示直後に改行します。**

なお、最後の日付（この例では 3∅）の表示を終わった状態が、図**e**です。

⑥ 改行

最後に行うのが改行を出力することです。ただし、月の末尾が土曜日であれば改行は出力ずみですので、wd を 7 で割った剰余が ∅ でないときにのみ改行を出力します。

▶ もし "if (wd % 7 != ∅)" を削除すると、最終日が土曜日のカレンダー出力時に、余分な空行が出力されてしまいます。

Fig.6-6 カレンダー表示の過程（その 2）

6

横に並べて表示

次は、表示する年月の範囲を読み込んで、横方向に３ヶ月分のカレンダーを並べて表示する
プログラムを作りましょう。それが、**List 6-12** に示すプログラムです。

List 6-12   chap06/calendar2.c

```c
// 最大３ヶ月分を横に並べたカレンダー表示

#include <stdio.h>
#include <stdlib.h>
#include <string.h>

//--- 各月の日数 ---//
int mday[12] = {31, 28, 31, 30, 31, 30, 31, 31, 30, 31, 30, 31};

int dayofweek(int year, int month, int day)
{
    //--- 省略：List 6-10と同じ ---//
}

int is_leap(int year)
{
    //--- 省略：List 6-11と同じ ---//
}

int monthdays(int year, int month)
{
    //--- 省略：List 6-11と同じ ---//
}

//--- y年m月のカレンダーを２次元配列sに格納 ---//
void make_calendar(int y, int m, char s[7][22])
{
    int wd = dayofweek(y, m, 1);          // y年m月1日の曜日
    int mdays = monthdays(y, m);          // y年m月の日数
    char tmp[4];

    sprintf(s[0], "%10d / %02d        ", y, m);   // タイトル（年／月）

    int k;
    for (k = 1; k < 7; k++)               // タイトル以外のバッファをクリア
        s[k][0] = '\0';

    k = 1;
    sprintf(s[k], "%*s", 3 * wd, "");     // 1日の左側を空白文字で埋める

    for (int i = 1; i <= mdays; i++) {
        sprintf(tmp, "%3d", i);
        strcat(s[k], tmp);                // i日の日付を追加
        if (++wd % 7 == 0)                // 土曜日を格納したら
            k++;                          // 次の行へ進む
    }

    if (wd % 7 == 0)
        k--;
    else {
        for (wd %= 7; wd < 7; wd++)       // 最終日の右側に空白文字を追加
            strcat(s[k], "   ");
    }
    while (++k < 7)                       // 未使用行を空白文字で埋めつくす
        sprintf(s[k], "%21s", "");
}
```

```
//--- ３次元配列sbufに格納されたカレンダーを横にn個並べて表示 ---//
void print(char sbuf[3][7][22], int n)
{
    for (int i = 0; i < n; i++)                // タイトル（年／月）を表示
        printf("%s   ", sbuf[i][0]);
    putchar('\n');

    for (int i = 0; i < n; i++)
        printf(" 日 月 火 水 木 金 土   ");
    putchar('\n');

    for (int i = 0; i < n; i++)
        printf("--------------------   ");
    putchar('\n');

    for (int i = 1; i < 7; i++) {              // カレンダー本体部を
        for (int j = 0; j < n; j++)            // 横にn個並べて
            printf("%s   ", sbuf[j][i]);       // 表示
        putchar('\n');
    }
    putchar('\n');
}

//--- y1年m1月からy2年m2月までのカレンダーを表示 ---//
void put_calendar(int y1, int m1, int y2, int m2)
{
    int y = y1;
    int m = m1;
    int n = 0;                                 // バッファに蓄えている月数
    char sbuf[3][7][22];                       // カレンダー文字列のバッファ

    while (y <= y2) {
        if (y == y2 && m > m2) break;
        make_calendar(y, m, sbuf[n++]);
        if (n == 3) {                          // ３ヶ月分たまったら表示
            print(sbuf, n);
            n = 0;
        }
        m++;                                   // 次の月へ
        if (m == 13 && y < y2) {               // 年を繰り越す
            y++;
            m = 1;
        }
    }
    if (n)                                     // 未表示月があれば
        print(sbuf, n);                        // それらを表示する
}

int main(void)
{
    int y1, m1, y2, m2;

    printf("カレンダーを表示します。\n");

    printf("開始年：");    scanf("%d", &y1);
    printf("　　月：");    scanf("%d", &m1);
    printf("終了年：");    scanf("%d", &y2);
    printf("　　月：");    scanf("%d", &m2);

    putchar('\n');

    put_calendar(y1, m1, y2, m2);

    return 0;
}
```

6-3

カレンダー

まずは、実行しましょう。開始年月と終了年月を入力すると、その範囲の各月のカレンダーが表示されます。

```
                            実行例
カレンダーを表示します。
開始年：2029
    月：10
終了年：2030
    月：8

        2029 / 10              2029 / 11              2029 / 12
   日 月 火 水 木 金 土     日 月 火 水 木 金 土     日 月 火 水 木 金 土
   --------------------   --------------------   --------------------
         1  2  3  4  5 6              1  2  3                        1
    7  8  9 10 11 12 13    4  5  6  7  8  9 10    2  3  4  5  6  7  8
   14 15 16 17 18 19 20   11 12 13 14 15 16 17    9 10 11 12 13 14 15
   21 22 23 24 25 26 27   18 19 20 21 22 23 24   16 17 18 19 20 21 22
   28 29 30 31            25 26 27 28 29 30      23 24 25 26 27 28 29
                                                 30 31

        2030 / 01              2030 / 02              2030 / 03
   日 月 火 水 木 金 土     日 月 火 水 木 金 土     日 月 火 水 木 金 土
   --------------------   --------------------   --------------------
         1  2  3  4  5              1  2                     1  2
    6  7  8  9 10 11 12    3  4  5  6  7  8  9    3  4  5  6  7  8  9
   13 14 15 16 17 18 19   10 11 12 13 14 15 16   10 11 12 13 14 15 16
   20 21 22 23 24 25 26   17 18 19 20 21 22 23   17 18 19 20 21 22 23
   27 28 29 30 31         24 25 26 27 28         24 25 26 27 28 29 30
                                                 31

        2030 / 04              2030 / 05              2030 / 06
   日 月 火 水 木 金 土     日 月 火 水 木 金 土     日 月 火 水 木 金 土
   --------------------   --------------------   --------------------
      1  2  3  4  5  6                 1  2  3                        1
    7  8  9 10 11 12 13    5  6  7  8  9 10 11    2  3  4  5  6  7  8
   14 15 16 17 18 19 20   12 13 14 15 16 17 18    9 10 11 12 13 14 15
   21 22 23 24 25 26 27   19 20 21 22 23 24 25   16 17 18 19 20 21 22
   28 29 30               26 27 28 29 30 31      23 24 25 26 27 28 29
                                                 30

        2030 / 07              2030 / 08
   日 月 火 水 木 金 土     日 月 火 水 木 金 土
   --------------------   --------------------
         1  2  3  4  5 6              1  2  3
    7  8  9 10 11 12 13    4  5  6  7  8  9 10
   14 15 16 17 18 19 20   11 12 13 14 15 16 17
   21 22 23 24 25 26 27   18 19 20 21 22 23 24
   28 29 30 31            25 26 27 28 29 30 31
```

　前のプログラムのように、単純な for 文での表示は行えないため、プログラムは複雑になっています。3ヵ月分のカレンダーを並べて表示するための大まかな原理を示したのが、右ページの **Fig.6-7** です。

　3個の文字列の配列に、表示すべき文字や数字を事前に格納しておき、それから表示を行います。

　1ヶ月は7行の文字列であり、各行はナル文字を含めて 22 文字です。その3ヶ月分が必要ですから、3×7×22 の3次元配列の文字列を利用することになります。本プログラムでは、この配列を *sbuf* としています。

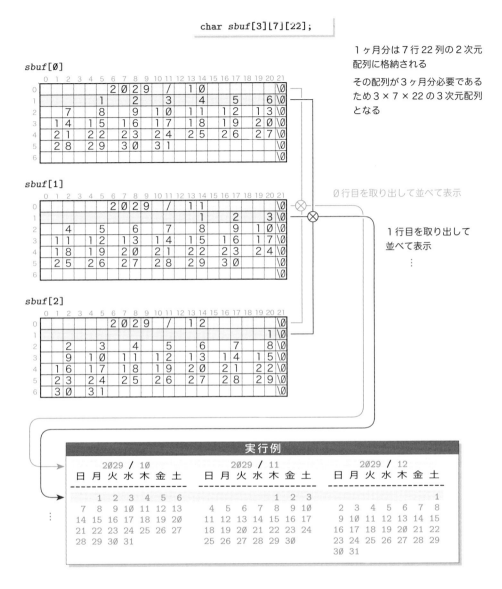

Fig.6-7 文字列の配列を利用したカレンダー表示の原理

▶ この後詳しく学習していきますので、現在の段階では、表示が次のように行われていることを理解
しておきます。

　　1行目（年／月のタイトル）の表示
　　　　sbuf[0]、*sbuf*[1]、*sbuf*[2] の 0行目 を取り出して並べて表示

　　カレンダー本体の先頭行の表示
　　　　sbuf[0]、*sbuf*[1]、*sbuf*[2] の 1行目 を取り出して並べて表示

◻ 1ヶ月分のカレンダーの文字列への格納

まず最初に、1ヶ月分のカレ
ンダー用の文字列を作る関数
make_calendar を理解していき
ましょう。

```
//--- y年m月のカレンダーを2次元配列sに格納 ---//
void make_calendar(int y, int m, char s[7][22])
{
    // …
}
```

この関数は、年／月／日の3値を、*y*、*m*、*s* の三つの引数に受け取ります。

関数本体で行うのは、西暦 *y* 年 *m* 月のカレンダー（タイトル1行＋本体6行で全7行）用の
文字列を作成して、7行22列の2次元配列 *s* に格納することです。

◻ sprintf 関数：文字列に対する書式付きの出力

最初に作るのが、年と月を表すタイトル用の文字列です。

▶ ここでは、配列の添字とあわせるために、カレンダーの1行〜7行のことを、第0行〜第6行と
呼ぶことにします（タイトルは第0行です）。

Fig.6-8 に示すように、空白文字を含めて21文字のタイトル文字列を作って、第0行目用の
要素 *s[0]* に格納します。

第0行目にタイトル用の年月を格納する

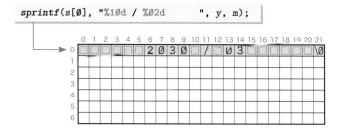

Fig.6-8 タイトル文字列（第0行）の作成

文字列作成のために使っているのが *sprintf* 関数です。

sprintf	
ヘッダ	#include <stdio.h>
形 式	int sprintf(char * restrict s, const char * restrict format, ...);
機 能	標準出力ストリームではなく、*s* が指す配列に書き込む点を除いて、*printf* 関数と同じ働きをする。書き込まれた出力文字の最後にナル文字を追加するが、返却する文字数の総計にはこのナル文字を含めない。領域の重なりあうオブジェクト間で複写が行われるとき、その動作は定義されない。
返却値	配列に書き込まれた、ナル文字を含まない文字数を返す。

sprintf 関数は、引数を展開・整形して出力する点では *printf* 関数と同じです。

ただし、出力先は、標準出力ストリーム（コンソール画面）ではなく、呼び出し側から引数として指定された配列（文字列）です。

そのため、*sprintf* 関数は、*printf* 関数に先頭の引数 *s* が追加された形式となっており、その *s* が指す配列（*s* が指す文字を先頭要素とする配列）が出力先となります。

この関数の使い方は単純です。たとえば、*str* が文字の配列であれば、

```
sprintf(str, "%5d", 123);
```

を実行すると、配列 *str* に " 123" が入ります。

▶ このとき、文字列の末尾を示すナル文字も正しく格納されます。

さて、本プログラムでは、文字列の格納先は *s*[0] です。書式文字列 "%10d" と "%02d" の指定に基づいて、年 *y* の値が 10 桁で格納されて、月 *m* の値が2桁で格納されます。

▶ 月の値が2桁に満たない場合は、たとえば "03" のように先頭に 0 が詰められます。

空文字列の作成

次に行うのは、第 1 行目〜第 6 行目にカレンダーの本体を作る前準備として、本体用の文字列 *s*[1]、*s*[2]、…、*s*[6] を空文字列にすることです。

文字列は、『最も先頭側に位置するナル文字までの文字の並び』ですから、先頭文字にナル文字を代入すると空になります。次に示すのが、コードの一例です。

```
str[0] = '\0';          // 文字列strを空文字列にする
```

本プログラムでは、Fig.6-9 に示すように、*s*[1][0]、*s*[2][0]、…、*s*[6][0] にナル文字を代入することによって、*s*[1]、*s*[2]、…、*s*[6] の6個の文字列を空文字列とします。

第 1 行目〜第 6 行目を空文字列にする

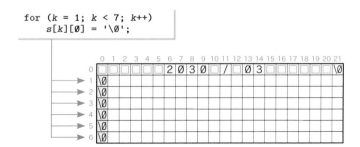

Fig.6-9 カレンダー本体部作成のための前準備（本体用の第1行〜第6行を空文字列化）

▢ strcpy 関数：文字列のコピー

多くの書籍や Web サイトなどでは、文字列をコピーする **strcpy** 関数を使って文字列を空にする手法が紹介されています。

▶ そのためか、この手法は実際のプログラムでも広く使われているようです。

strcpy	
ヘッダ	#include <string.h>
形　式	char *strcpy(char * restrict s1, const char * restrict s2);
機　能	s2 が指す文字列を、s1 が指す配列にコピーする。コピー元とコピー先が重なる場合の動作は未定義とする。
返却値	s1 の値を返す。

strcpy 関数は、第2引数の文字列を第1引数へとコピーする関数ですから、次のように、空の文字列をコピーすることで、文字列 **str** は確かに空になります。

```
strcpy(str, "");     // 文字列strを空文字列にするために空文字列をコピー
```

この手法を応用すると、カレンダーの第1行目〜第6行目の空文字列化のコードは、右のように実現できます。

```
for (k = 1; k < 7; k++)
    strcpy(s[k], "");
```

しかし、この手法は、次に示す理由によって、おすすめできません。

▪ 記憶域を浪費する

文字列リテラル "" は、空のように見えるものの、1個のナル文字で構成される文字列です。すなわち、**静的記憶域期間用の記憶域を1バイト占有します**。

同じ綴りの文字列リテラルを "別のもの" とみなす処理系（**Column 6-5**：右ページ）では、ソースプログラムに "" が複数個あれば、その個数の分だけ記憶域が消費されます。

▪ 関数呼出しのオーバヘッドがある

strcpy 関数の呼出し **strcpy(str, "")** は、見かけ上1行で収まっており、短く簡潔です。

ただし、その見かけとは裏腹に、二つのポインタ **str** と "" を引数として渡す作業や、関数を呼び出す作業、関数から返却値を戻す作業などが、プログラム内部で行われます。

関数 **strcpy** の実現例を右に示しています。たった1文字をコピーするだけのために、このような繰返しを含む関数を呼び出すのが、いかに無駄であるかが分かるでしょう。

```
//--- strcpy関数の実現例 ---//
char *strcpy(char *s1, const char *s2)
{
    char *p = s1;

    while (*s1++ = *s2++)
        ;
    return p;
}
```

□ 1日の左側の余白の設定

カレンダー本体部の文字列を空にすることによって、準備が整いました。次に行うのは、第1日の曜日に応じて、第1行目の先頭側を適当な個数の空白文字で埋めることです。

Fig.6-10 に示すように、第1日が金曜日であれば、埋めるのは15個の空白文字です。

第1日の左側の空白文字を埋める

```
k = 1;
sprintf(s[k], "%*s", 3 * wd, "");   // 1日の左側を空白文字で埋める
```

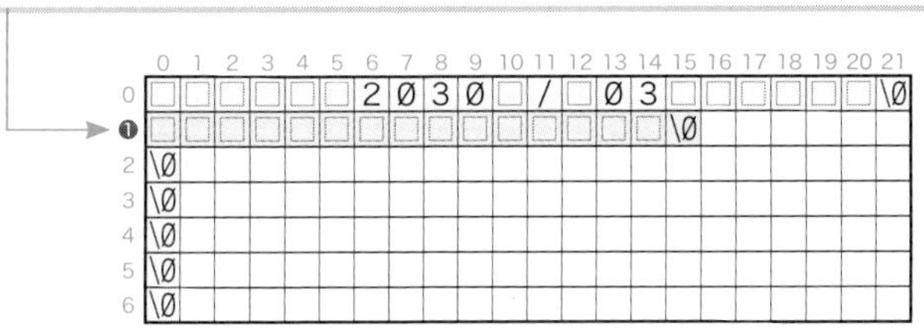

Fig.6-10 第1日より左側の空白文字を埋める

変数 k は、現在着目している行の番号を表す変数です。

▶ 図中、●の中の数値が k です。

前のプログラムと同様に、wd に 3 を乗じた個数の空白文字が必要です。そこで、書式文字列中の "*" に対して 3 * wd を与えることで、その個数の空白文字を s[k] すなわち s[1] に格納します。

▶ 書式文字列 "%*s" を使って任意の個数の空白文字を出力する方法は、 p.61 で学習しました。

Column 6-5	同じ綴りの文字列リテラル

次のように、二つのポインタが同じ綴りの文字列リテラルを指しているとします。

```
char *ptr1 = "ABC";
char *ptr2 = "ABC";
```

文字列リテラル "ABC" は、末尾のナル文字を含めて 4 バイトを占有します。

気を利かせて（?）記憶域を節約する処理系は、二つの文字列リテラルを "同じもの" とみなします。つまり、ptr1 と ptr2 は同一の文字列リテラルを指します。その場合、

```
ptr1[1] = 'Z';
```

を実行すると、ptr1 が指す文字列も、ptr2 が指す文字列も "AZC" となります。

同じ綴りの文字列リテラルを "別のもの" とする正直な（?）処理系では、各ポインタは、別個の領域を指します。そのため、先ほどの代入を実行した後では、ptr1 が指す文字列が "AZC" となる一方で、ptr2 が指す文字列は "ABC" のままとなります。

なお、文字列リテラルの領域が書きかえ可能であるかどうかも処理系に依存します。書きかえ可能でなければ、上記のような代入を行うと、実行時エラーになる可能性もあります。

■ strcat関数：文字列の連結

次に行うのは、カレンダーの日付として、その月の日数分だけの整数を1から順に格納していくことです。ここで利用しているのが、文字列を連結する *strcat* 関数です。

strcat	
ヘッダ	#include <string.h>
形　式	char *strcat(char * restrict s1, const char * restrict s2);
機　能	s2 が指す文字列を、s1 が指す配列の末尾にコピーする。コピー元とコピー先が重なる場合の動作は未定義とする。
返却値	s1 の値を返す。

この関数は、第1引数が指す文字列の後ろに第2引数が指す文字列を連結する関数です。

Fig.6-11 に示すように、日付を表す3桁の文字列を配列 *tmp* に作り、それを配列 *s[k]* の末尾に連結する、といった作業を繰り返します。

```
for (int i = 1; i <= mdays; i++) {
    sprintf(tmp, "%3d", i);
    strcat(s[k], tmp);
    if (++wd % 7 == 0)
        k++;
}
```

図**a**、図**b**と進んで土曜日の日付を格納して1行分の文字を使い切ると、図**c**に示すように、*k*をインクリメントして次の行へと移ります。

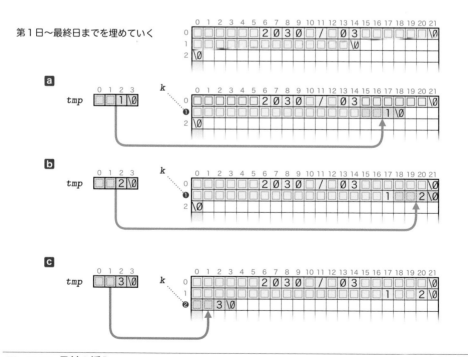

Fig.6-11 日付の挿入

この処理を変数 i が mdays になるまで繰り返すと、第1日から最終日までが埋まります。

＊

Fig.6-12 に示すのは、2024年9月のカレンダーの最終日までを埋め終わった状態です。

▶ 本ページと次ページに示す図は、最終日が月曜日となっている月のカレンダーです。

30日までの日付が埋められた2024年9月のカレンダー

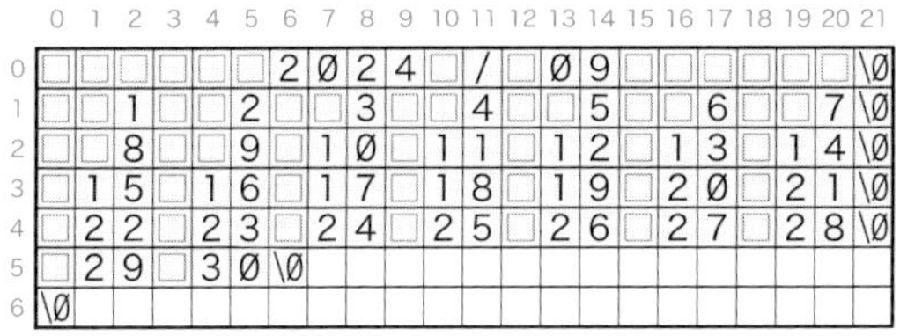

Fig.6-12 日付が最後まで埋められたカレンダー

これで終わりではありません。最終日（この図では30日）が土曜日でないため、第5行目は途中までしか文字が埋まっていないからです。

▶ このままの状態で複数月のカレンダーを横に並べると、空白が埋まっていない分だけ、右隣の月のカレンダーの同じ行が詰まってしまいます。

最終日の右側は空白文字で埋めつくさなければなりません。この図の例では、30日の日付を格納した直後の wd の値は **29** となっています。その値をインクリメントした値 **3Ø** を **7** で割った余りは、その翌日の曜日（火曜日）を示す **2** です。

Fig.6-13 に示すように、for 文の働きによって、この値が **7** になるまでインクリメントしながら、3個の空白文字の文字列 "□□□" を連結する作業を繰り返します。

▶ 火曜日、水曜日、木曜日、金曜日、土曜日に相当する5日分の箇所に、のべ3×5＝15個の空白文字が埋められます。

最終日の右側を空白文字で埋める

```
for (wd %= 7; wd < 7; wd++)        // 最終日の右側に空白文字を追加
    strcat(s[k], "   ");
```

Fig.6-13 最終日の右側の余白を埋める

　カレンダー本体部のうちの第０行目から第５行目までが埋められました。ただし、第６行目は空のままです。

　そこで、**Fig.6-14** に示すように、日付がまったく入っていない空の行を 21 個の空白文字で埋めつくします。

　これで１ヶ月分のカレンダー用文字列の作成が完了します。

日付が格納されていない未使用行を空白文字で埋める

```
while (++k < 7)          // 未使用行を空白文字で埋めつくす
    sprintf(s[k], "%21s", "");
```

Fig.6-14　本体部の未使用行を空白文字で埋める

　▶　第１日が日曜日である平年の２月は、第１日～第 28 日の日付が４行で収まります。その場合、ここに示す『21 個の空白文字を埋める処理』は、第５行目と第６行目の2行に対して行います。

■ 表示

　作成した文字列を表示するのが関数 **print** です。引数 **n** に受け取るのは、横方向に並べるカレンダーが何ヶ月分であるかです。

　▶　もちろん、この値は 1 以上で 3 以下です。

　たとえば、2031 年４月から６月までの３ヶ月分のカレンダーを横に並べて表示する場合、それらの月の文字列が、３次元配列 **sbuf[0]** ～ **sbuf[2]** に格納されています。

　先頭行は各配列の **0** 番目に格納されていますので、次の三つの文字列を横に並べて出力します。

sbuf[0][0]　…　2031年４月の第０行目文字列 "□□□□□2031□/□04□□□□□□"
sbuf[1][0]　…　2031年５月の第０行目文字列 "□□□□□2031□/□05□□□□□□"
sbuf[2][0]　…　2031年６月の第０行目文字列 "□□□□□2031□/□06□□□□□□"

　その結果、次の表示が行われます。

□□□□□2031□/□04□□□□□□□□□□□□□2031□/□05□□□□□□□□□□□□□2031□/□06□□□□□□

　▶　各月のカレンダーがくっつかないように、各月の後ろに水色の□□□で示す３個の空白を出力します。

続いて、カレンダー本体の第1行目として、次の三つの文字列を横に並べて出力します。

sbuf[0][1]　… 2031年4月の第1行目文字列 "□□□□□□□1□2□3□4□5"

sbuf[1][1]　… 2031年5月の第1行目文字列 "□□□□□□□□□□1□2□3"

sbuf[2][1]　… 2031年6月の第1行目文字列 "□□1□2□3□4□5□6□7"

その結果、表示が次のように行われます。

□□□□□□□1□2□3□4□5□□□□□□□□□□1□2□3□□1□2□3□4□5□6□7□□

この処理を第6行目まで繰り返すと、3ヶ月分のカレンダーの表示が完了します。

年月の計算

本プログラムでは、開始年月として指定された月から、終了年月として指定された月までの表示を行います。たとえば、2031年4月から8月までを表示するのであれば、次のように並べることになります。

2031年4月　2031年5月　2031年6月　… 3ヶ月分を並べて表示

2031年7月　2031年8月　　　　　　　… 2ヶ月分を並べて表示

その過程で、どの月のカレンダーを並べるのかを計算して制御するのが、関数 *put_calendar* です。まず、並べる月を求め、それから関数 *make_calendar* と関数 *print* を呼び出して、カレンダー文字列の作成と表示を行います。

✐ まとめ

❊ **文字列のコピー：strcpy 関数**

文字列 *s2* を *s1* にコピーする *strcpy* 関数を使って *strcpy(s1, s2)* とする。

❊ **文字列の連結：strcat 関数**

文字列 *s1* の後ろに *s2* を連結する *strcat* 関数を使って *strcat(s1, s2)* とする。

❊ **文字列の空文字列化：先頭文字へのナル文字の代入**

文字列 *str* を空文字列にするには、先頭文字にナル文字を代入する。

```
str[0] = '\0';
```

関数呼出しによる *strcpy(str, "")* でも可能であるが、使うべきではない。

❊ **書式化を伴う文字列の作成：sprintf 関数**

書式化を伴った文字列の作成は、*sprintf* 関数を利用するとよい。

この関数は、*printf* 関数の出力先が標準出力ストリーム（コンソール画面）でなく、第1引数で指定される char 型の配列となったものである。

6-4 コマンドライン引数

　プログラムを起動した後に年月をキーボードから入力するのではなく、起動時に指定できるように
カレンダープログラムを改良しましょう。

コマンドライン引数

　まずは、**List 6-13** を例に、プログラム起動時に与えられる引数を、プログラム上でどのように
に受け取って処理するのかを学習します。

```
List 6-13                                              chap06/argtest1.c
// プログラム名・プログラム仮引数の表示（その１）

#include <stdio.h>

int main(int argc, char *argv[])
{
    for (int i = 0; i < argc; i++)
        printf("argv[%d] = \"%s\"\n", i, argv[i]);

    return 0;
}
```

```
　　　　　　　　　　起動・実行例
>argtest1 Sort BinTree⏎
argv[0] = "argtest1"
argv[1] = "Sort"
argv[2] = "BinTree"
>
```

▶ 起動・実行例中の不等号 > は、OS（オペレーティングシステム）が表示するプロンプトです。表示
　される記号や文字は、OSやその設定に依存します。

　ここに示す起動・実行例では、3個の文字列が表示されています。これらは次に示す2種類
に分類されます。

■ **プログラム名**
　プログラム自身の名前を表す文字列であり、最初に（argv[0] として）表示されます。

▶ MS–Windowsは、拡張子付きで **"argtest1.exe"** と表示されます。また、システムの設定によっては、
　フォルダを含めたパス名が表示されます。

■ **プログラム仮引数**
　コマンドラインから与えた文字列であり、2番目以降に（argv[1] および argv[2] として）表
示されます。

　それでは、プログラムを理解していきましょう。

　これまでは、main 関数を右ページの **Fig.6-15 a** の形式で定義してきました。この定義が行
われたプログラムでは、実行環境から渡された文字列は受け取らずに無視されます。

　渡された文字列を受け取るための定義は、図 b の形式です。main 関数は、argc と argv の
二つの引数を受け取ります。

▶ main 関数がプログラム名やプログラム仮引数を受け取るのは、プログラムが単独ではなく、OS な
　どのホスト環境で実行されている場合です。

a コマンドライン引数を受け取らない

```
int main(void)
{
    // 引数を受け取らない
}
```

b コマンドライン引数を受け取る

```
int main(int argc, char *argv[])
{
    // 引数を受け取る
}
```

Fig.6-15 main関数の二つの形式

▶ 標準Cでは、*argv* は『処理系定義の文字列』を受け取ると規定されています。もっとも、ほとんどの処理系で受け取るのはコマンドライン引数ですから、そのことを前提として学習を進めます。

▪ 第1引数 argc

`int` 型の第1引数 *argc* に受け取るのは、プログラム名とプログラム仮引数をあわせた個数です。変数名の *argc* は、argument count に由来します。

▪ 第2引数 argv

第2引数 *argv* に受け取るのは、"char へのポインタの配列" であり、その要素は、次のとおりです（これらの詳細は次ページで学習します）。

▪ 先頭要素 *argv[0]* ：プログラム名を指すポインタ
▪ 要素 *argv[1]* 以降 ：プログラム仮引数を指すポインタ

変数名の *argv* は、argument vector に由来します。

▶ 第2引数の宣言 char *argv[] は、char **argv とすることもできます（同じ意味です）。
二つの引数の名前は任意ですが、*argc* と *argv* が広く使われています（この名前でなければならないと勘違いしている人も多いようです）。

Column 6-6	コマンドライン引数の受取りに制限がある環境での argv

プログラムが自分の名前を実行時に受け取るのが不可能な実行環境では、*argv[0]* はナル文字を指すことになっています。その場合に得られる起動・実行例を示したのが①です。

また、プログラム名やプログラム仮引数の大文字／小文字を区別できない実行環境では、すべての文字列を小文字表現で受け取ることになっており、②に示す実行例が得られます。

```
起動・実行例 1
>argtest1 Sort BinTree⏎
argv[0] = ""
argv[1] = "Sort"
argv[2] = "BinTree"
>
```

```
起動・実行例 2
>argtest1 Sort BinTree⏎
argv[0] = "argtest1"
argv[1] = "sort"
argv[2] = "bintree"
>
```

▢ argc と argv の詳細

main 関数の引数の受取りは、プログラム本体の実行開始前に（私たちが気づかないうちに）行われます。

このことを、次のようにプログラムが実行された場合を例に考えていきましょう。

```
>argtest1 Sort BinTree⏎
```

実行プログラム argtest1 の起動に際して "コマンドライン引数" として与えられているのは、"Sort" と "BinTree" の二つです。

プログラム argtest1 が起動すると、次の作業が行われます。

① 文字列領域の準備

プログラム名とプログラム仮引数を格納するための、個々の文字列用の領域（**Fig.6-16** の**a**の部分）が準備されます。

▶ この例で準備されるのは、三つの文字列 "argtest1"、"Sort"、"BinTree" です。

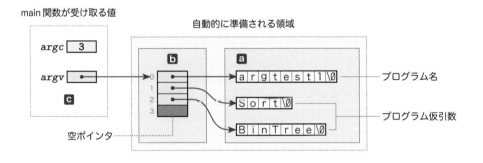

Fig.6-16 main 関数が受け取る argc と argv

② 文字列を指すポインタの配列の準備

①で準備された各文字列を指すポインタを要素としてもつ、配列用の領域が準備されます（図**b**の部分です）。この配列の要素型および要素数は次のとおりです：

- **要素型**

要素型は **char** へのポインタ型、すなわち **char ∗** 型です。

末尾要素を除く各要素は、図**a**の各文字列（の先頭文字）を指すポインタです。なお、末尾要素には空ポインタが格納されます。

▶ 末尾要素に格納された空ポインタは、番兵として機能します。p.204 で学習します。

■ 要素数

配列の要素数は、図**a**で準備された文字列の個数に**1**を加えた値です。この例では**4**となります。

そのため、図**b**の配列の各要素の値は、次のようになっています。

- ■ 1番目の要素 … プログラム名　　　　 `"argtest1"` の先頭文字 `'a'` へのポインタ。
- ■ 2番目の要素 … プログラム仮引数 `"Sort"`　　 の先頭文字 `'S'` へのポインタ。
- ■ 3番目の要素 … プログラム仮引数 `"BinTree"`　 の先頭文字 `'B'` へのポインタ。
- ■ 4番目の要素 … 空ポインタ。

---

③ main 関数の呼出し

①と②のステップが完了すると、`main` 関数が呼び出されます。このときに行われるのが、次の処理です。

- ■ プログラム名とプログラム仮引数の個数である整数値を第1引数 *argc* に渡す。
- ■ 作成した配列の先頭要素へのポインタを第2引数 *argv* に渡す。

`main` 関数は、図**c**に示す二つを引数に受け取ります。

すなわち、*argc* に受け取る値は**3**であり、*argv* に受け取るのは、図**b**の配列の先頭要素へのポインタです。

さて、図**b**の配列は、要素型が"**char** へのポインタ"である配列です。その先頭要素を指すポインタを受け取るのですから、*argv* の型は『"**char** へのポインタ" へのポインタ』となります（"**char ***" へのポインタですから、**char **** となります）。

配列とポインタの表記上の可換性（**Column 3-2**：p.78）によって、*argv* が指している図**b**の配列の各要素は、先頭から順に *argv*[**0**]、*argv*[**1**]、… でアクセスできます。

＊

本プログラムでは、図**b**の配列の各要素が指す文字列を先頭から順に表示します。それを行っているのが、次の **for** 文です。

```
for (int i = 0; i < argc; i++)
    printf("argv[%d] = \"%s\"\n", i, argv[i]);
```

argv[*i*] は各文字列の先頭文字を指すポインタですから、書式文字列 `"%s"` とともに *printf* 関数に渡すと、文字列として表示されます。

ポインタによるargvの文字列単位の走査

コマンドライン引数を自在に扱えるように、学習を深めていきましょう。

List 6-14 に示すのは、添字演算子 [ ] を用いることなく、argv が指す文字列の配列をアクセスするプログラムです。

▶ プログラムのファイル名が argtest2 に変わっていますが、見かけ上の動作は、前のプログラム argtest1 と同じです。

```
List 6-14                                              chap06/argtest2.c
// プログラム名・プログラム仮引数の表示（その2：文字列単位で走査）

#include <stdio.h>

int main(int argc, char **argv)
{
    int i = 0;

    while (argc-- > 0)
        printf("argv[%d] = \"%s\"\n", i++, *argv++);

    return 0;
}
```

```
起動・実行例
>argtest2 Sort BinTree⏎
argv[0] = "argtest2"
argv[1] = "Sort"
argv[2] = "BinTree"
>
```

プログラムのほぼ全体を占める while 文が、argc をデクリメントしながら argc 回の繰返しを行っていることは分かるでしょう。

それでは、その過程で各文字列を表示していく様子を、右ページの Fig.6-17 を見ながら理解していきます。

a while 文の実行が開始して制御式 argc-- > 0 が評価されます。argc が 0 より大きいかどうかの判定が行われた直後に、argc がデクリメントされて 3 から 2 になります。

b ループ本体では、まず整数値 i と文字列 *argv を表示します（i は 0 と表示されます）。

配列の先頭要素を指すポインタ argv に間接演算子 * を適用した間接式 *argv は、文字列 "argtest2" の先頭文字 'a' を指すポインタです。そのポインタ *argv を書式文字列 "%s" とともに printf 関数に渡すことで、文字列 "argtest2" が表示されます。

なお、表示の直後に i とポインタ argv がインクリメントされるため、i の値は 1 となり、文字列 "Sort" の先頭文字 'S' をポインタ *argv が指すことになります。

▶ インクリメントされるのが、*argv ではなく、argv であることに注意しましょう。それぞれのインクリメントは、次のように異なります。

argv をインクリメントすると "argtest2" の次の要素 "Sort" を指すように argv が更新される。
*argv をインクリメントすると 'a'　　　の次の要素 'r'　　を指すように *argv が更新される。

c 制御式 argc-- > 0 が評価され、argc がデクリメントされて 2 から 1 になります。

printf 関数によって、変数 i の値が 1 と表示され、*argv が "Sort" と表示されます。

　なお、表示の直後に *i* とポインタ *argv* がインクリメントされるため、*i* の値は 2 となり、ポインタ **argv* は、文字列 **"BinTree"** の先頭文字 **'B'** を指すことになります。

d 　制御式 *argc-- > 0* が評価され、*argc* がデクリメントされて 1 から 0 になります。
　printf 関数によって、変数 *i* の値が 2 と表示され、**argv* が **"BinTree"** と表示されます。
　表示の直後に *i* とポインタ *argv* がインクリメントされます。

　制御式 *argc-- > 0* が評価されます。*argc* の値が 0 より大きいかどうかの判定が成立しませんから、**while** 文が終了してプログラムも終わります。

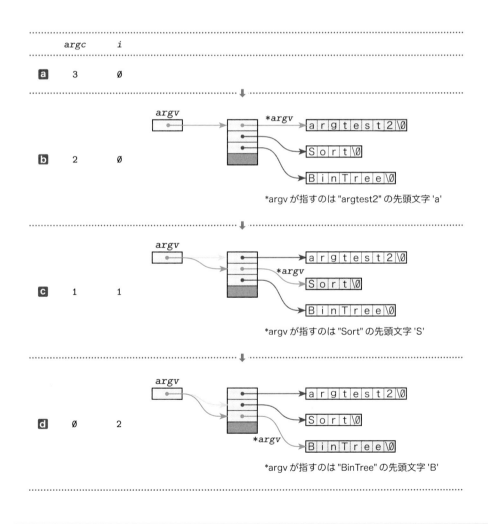

Fig.6-17 argv によるコマンドライン引数の文字列単位の走査

6
カレンダー

□ ポインタによる argv の文字単位の走査 ─────────

次に、文字単位で走査しながら、コマンドライン引数の文字列を表示するようにプログラム
を書きかえます。**List 6-15** に示すのが、そのプログラムです。

List 6-15   chap06/argtest3.c

```c
// プログラム名・プログラム仮引数の表示（その3：文字単位で走査）

#include <stdio.h>

int main(int argc, char **argv)
{
    int i = 0;

    while (argc-- > 0) {
        char c;
        printf("argv[%d] = \"", i++);
        while (c = *(*argv)++)
            putchar(c);
        argv++;
        printf("\"\n");
    }

    return 0;
}
```

```
┌─────── 起動・実行例 ───────┐
│ >argtest3 Sort BinTree⏎     │
│ argv[0] = "argtest3"        │
│ argv[1] = "Sort"            │
│ argv[2] = "BinTree"         │
│ >                           │
└─────────────────────────────┘
```

外側の **while** 文は前のプログラムと同じですが、内側の **while** 文の制御式 c = *(*arvg)++
が複雑です。右ページの **Fig.6-18** を見ながら、プログラムの流れを追っていきましょう。

a 　外側の **while** 文の実行が開始して、制御式 *argc-- > 0* が評価されます。*argc* が 0 より
大きいかどうかが判定された直後に、*argc* がデクリメントされて 3 から 2 になります。

b 　ポインタ *argv* は "argtest3" の先頭文字 'a' を指しています。そのポインタが指す実体
である **argv* すなわち 'a' が変数 *c* に代入され、その文字が *putchar* 関数によって表示さ
れます。
　　なお、**while** 文の制御式 c = *(*argv)++ は、次のように分解すると理解しやすくなります。

```
c = **argv;        // argvが指すポインタが指している文字をcに代入
(*argv)++;         // 代入が終わった直後に*argvをインクリメント
```

もちろん、インクリメント ++ の対象となるのは、*argv* ではなく、**argv* です。

c 　前のステップでインクリメントされたポインタ *argv* は、2番目の文字 'r' を指しています。
そのポインタが指す実体である **argv* すなわち 'r' が変数 *c* に代入されて表示されます。

d 　前のステップでインクリメントされたポインタ *argv* は、3番目の文字 'g' を指しています。
そのポインタが指す実体である **argv* すなわち 'g' が変数 *c* に代入されて表示されます。

e 前のステップでインクリメントされたポインタ *argv は、文字列末尾のナル文字を指しています。while 文の制御式 c = *(*argv)++ を評価して得られる値は 0 となります。

これで、内側の while 文による繰返しが終了します。

▶ 制御式が**代入式**であることに対して警告を発するコンパイラがあります。

```
while ((c = *(*argv)++) != 0)
```

と**等価式**に書きかえると、警告は発せられなくなります（"chap06/argtest3a.c"）。

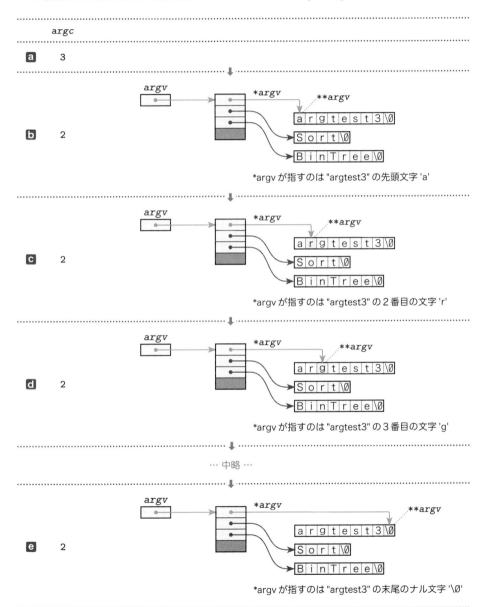

Fig.6-18 argv によるコマンドライン引数の文字単位の走査（1）

内側の while 文の繰返しが終了して最初の文字列 "argtest3" の表示が完了すると、水色部の argv++ よって argv がインクリメントされます。

その結果、**Fig.6-19 a** に示すように、次の文字列 "Sort" の先頭文字 'S' を指すように argv が更新されます。

▶ このインクリメントの対象は、*argv ではなく argv です。

この状態で内側の while 文を実行すると、**Fig.6-19** に示すように、文字列 "Sort" 内の文字が先頭から一つずつ表示されます。

▶ 前ページで学習した、文字列 "argtest3" の走査・表示と同じ要領です。

文字列 "Sort" の表示が終了すると、再び argv をインクリメントします。

```
while (argc-- > 0) {
    char c;
    printf("argv[%d] = \"", i++);
    while (c = *(*argv)++)
        putchar(c);
    argv++;
    printf("\"\n");
}
```

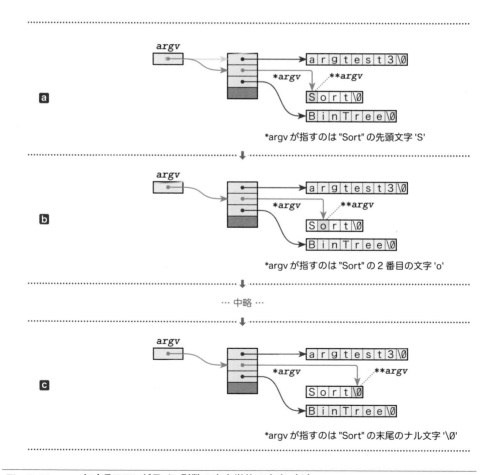

Fig.6-19 argv によるコマンドライン引数の文字単位の走査（2）

そうすると、**Fig.6-20** に示すように、`*argv` は `"BinTree"` の先頭文字 `'B'` を指すことになります。この文字列に対しても、これまでと同様な走査を内側の `while` 文で行って、文字列内の文字を先頭から順に表示します。

▶ 図は省略しますが、`*argv` のインクリメントを繰り返すことで、`'B'`、`'i'`、…、`'e'` に順に着目して表示します（ナル文字 `'\0'` に出会うと走査を終了します）。

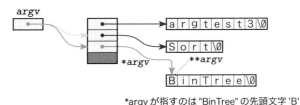

*argv が指すのは "BinTree" の先頭文字 'B'

Fig.6-20 `argv` によるコマンドライン引数の文字単位の走査（3）

再び外側の `while` 文の制御式 `argc-- > 0` が評価されます。`argc` の値が `0` より大きいかどうかの判定が成立しませんから、`while` 文による繰返しが終了してプログラムも終わります。

これですべての文字列の表示が完了します。

📝 まとめ

✳ コマンドライン引数の受取り

`main` 関数は、コマンドラインから与えられた文字列の取得のために、**プログラム名**および**プログラム仮引数**として、次の二つの引数を受け取る。

`argc` … プログラム名とプログラム仮引数の個数。

`argv` … プログラム名とプログラム仮引数を指すポインタの配列の先頭要素へのポインタ。

```c
int main(int argc, char *argv[])
{
    // …
}
```

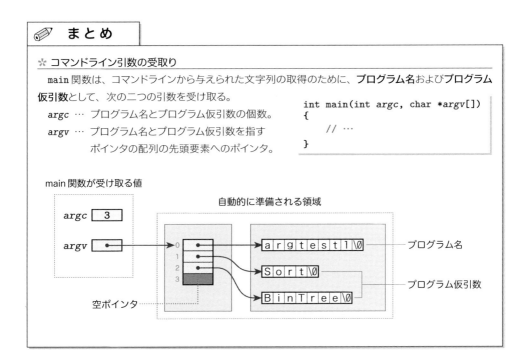

argc を使わない走査

argv が指す配列の末尾要素に格納されている空ポインタは、"**番兵**" として有効です。

末尾要素を番兵として利用して表示を行うように、**List 6-14**（p.198）を書きかえたのが、**List 6-16** のプログラムです。

List 6-16　　　　　　　　　　　　　　　　　　　　　　　chap06/argtest4.c

```
// プログラム名・プログラム仮引数をargcを使わずに表示（その2を改変）

#include <stdio.h>

int main(int argc, char **argv)
{
    int i = 0;

    while (*argv)
        printf("argv[%d] = \"%s\"\n", i++, *argv++);

    return 0;
}
```

```
起動・実行例
>argtest4 Sort BinTree⏎
argv[0] = "argtest4"
argv[1] = "Sort"
argv[2] = "BinTree"
>
```

▶ 番兵は、繰返し処理の終了条件の目印となるデータのことです。

　なお、標準Cに対応していない古い処理系には、*argv* が指す配列の最後の要素に空ポインタを格納しないものもあります。

Column 6-7　　│　main 関数の再帰呼出し

C言語では、main 関数を再帰的に呼び出す（main 関数から main 関数を呼び出す）ことができるようになっています。**List 6C-1** に示すのが、そのプログラム例です。

List 6C-1　　　　　　　　　　　　　　　　　　　　　　　chap06/recmain.c

```
// main関数の再帰的な呼出し

#include <stdio.h>

int main(void)
{
    static int x = 5;
    static int v = 0;

    if (--x > 0) {
        printf("x       = %d\n", x);
        printf("main() = %d\n", main());
        v++;
        return v;
    } else {
        return 0;
    }
}
```

```
実行結果
x       = 4
x       = 3
x       = 2
x       = 1
main() = 0
main() = 1
main() = 2
main() = 3
```

ただし、C++ では、main 関数を再帰的に呼び出したり、main 関数のアドレスを取得したりすることはできません。

　本プログラムにおける走査の様子を示したのが、**Fig.6-21** です。図**d**のように、`argv` が指す値が空ポインタとなったときに、制御式 `*argv` を評価した値が **0** となり、`while` 文の繰返しが終了します。

　これまでのプログラムとは異なり、本プログラムは `argc` の値を使わずに実現されています。

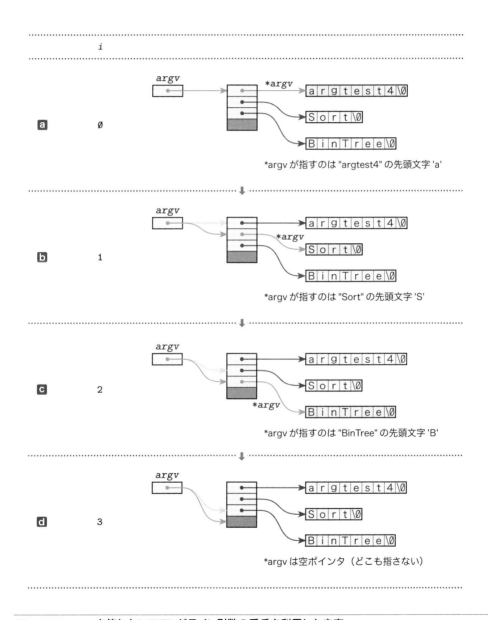

Fig.6-21 argc を使わないコマンドライン引数の番兵を利用した走査

起動時に年月を指定するカレンダー

本節の目的は、表示するカレンダーの年月を、プログラム起動時に指定できるようにすることでした（p.194）。そのように作ったのが、**List 6-17** に示すカレンダープログラムです。

List 6-17   chap06/calendar.c

```c
// カレンダー表示（表示する年月をコマンドラインで指定）

#include <time.h>
#include <ctype.h>
#include <stdio.h>
#include <stdlib.h>

//--- 各月の日数 ---//
int mday[12] = {31, 28, 31, 30, 31, 30, 31, 31, 30, 31, 30, 31};

int dayofweek(int year, int month, int day) { /* 省略：List 6-11と同じ */ }
int is_leap(int year)                        { /* 省略：List 6-11と同じ */ }
int monthdays(int year, int month)           { /* 省略：List 6-11と同じ */ }
void put_calendar(int y, int m)              { /* 省略：List 6-11と同じ */ }

//--- 文字列の先頭n文字を比較（大文字・小文字を区別しない） ---//
int strncmpx(const char *s1, const char *s2, size_t n)
{
    while (n && toupper(*s1) && toupper(*s2)) {
        if (toupper(*s1) != toupper(*s2))           // 等しくない
            return (unsigned char)*s1 - (unsigned char)*s2;
        s1++;
        s2++;
        n--;
    }
    if (!n)  return 0;
    if (*s1) return 1;
    return -1;
}

//--- 文字列から月の値を得る ---//
int get_month(char *s)
{
    char *month[] = {"", "January", "February", "March", "April",
                     "May", "June", "July", "August", "September",
                     "October", "November", "December"};

    int m = atoi(s);              // 月
    if (m >= 1 && m <= 12)        // 数字表記："1", "2", …, "12"
        return m;

    for (int i = 1; i <= 12; i++)      // 英語表記
        if (strncmpx(month[i], s, 3) == 0)
            return i;

    return -1;                    // 変換失敗
}

int main(int argc, char *argv[])
{
    time_t now = time(NULL);               // 暦時刻（現在の暦時刻）
    struct tm *current = localtime(&now);  // 要素別の時刻（地方時）
```

```
    int y = current->tm_year + 1900;        // 今日の年
    int m = current->tm_mon + 1;            // 今日の月

    if (argc >= 2) {                         // argv[1]の解析
        m = get_month(argv[1]);
        if (m < 0 || m > 12) {
            fprintf(stderr, "月の値が不正です。\n");
            return 1;
        }
    }
    if (argc >= 3) {                         // argv[2]の解析
        y = atoi(argv[2]);
        if (y < 0) {
            fprintf(stderr, "年の値が不正です。\n");
            return 1;
        }
    }

    printf("%d年%d月\n\n", y, m);

    put_calendar(y, m);      // y年m月のカレンダーを表示

    return 0;
}
```

6-4

コマンドライン引数

起動・実行例 ❶	起動・実行例 ❷	起動・実行例 ❸
`>calendar⏎` 2029年11月	`>calendar 8⏎` 2029年8月	`>calendar 11 2022⏎` 2022年11月

日 月 火 水 木 金 土
-------------------- 	
            1 2 3
 4 5 6 7 8 9 10
11 12 13 14 15 16 17
18 19 20 21 22 23 24
25 26 27 28 29 30
	日 月 火 水 木 金 土
	-------------------- 	
	         1 2 3 4
	 5 6 7 8 9 10 11
	12 13 14 15 16 17 18
	19 20 21 22 23 24 25
	26 27 28 29 30 31
		日 月 火 水 木 金 土
		-------------------- 	
		         1 2 3 4 5
		 6 7 8 9 10 11 12
		13 14 15 16 17 18 19
		20 21 22 23 24 25 26
		27 28 29 30

本プログラムは、用途や目的に応じて、3種類の起動ができます。

▶ 実行例①と②は、2029年11月に実行した場合の実行結果です。

▪ **実行例①：コマンドラインからパラメータを与えずに起動**

現在（プログラム実行時）の年月のカレンダーが表示されます。

▪ **実行例②：コマンドラインから《月》を与えて起動**

指定された月（年はプログラム実行の年）のカレンダーを表示します。

月の指定は、1～12の整数のほかにも、"January"、"February" といった英語表記もOKです（大文字／小文字は区別しません）。なお、4文字目以降は省略できますので、たとえば11月は "Nov"、"nove" などとできます。

▪ **実行例③：コマンドラインから《月》と《年》を与えて起動**

指定された年月のカレンダーを表示します。

▶ 水色の箇所で利用している fprintf 関数と stderr は、第9章で学習します。

本プログラムで定義している二つの関数 strncmpx と get_month を理解していきましょう。

■ 関数 strncmpx：文字列先頭部の大文字／小文字を区別しない大小関係の判定

この関数は、*s1* が指す文字列と *s2* が指す文字列の大小関係を判定する関数です。*s1* のほうが小さければ負の値、*s1* のほうが大きければ正の値、両者が等しければ 0 を返します。

▶ 二つの文字列を比較する標準ライブラリ *strncmp* 関数（p.128）を拡張した関数です。

比較の対象は先頭 *n* 文字のみであって、かつ、大文字と小文字を区別しません。そのため、たとえば *n* が 3 であれば、`"JAN"`、`"Janu"`、`"Janua"` などは、等しい文字列とみなされます。

その実現のために、*toupper* 関数を使って大文字に変換した上で、各文字の比較を行っています。

toupper	
ヘッダ	`#include <ctype.h>`
形　式	`int toupper(int c);`
解　説	英小文字を対応する英大文字に変換する。
返却値	*c* が英小文字であれば、英大文字に変換した値を返す。そうでなければ、*c* をそのまま返す。

なお、*toupper* 関数とは逆に、大文字を小文字に変換する *tolower* 関数もあわせて覚えておきましょう。

tolower	
ヘッダ	`#include <ctype.h>`
形　式	`int tolower(int c);`
解　説	英大文字を対応する英小文字に変換する。
返却値	*c* が英大文字であれば、英小文字に変換した値を返す。そうでなければ、*c* をそのまま返す。

■ 関数 get_month：月を表す文字列の解析

月の指定のためにコマンドライン引数で与えられた文字列を整数値に変換する関数です。

まず *atoi* 関数（p.107）で変換を試みます。そのため、`"1"`、`"2"`、…、`"12"` といった文字列は、整数値 1、2、…、12 に変換されます。

変換した結果が 1 以上 12 以下でなければ、文字列を数値ではなくて英語表記として解釈するために、関数 *strncmpx* を利用して、配列 *month* に格納されている文字列 `"January"`、`"February"`、…、`"December"` と一致するかどうかを調べます。

▶ 標準ライブラリ *strncmp* 関数ではなく、本プログラム内で定義している関数 *strncmpx* を呼び出すことで、大文字／小文字の区別を無視し、先頭の3文字のみで一致を判定しています。

＊

main 関数では、受け取ったコマンドライン引数の個数に応じて、与えられた月や年の解析を行った上でカレンダーを表示します。プログラムをよく読んで、理解しましょう。

✎ 自由課題

☑ 演習 6-1

List 6-12（p.182）のプログラムでは、横に並べる3ヶ月分のカレンダーのあいだに、3個の空白文字を出力している（p.192）。

この3個の空白文字の出力は、左端月と中央月のあいだと、中央月と右端月のあいだのみでよいにもかかわらず、右端月の後にも（無駄に）出力している。そのため、たとえば横幅が70桁のコンソール画面では、3ヶ月分が1行に収まらない。右端月の後に空白文字を出力しなければ、横幅が70桁のコンソール画面に、3ヶ月分のカレンダーが収まるようになる。そのように改良したプログラムを作成せよ。

☑ 演習 6-2

List 6-12 は、開始年月と終了年月の整合性（たとえば、終了年月が開始年月より前の年月となっている、月の値が 1 ～ 12 の範囲に入っていない、などの誤り）のチェックを行っていない。

整合性をチェックして誤りがあれば、年月を再入力させるように改良したプログラムを作成せよ（前問で作成したプログラムをベースにして作成すること）。

☑ 演習 6-3

List 6-12 は、各月を6週間分（すなわちカレンダー本体を7行で）表示する。横に並んだ3ヶ月の最大の週にあわせるように改良せよ。すなわち、横に並べる3ヶ月のすべてが、5週しかないのであれば、6週目を表示しないようにする。

☑ 演習 6-4

List 6-12 のプログラムでは、カレンダーがずれて表示されるのを防ぐために、月の最終日以降に空白文字を埋めている。空白文字の埋めつくしを行わなくても、printf 関数による表示の際に、表示幅を指定して整形出力すれば、カレンダーがずれることはない。そのようにプログラムを書きかえよ。

☑ 演習 6-5

List 6-17（p.206）のプログラムでは、月を指定する英語の綴りに関して先頭の3文字のみで一致／不一致を判定するため、たとえば綴りをミスした "Jane" も1月とみなされる。3文字以降の綴りが誤りであれば不一致とみなすように書きかえよ。

☑ 演習 6-6

List 6-17 のプログラムを改良して、List 6-12 と同様に、横方向に最大3ヶ月分のカレンダーを並べて表示するようにせよ。コマンドラインからの年月の指定法などは、自分で設計すること。

☑ 演習 6-7

《日付当てゲーム》のプログラムを作成せよ。ゲームの流れは、第1章の《数当てゲーム》と同様なものとすること。すなわち、年／月／日を入力させて、それより前か／後か／正解かを判定して表示すること。

第 7 章

右脳トレーニング

本章では、《ラックナンバーサーチ》《ダブルナンバーサーチ》《トライグラフ連想トレーニング》などの右脳を鍛えるためのトレーニングソフトを作ります。

この章で学ぶおもなこと

- 配列のコピー
- 配列の要素のシャッフル
- 代入演算子とコンマ演算子
- 2値の交換
- 関数形式マクロ
- 空文
- インクルードガードされた
  ヘッダの設計
- 可変個引数のアクセス
- 多次元配列の初期化子
- リアルタイムなキー入力
- Curses ライブラリ

- "getputch.h" ライブラリ
- va_list 型
- va_arg マクロ
- va_end マクロ
- va_start マクロ
- memcpy 関数
- memmove 関数
- vfprintf 関数
- vprintf 関数
- vsprintf 関数
- getch 関数　※非標準C
- putch 関数　※非標準C

7-1 ラックナンバーサーチ

本章では、判断力や瞬発力などを磨きながら右脳をトレーニングするソフトを作成します。
最初に作成する《ラックナンバーサーチ》は、1から9までの数字を一つ抜いて表示して、それを
瞬時に見つけさせるトレーニングです。

配列のコピー

ラックナンバーサーチは、次のように1から9までの数字の一つが抜かれている並びを見て、
欠けている（抜かれている）数字を見つけるトレーニングです。

---

2 6 1 5 3 9 4 8 　　　 ⇦ 欠けている数字を見つける（抜かれているのは7です）

段階を追ってプログラムを作っていくことにしましょう。まずは、**List 7-1** のプログラムを理
解します。先頭から順に1、2、…、9で初期化された配列 *dgt* の全要素を、配列 **a** にコピー
して表示するプログラムです。

▶ 配列名の *dgt* は、digit ＝数字に由来します。なお、配列 **a** は、初期化子 **0** が1個だけ与えられて
いるため、全要素が **0** で初期化されます。

List 7-1　　　　　　　　　　　　　　　　　　　　　　　　chap07/arycpy.c

```
// 配列をコピーして表示

#include <stdio.h>

int main(void)
{
    int dgt[9] = {1, 2, 3, 4, 5, 6, 7, 8, 9};
    int a[9] = {0};

    for (int i = 0; i < 9; i++)        // 全要素をコピー ─■
        a[i] = dgt[i];

    for (int i = 0; i < 9; i++)        // 全要素を表示 ─■
        printf("%d ", a[i]);

    putchar('\n');

    return 0;
}
```

```
実行結果
1 2 3 4 5 6 7 8 9
```

配列 *dgt* を配列 **a** にまるごとコピーするのが、**■** の **for** 文です。その処理の過程を、右ページ
の **Fig.7-1** を見ながら理解していきましょう。

for 文の繰返しが開始するときの変数 *i* の値は **0** ですから、ループ本体の

　 a[i] = dgt[i];

の実行によって、*dgt*[**0**] の値が a[**0**] に代入されます（図**a**）。

for 文の働きで *i* の値がインクリメントされて1になると、図**b**に示すように、*dgt*[1] の値
が a[1] に代入されます（その次の図**c**では *dgt*[2] の値が a[2] に代入されます）。

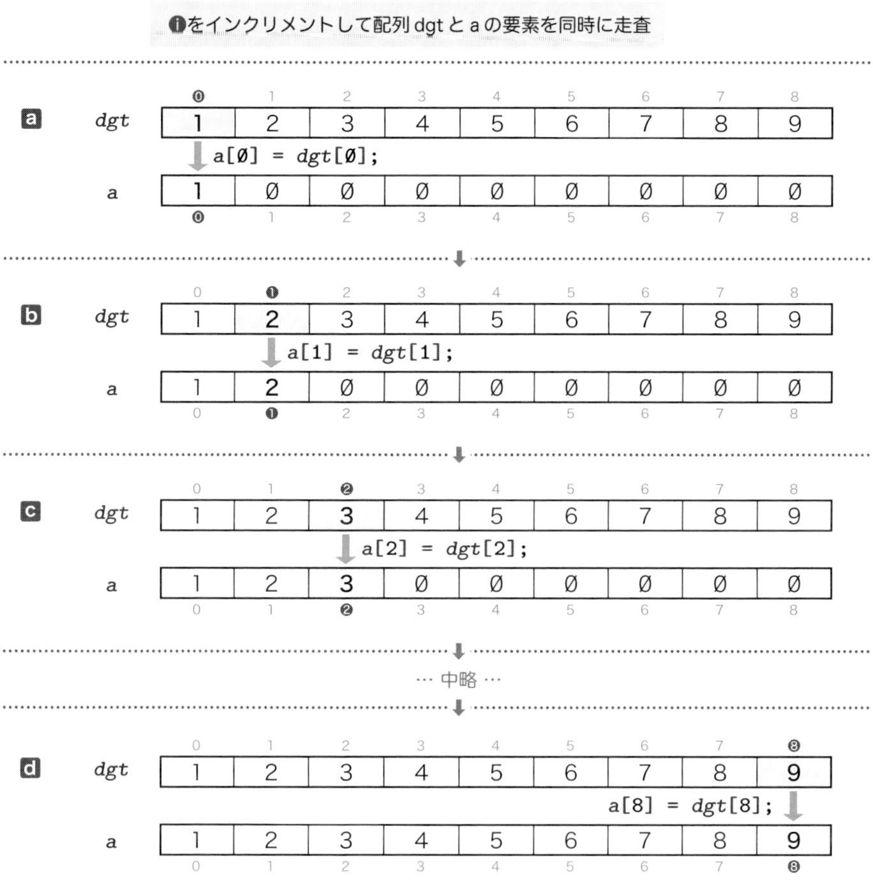

❶をインクリメントして配列dgtとaの要素を同時に走査

Fig.7-1 配列のコピー

　このように、*i*の値を一つずつインクリメントしながら要素の代入を繰り返して、配列*dgt*の全要素の値を、同じ添字をもつ配列aの要素に代入することで、配列*dgt*から配列aへのコピーを完了させます（図**d**）。

　このような面倒なことを行っているのは、C言語の仕様によって、次のように配列の一括代入が行えないからです。

```
a = dgt;    // エラー：配列をまるごと代入することはできない
```

▶　配列を高速にコピーする手段があります。**Column 7-3**（p.244）で学習します。

　❷のfor文では、コピーした配列aの全要素の値を表示します。すべての要素が正しくコピーされていることが、実行結果から確認できます。

配列の要素を1個飛ばしてコピー

　配列のコピーの際に要素を1個飛ばすと、ラックナンバーサーチのトレーニングプログラムに近づきます。**List 7-2** に示すのが、そのプログラムです。

▶ コピー元配列 *dgt* は前のプログラムと同じですが、コピー先配列 a は要素数が8に変更されています。

List 7-2　　　　　　　　　　　　　　　　　　　　　　chap07/arycpy_skip.c

```c
// 配列をコピーして表示（要素を1個飛ばす）

#include <time.h>
#include <stdio.h>
#include <stdlib.h>

int main(void)
{
    int dgt[9] = {1, 2, 3, 4, 5, 6, 7, 8, 9};
    int a[8] = {0};

    srand(time(NULL));       // 乱数の種を設定

    int x = rand() % 9;      // コピーを飛ばす要素の添字（0～8）      ■1

    int i = 0, j = 0;
    while (i < 9) {          // dgt[x]を飛ばしてコピー
        if (i != x)
            a[j++] = dgt[i];     x が i でないときのみコピー          ■2
        i++;
    }

    for (int i = 0; i < 8; i++)      // 全要素を表示                 ■3
        printf("%d ", a[i]);

    putchar('\n');

    return 0;
}
```

実行例
```
1 2 4 5 6 7 8 9
```

　プログラム主要部は、大きく三つのステップで構成されます。

■1 コピーを飛ばす要素の決定

　変数 *x* の値を、0 ～ 8 の乱数で決定します（コピーの際に飛ばすのは *dgt[x]* です）。

■2 要素 *dgt[x]* を飛ばしての配列 *dgt* から配列 a へのコピー

　コピー元配列 *dgt* とコピー先配列 a を同時に走査しながらコピーを行います。それぞれの配列の走査を制御するのが、変数 *i* と *j* であり、初期値はいずれも 0 です。

　右ページの **Fig.7-2** を見ながら考えていきましょう。ここに示すのは、乱数で決定された変数 *x* の値が 2 の例です。if文の判定 *i != x* が成立するときにコピーを行うのですから、図**a** では *dgt[0]* の値が a[0] に代入され、図**b** では *dgt[1]* の値が a[1] に代入されます。

　図**c** に示すように、if文の判定 *i != x* が成立しないときは**コピーを行いません**。そのため、図**d** 以降では、*j* の値が *i* よりも一つ小さい状態でコピーが続けられます。図**f** のように、変数 *i* の値が 8 になるまで代入を繰り返すと、コピー先の配列が完成します。

3 配列 a の全要素の表示

最後に、配列 a に含まれる8個の要素の値をすべて表示します。

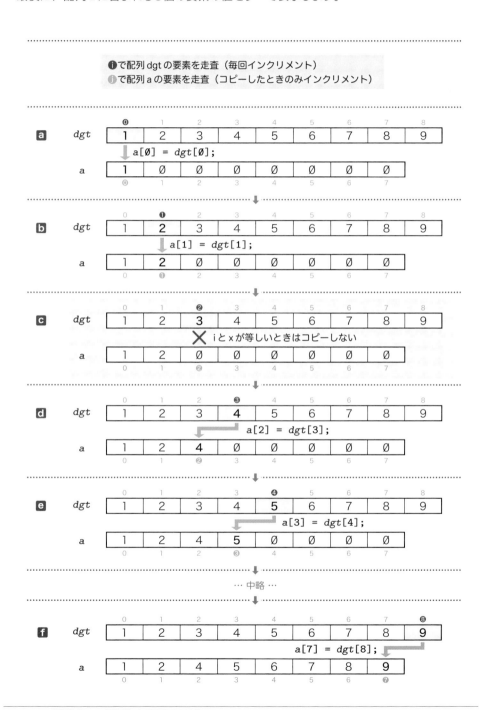

Fig.7-2 要素を一つ飛ばした配列のコピー

■ ラックナンバーサーチ

　ここまで理解できれば、ゲーム感覚で実行できるトレーニングソフトへと発展させるのは容易です。**List 7-3** に示すのが、試作版のプログラムです。

　まずは、実行しましょう。トレーニングを10回行います。

List 7-3　　　　　　　　　　　　　　　　　　　　　　　　　chap07/lacknum0.c

```c
// ラックナンバーサーチ・トレーニング（試作版）

#include <time.h>
#include <stdio.h>
#include <stdlib.h>

#define MAX_STAGE    10              // 挑戦回数

int main(void)
{
    int dgt[9] = {1, 2, 3, 4, 5, 6, 7, 8, 9};
    int a[8];

    srand(time(NULL));              // 乱数の種を設定

    printf("欠けている数字を見つけよう!!\n");

    time_t start = time(NULL);
    for (int stage = 0; stage < MAX_STAGE; stage++) {
        int x = rand() % 9;        // コピーを飛ばす要素の添字（0～8）

        int i = 0, j = 0;
        while (i < 9) {                     // dgt[x]を飛ばしてコピー
            if (i != x)
                a[j++] = dgt[i];
            i++;
        }

        for (int i = 0; i < 8; i++)      // 全要素を表示
            printf("%d ", a[i]);
        printf(" : ");

        int no;                           // 読み込んだ値
        do {
            scanf("%d", &no);
        } while (no != dgt[x]);           // 正解が入力されるまで繰り返す
    }
    time_t end = time(NULL);

    double jikan = difftime(end, start);

    printf("%.1f秒かかりました。\n", jikan);

    if (jikan > 25.0)
        printf("鈍すぎます。\n");
    else if (jikan > 20.0)
        printf("少し鈍いですね。\n");
    else if (jikan > 17.0)
        printf("まあまあですね。\n");
    else
        printf("素早いですね。\n");

    return 0;
}
```

A

1

B

2

```
            実行例
欠けている数字を見つけよう!!
1 2 3 5 6 7 8 9 : 4⏎
1 2 3 4 6 7 8 9 : 6⏎
5⏎
2 3 4 5 6 7 8 9 : 1⏎
1 2 3 4 5 6 7 9 : 8⏎
… 中略 …
1 2 3 4 5 6 8 9 : 7⏎
44.0秒かかりました。
鈍すぎます。
```

本プログラムの **1** は、前のプログラムの **1**〜**3** とまったく同じです。乱数で決定した *x* を添字とする要素 *dgt[x]* を飛ばして配列 *dgt* を配列 a にコピーして表示します。

キーボードからの読込みと、正解かどうかの判定を行うのが、**2** の do 文です。変数 *no* に読み込んだ値が、コピー時にスキップした *dgt[x]* と等しくなければ、do 文が繰り返されます。正解を入力しない限り、次の問題には進めないようにしているわけです。

▶ 実行例では、2回目の入力時に誤答の 6 を入力しています。正解の 5 を入力した後で、次の問題に進んでいます。

トレーニングが 10 回終了すると、所要時間と評価を表示します。

＊

さて、この試作版プログラムでは、1 から 9 までの数字が順に並んで表示されるため、欠けている数字を見つけるのが容易です（上の行とずれている位置を見つければよいからです）。

数字の並びをランダムにして、完成させましょう。

Column 7-1	**for 文による配列のスキップコピー**

前判定繰返しを行う for 文と while 文は、互いに置きかえが可能です。

以下、*dgt[x]* を飛ばしつつ配列 *dgt* を a にコピーする箇所を for 文で実現したものを3種類示します。それぞれを理解していきましょう。

▪ for 文の頭部で変数を宣言・初期化

水色部で、変数 *i* と *j* を宣言しています。二つの変数のそれぞれに初期化子 0 が与えられています。

＊

```
for (int i = 0, j = 0; i < 9; i++)
    if (i != x)
        a[j++] = dgt[i];
```

標準Cの第1版では、for 文の頭部で変数の宣言は行えなかったため、for 文より前で事前に変数を宣言する必要がありました（これ以降に示す二つの例は、事前に変数を宣言する例です）。

▪ for 文の頭部で変数に値を連続代入（代入演算子：右から左）

水色部では、代入式を評価した値が、代入後の左オペランドの値になることを利用しています。代入式 *j = 0* を評価すると、代入後の *j* の値 0 が得られますので、その 0 が *i* に代入されます。

```
int i, j;
for (i = j = 0; i < 9; i++)
    if (i != x)
        a[j++] = dgt[i];
```

すなわち、まず *j* の値が 0 になって、それから *i* の値が 0 になります。

▪ for 文の頭部で変数に値を順次代入（コンマ演算子：左から右）

水色部では、左オペランドと右オペランドを順に評価するコンマ演算子が使われています。

一般に、コンマ式 *x, y* を評価すると、まず *x* が評価されて、それから *y* が評価されます（そのため、コンマ演算子は**順次演算子**とも呼ばれます）。

```
int i, j;
for (i = 0, j = 0; i < 9; i++)
    if (i != x)
        a[j++] = dgt[i];
```

この場合、代入式 *i = 0* が評価された後に、代入式 *j = 0* が評価されます。すなわち、まず *i* の値が 0 になって、それから *j* の値が 0 になります。

配列の要素のシャッフル

数字の並びをランダムにして、欠けている数字を見つけにくくして完成させましょう。
List 7-4 に示すのが、そのプログラムです。

▶ 試作版プログラムの🅐と🅑の箇所に、ここに示す🅐と🅑のコードを挿入すると完成します。

List 7-4　　　　　　　　　　　　　　　　　　　　　chap07/lacknum1.c
```
// ラックナンバーサーチ・トレーニング（その１）

#define swap(type, x, y)  do { type t = x; x = y; y = t; } while (0)          A

        for (int i = 7; i > 0; i--) {    // 配列aをシャッフル                B
            int j = rand() % (i + 1);
            if (i != j)
                swap(int, a[i], a[j]);
        }
```

実行例
```
欠けている数字を見つけ
よう!!
1 5 7 9 6 4 3 8 : 2↵
5 8 4 3 7 1 2 6 : 9↵
1 8 6 2 7 5 9 4 : 3↵
6 7 1 2 8 3 4 9 : 5↵
5 3 6 9 7 2 1 8 : 4↵
9 3 4 6 8 5 1 7 : 2↵
3 2 1 7 4 5 6 9 : 8↵
1 2 3 4 8 6 9 7 : 5↵
7 8 5 9 2 3 6 4 : 1↵
3 4 8 9 6 5 1 7 : 2↵
31.0秒かかりました。
鈍すぎます。
```

まずはプログラムを実行して楽しみましょう。

欠けている数字を頭で考えて探すのではなく、目から飛び込んでくるイメージから瞬時に発見できるようになると成功です。ただ楽しむだけでなく、しっかりとトレーニングしましょう。

＊

それでは、プログラムを理解していきます。追加されたのは、配列の**シャッフル**に必要なコードです。

2要素を交換する関数形式マクロ swap

🅐の #define 指令は、任意の型 *type* の変数 *x* と *y* の**2値の交換**を行う**関数形式マクロ** *swap* の定義です（実際に配列をシャッフルする🅑のコードから呼び出されます）。

{と}とで囲まれたブロックでは、下図に示すように、作業用の変数 *t* を使って、二つの変数 *x* と *y* の値を交換します。

▶ 関数形式マクロや *swap* の定義については、**Column 7-2**（p.220）で学習します。

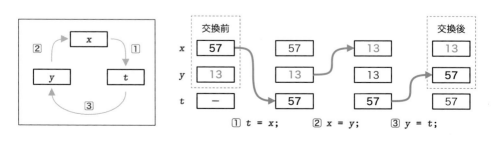

Fig.7-3　2値の交換

配列のシャッフル

Bは、配列aの要素の並びをシャッフルするコードです。ここで利用している、Fisher–Yatesアルゴリズムについて、**Fig.7-4**を見ながら理解しましょう。

a a[i] すなわち a[7] と、a[0] ～ a[7] からランダムに選んだ要素とを交換します。

▶ 図中、●の中の数値が i で、●の中の数値が a[0] ～ a[i] からランダムに選んだ要素の添字 j です。関数形式マクロ *swap* によって a[i] と a[j] の値を交換します。ただし、i と j が等しい場合は交換が不要ですから、if 文の働きによって、交換の作業をスキップします。

b a[i] すなわち a[6] と、a[0] ～ a[6] からランダムに選んだ要素とを交換します。

c a[i] すなわち a[5] と、a[0] ～ a[5] からランダムに選んだ要素とを交換します。

d a[i] すなわち a[4] と、a[0] ～ a[4] からランダムに選んだ要素とを交換します。

i が 1 になるまで同様の処理を行ったら、シャッフルが完了します。

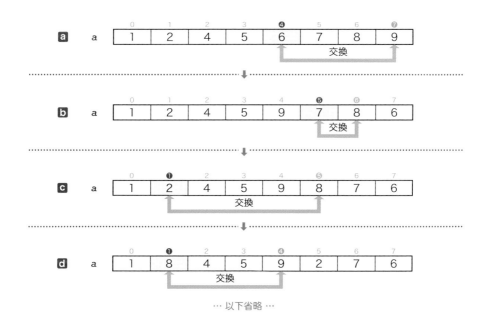

Fig.7-4 配列の要素のシャッフル

▶ 関数形式マクロを呼び出す *swap*(int, a[i], a[j]) は、次のように展開されます。
```
do { int t = a[i]; a[i] = a[j]; a[j] = t; } while (0);
```
展開された do 文の制御式 **0** は、偽を意味します。そのため、ループ本体である { から } までのブロックが実行されるのは 1 回だけであって、（2 回以上）繰り返されることはありません。ループ本体が 1 回だけ実行されて、2 値の交換が期待どおりに行われます。

ブロックを do 文で囲んでいる理由などの詳細は、次ページ以降の **Column** で詳しく学習します。

Column 7-2	関数形式マクロ

関数形式マクロ（function-like macro）に関して、文法の詳細まで踏み込んで学習しましょう。

▪関数形式マクロの基本

置換のイメージのオブジェクト形式マクロとは異なり、関数形式マクロは**展開**のイメージです。次の例で考えましょう。

```
#define MAX    50        // オブジェクト形式マクロ
#define sqr(x) ((x) * (x)) // 関数形式マクロ：2乗値を求める
```

これらの **#define** 指令以降の該当箇所が、置換あるいは展開の対象です（指令よりも前に置かれたコードは、対象外です）。

プログラム中のオブジェクト形式マクロ *MAX* は、50 に置換されます。

一方、関数形式マクロ *sqr* は、引数を伴った**展開**が行われます。2行目の **#define** 指令は、次の指示と理解すればよいでしょう。

これ以降に、*sqr(☆)* という形の式があれば、次のように展開せよ。
((☆) * (☆))

そのため、プログラム中の *sqr(5)* や *sqr(3.5)* は、それぞれ ((5) * (5)) と ((3.5) * (3.5)) に展開されます。

さて、展開後の式の型は、前者は **int * int** であって、後者は **double * double** です。このように、乗算演算子 * が適用できる型でさえあれば**あらゆる型に適用できる**ことが、関数との違いの一つです。

関数であれば、作り分けた上で、使い分ける必要があります。

具体例で考えましょう。作るほうのコード、すなわち**関数定義**は、次のようになります。

```
// int型用の関数              // double型用の関数
int sqr(int x)              double fsqr(double x)
{                           {
    return x * x;               return x * x;
}                           }
```

また、使うほうのコード、すなわち**関数呼出し式**は、次のようになります。

```
sqr(5)                      fsqr(3.5)
```

さて、関数形式マクロは、引数を伴った展開が行われると学習しましたが、引数を受け取らない形式も定義可能です。たとえば、次に示す *alert* が、その一例です。

```
#define alert()    (putchar('\a'))      // 警報を発するマクロ
```

これは『警報を発する』関数形式マクロです。プログラム中に *alert()* というコードを置くだけで、警報が発せられることになります。

▪関数形式マクロとコンマ演算子

次は、『警報を発して、与えられた文字列を出力する』関数形式マクロを定義することを考えましょう。次のように定義してみます。

```
#define puts_alert(str)  { putchar('\a'); puts(str); }
```

実は、この定義はNGです。というのも、次のように呼び出すコード（次ページ）が、エラーとなるからです。

```
if (n)
    puts_alert("その数はゼロではありません。");
else
    puts_alert("その数はゼロです。");
```

このコードの展開結果がエラーとなる理由を、**Fig.7C-1** を見ながら探っていきましょう。

```
  ┌─ if文                                                    ┌─ 空文
if (n)
    { putchar('\a'); puts("その数はゼロではありません。"); }  ;
・else
    { putchar('\a'); puts("その数はゼロです。"); } ;
  if とは対応しない
```

Fig.7C-1 誤って定義された関数形式マクロの展開

関数形式マクロ呼出しの展開結果は、次のようになっています。

{ *putchar* 関数の呼出し ; *puts* 関数の呼出し ; }　　// { 式文　式文 } ➡ 複合文

これは、２個の式文が { } で囲まれている**複合文**（**ブロック**）です。そのため、展開後の `if` 文は、図の水色部であって、最初の複合文の終端 } で完結します。続く１個のセミコロン文字 ; は、単一の**空文**（null statement）とみなされます。その結果、コンパイラにとっては、『`if` がないのに、どうして `else` が出てくるのだろう？』となってしまうのです。

※ だからといって、マクロの定義から { } を取り去ることもできません。というのも、別のエラーが発生するからです（ご自身で確認してみましょう）。

この問題の解決に有効なのが、**コンマ演算子**（comma operator）です。そのコンマ演算子を使って *puts_alert* を書き直すと、次のようになります。

```
#define puts_alert(str)  ( putchar('\a') , puts(str) )
```

この関数形式マクロが与えられたとき、先ほどの `if` 文を展開したのが、**Fig.7C-2** です。

```
if (n)
    ( putchar('\a') , puts("その数はゼロではありません。") ) ;  ←― 式文
else
    ( putchar('\a') , puts("その数はゼロです。") ) ;             ←― 式文
```

Fig.7C-2 誤って定義された関数形式マクロの展開

展開結果は、次のようになっています。

(*putchar* 関数の呼出し , *puts* 関数の呼出し)　　//（式 , 式）➡（式）

二つの式 `a` と `b` をコンマ演算子 , で結んだ `a, b` は、**一つの式**となります（二つの式 `a` と `b` を + 演算子で結んだ `a + b` が一つの式になるのと同じ理屈です）。

式の後ろにセミコロン ; を置いたものは、式文ですから、図の水色部は、**式文**という単一の文とみなされます。これで、`if` 文全体が正しく展開されることが分かりました。

▪関数形式マクロ定義時の注意点

次に示す、2乗値を求める関数形式マクロの定義をよく見ましょう。

```
（正）#define sqr(x)    ((x)*(x))         // 関数形式マクロ
（誤）#define sqr (x)    ((x)*(x))         // オブジェクト形式マクロ
```

正しいのは最初の定義です。2番目のように、マクロ名と (のあいだに空白を入れると、オブジェクト形式マクロとみなされて、『*sqr* が (x) ((x)*(x)) に置換される』ことになります。

関数形式マクロの定義では、マクロ名と (のあいだに空白を入れてはいけません。

▪同一型の2値を交換する関数形式マクロ swap

同一型の2値を交換する関数形式マクロ *swap* は、**List 7-4**（p.218）で次のように定義されています。

```
#define swap(type, x, y)  do { type t = x; x = y; y = t; } while (0)
```

この定義において、ブロック{}が do 文で囲まれている理由を学習しましょう。

▪誤った定義（ブロックを do 文で囲んでいない）

関数形式マクロ *swap* の定義例を、**Fig.7C-3** に示しています。

ここに示す❶の定義では、2値を交換するブロックが do 文で囲まれていません（誤った定義です）。

この定義が与えられると、右に示すコード**A**（a が b より大きければ a と b を交換し、そうでなければ a と c を交換するという意図の if 文）が**エラー**となります。

```
A  if (a > b)
       swap(int, a, b);
   else
       swap(int, a, c);
```

そうなる理由を、**Fig.7C-3** 内の展開後のコードを見ながら理解していきましょう。

a > b の成立時の実行対象は、{ から }までのブロックです。この直後に else が位置しなければならないのですが、余分なセミコロン ; があります（単独のセミコロンは、**空文**と呼ばれる何も実行しない文です）。

if 文とみなされるのは、図の水色部のみとなり、else に対応する if が存在しないことになります。

エラーを回避するには、右に示す**B**のように、セミコロンを取らなければなりません。これは、おかしいですね。

```
B  if (a > b)
       swap(int, a, b)
   else
       swap(int, a, c)
```

▪関数形式マクロswapの誤った定義

```
❶ #define swap(type, x, y)  { type t = x; x = y; y = t; }
```

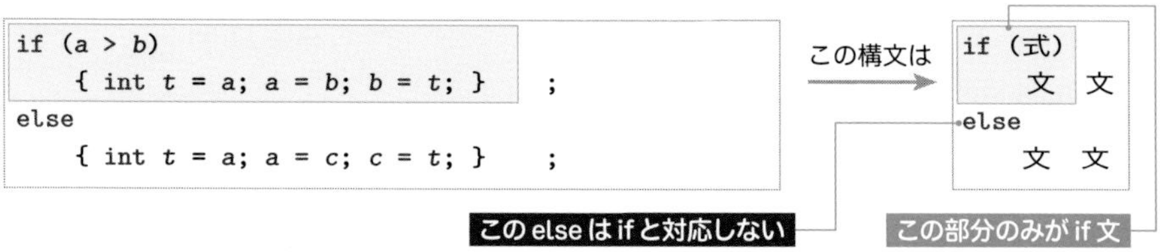

Fig.7C-3 関数形式マクロ swap の誤った定義と展開

- 正しい定義（ブロックを do 文で囲んでいる）

　List 7-4 で示した関数形式マクロ *swap* の定義と、それを使ってコード**A**の展開の様子を示したのが、**Fig.7C-4** です。

　展開後のコード全体が正しい if 文とみなされます。do 文の構文が『do **文** while （**式**）;』であって、do から ; までが**単一の文**となるからです。

- 関数形式マクロswapの正しい定義

```
2  #define swap(type, x, y)  do { type t = x; x = y; y = t; } while (0)
```

```
if (a > b)
    do { int t = a; a = b; b = t; } while (0);
else
    do { int t = a; a = c; c = t; } while (0);
```

この構文は →

```
if （式）
    文
else
    文
```

全体が if 文

Fig.7C-4 関数形式マクロ swap の正しい定義と展開

✎ まとめ

✳ 配列のコピー

　たとえ要素型と要素数が同じであっても、代入演算子 = で配列の全要素をコピーすることはできない。そのため、for 文や while 文で全要素を逐一コピーする必要がある。

✳ 同一型の2値の交換

　同一型の2値を交換するには、次の関数形式マクロを定義して利用するとよい。

```
#define swap(type, x, y)  do { type t = x; x = y; y = t; } while (0)
```

✳ 配列要素の並びのシャッフル（Fisher–Yates アルゴリズム）

　配列要素の並びの**シャッフル**（ランダムな並びかえ）は、次のように行う（要素型が int 型で要素数が n の場合）。

```
for (int i = n - 1; i > 0; i--) {
    int j = rand() % (i + 1);        // 0〜iの乱数
    if (i != j)
        swap(int, a[i], a[j]);
}
```

※ 要素型が int 以外であれば、マクロ *swap* に与える第1引数を、その要素型に変更する必要がある。

7-2 ダブルナンバーサーチ

本節では、数字を抜くのではなく、逆にダブらせて表示して、その数字を見つけさせるトレーニングソフトを作ります。

ダブルナンバーサーチ

数字を抜くのではなく逆にダブらせて表示して、それを見つけさせる《ダブルナンバーサーチ》のトレーニングソフトを作りましょう。

List 7-5 に示すのが、そのプログラムです。

表示される数字は10個であり、ラックナンバーサーチよりも2個増えますが、慣れてしまえば逆に見つけやすいでしょう。

プログラム水色部で配列 *dgt* から **a** へのコピーを行う様子を示したのが **Fig.7-5** です。この例での変数 *x* の値は1であり、図**b**と**c**に示すように **a[x]** を2度代入します。

> スペースの都合上、図**c**以降を省略していますが、変数 *i* の値が8になるまでコピーを続けます。

```
実 行 例
ダブっている数字を見つけよう！！
5 7 8 6 4 9 3 9 1 2  : 9↵
1 3 8 9 6 2 5 4 7 5  : 5↵
6 4 7 8 1 2 9 5 3 9  : 9↵
6 1 4 3 8 8 5 9 2 7  : 8↵
6 7 1 9 3 1 2 8 5 4  : 1↵
5 1 6 2 4 7 3 9 7 8  : 7↵
5 2 6 7 6 9 4 8 3 1  : 6↵
9 2 1 4 5 6 3 3 8 7  : 3↵
9 7 4 6 3 1 7 5 2 8  : 7↵
6 9 1 8 1 3 5 2 4 7  : 1↵
32.0秒かかりました。
鈍すぎます。
```

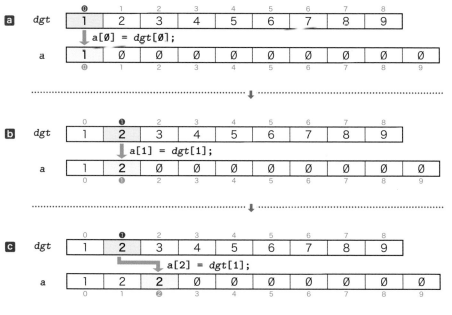

… 以下省略 …

Fig.7-5 要素を一つダブらせた配列のコピー

List 7-5

```c
// ダブルナンバーサーチ・トレーニング（その１）

#include <time.h>
#include <stdio.h>
#include <stdlib.h>

#define MAX_STAGE   10          // 挑戦回数
#define swap(type, x, y)  do { type t = x; x = y; y = t; } while (0)

int main(void)
{
    int dgt[9] = {1, 2, 3, 4, 5, 6, 7, 8, 9};
    int a[10];

    srand(time(NULL));              // 乱数の種を設定

    printf("ダブっている数字を見つけよう!!\n");

    time_t start = time(NULL);
    for (int stage = 0; stage < MAX_STAGE; stage++) {
        int x = rand() % 9;         // ダブってコピーする要素の添字（0～8）

        int i = 0, j = 0;
        while (i < 9) {                     // dgt[x]をダブらせてコピー
            a[j++] = dgt[i];
            if (i == x)
                a[j++] = dgt[i];
            i++;
        }

        for (int i = 9; i > 0; i--) {   // 配列aをシャッフル
            int j = rand() % (i + 1);
            if (i != j)
                swap(int, a[i], a[j]);
        }

        for (int i = 0; i < 10; i++)    // 全要素を表示
            printf("%d ", a[i]);
        printf(" : ");

        int no;                         // 読み込んだ値
        do {
            scanf("%d", &no);
        } while (no != dgt[x]);         // 正解が入力されるまで繰り返す
    }
    time_t end = time(NULL);

    double jikan = difftime(end, start);

    printf("%.1f秒かかりました。\n", jikan);

    if (jikan > 25.0)
        printf("鈍すぎます。\n");
    else if (jikan > 20.0)
        printf("少し鈍いですね。\n");
    else if (jikan > 17.0)
        printf("まあまあですね。\n");
    else
        printf("素早いですね。\n");

    return 0;
}
```

7-2

ダ
ブ
ル
ナ
ン
バ
ー
サ
ー
チ

> プログラムの大部分は、List 7-4 のラックナンバー
> サーチと同じです。
> 　水色部以外で異なるのは、主に次の点です。
> ▪ 配列 a の要素数が 8 から 10 になっていること。
> ▪ 配列 a を走査する for 文の繰返し回数が 8 から
> 　10 になっていること。

☐ キー入力と操作性の向上（MS–Windows ／ MS–DOS）

《ラックナンバーサーチ》と《ダブルナンバーサーチ》では、キーボードからの数字の読込みを *scanf* 関数で行っているので、エンターキー（リターンキー）が押されない限り、入力された文字の情報が得られません。そのため、トレーニングの際は、**数字の後にエンターキーを押す**ことになって操作の即時性が失われます。

▶ 1個の文字の入力を読み取るための *getchar* 関数を使っても、事情は同じです。

処理系が独自に提供する関数（標準Cで定義されていない関数）を利用して、この問題を解決していくことにします。

まずは、次の二つの環境に分けて学習して、その後にそれらを統合します。

- MS–Windows ／ MS–DOS
- UNIX ／ Linux ／ macOS

最初に学習するのは、MS–Windows ／ MS–DOS での解決法です。Visual C++ などの処理系に特有の *getch* 関数と *putch* 関数を利用します。

この関数の働きを **List 7-6** のプログラムで学習しましょう。

List 7-6　　　　　　　　　　　　　　　　　　　　　　　　chap07/getch_win.c

```
// getchの利用例
// ※Visual C++などのMS-Windows／MS-DOSで動作

#include <conio.h>
#include <ctype.h>
#include <stdio.h>

int main(void)
{
    int retry;

    do {
        puts("キーを押してください。");

        int ch = getch();

        printf("押されたキーは%cで値は%dです。\n",
                                   isprint(ch) ? ch : ' ', ch);

        printf("もう一度？（Y／N）：");

        retry = getch();

        if (isprint(retry))
            putch(retry);

        putchar('\n');

    } while (retry == 'Y' || retry == 'y');

    return 0;
}
```

```
               実行例
キーを押してください。1
押されたキーは1で値は49です。
もう一度？（Y／N）：Y
キーを押してください。A
押されたキーはAで値は65です。
もう一度？（Y／N）：N
```
押したキーは画面には表示されません

▶ 二つの関数 *getch* と *putch* の宣言は、**<conio.h>** ヘッダで提供されます。**<conio.h>** は標準ライブラリのヘッダではありません。

getch 関数：押下されたキーの取得

getch 関数は、キーボードからタイプされた文字を取り込みます。エンターキーが押されなくても即座に情報が得られることが、*getchar* 関数との大きな違いです。

getch	※標準ライブラリではない
ヘッダ	#include <conio.h>
形　式	int *getch*(void);
機　能	画面にエコーすることなく、キーボードから文字を読み込む。
返却値	読み込んだ文字の値を返す。

なお、この関数での読込み時には、**タイプされた文字が画面に表示されません。**

＊

本プログラムでは、読み込んだ文字（*getch* 関数が返した文字）と、そのコードを 10 進数で表示しています。

▶ ただし、読み込んだ文字が *isprint* 関数（p.75）によって、表示文字でないと判定された場合は、文字の代わりに空白文字を表示します。

もう一度続けるかどうかの確認の際にも *getch* 関数を呼び出していますので、（エンターキーを押すことなく）'Y' または 'y' のキーを押すだけで、好きなだけ何度も繰り返せるようになっています。

putch 関数：コンソールへの出力

putch 関数は、文字を画面に表示します。この関数で文字を出力すると表示が即座に行われるため、強制的に出力を行うための *fflush* 関数によるフラッシュ処理は不要です。

putch	※標準ライブラリではない
ヘッダ	#include <conio.h>
形　式	int *putch*(int c);
機　能	画面に文字 c を表示する（c が改行文字であれば、改行のみを行って復帰をしない処理系もある）。
返却値	表示に成功すると出力された文字 c を返す。エラーの場合は EOF を返す。

本プログラムでは、もう一度続けるかどうかの問いに対して入力された *retry* が表示文字である場合にのみ、その文字を *putch* 関数で表示しています。

▶ 表示文字でない改行文字やタブ文字などを出力すると、画面が乱れてしまうからです。なお、打ち込まれた文字が 'Y' と 'y' でなければ、（たとえ 'N' や 'n' でなくても）繰り返されます。

⬜ キー入力と操作性の向上（UNIX ／ Linux ／ macOS）

UNIX や Linux では、*getch* 関数が Curses ライブラリで提供されます。その関数を使って、前のプログラムとおおむね同等となるように実現したのが、**List 7-7** のプログラムです。

List 7-7   chap07/getch_uni.c

```c
// getchの利用例
// ※Cursesライブラリが提供されるUNIX／Linux／macOSで動作

#include <curses.h>
#include <ctype.h>
#include <stdio.h>

int main(void)
{
    initscr();
    cbreak();
    noecho();
    refresh();

    int retry;

    do {
        addstr("キーを押してください。\n");

        int ch = getch();

        printw("押されたキーは%cで値は%dです。\n",
                                    isprint(ch) ? ch : ' ', ch);

        printw("もう一度？（Y／N）：");

        retry = getch();

        if (isprint(retry))
            addch(retry);

        addch('\n');

    } while (retry == 'Y' || retry == 'y');

    endwin();

    return 0;
}
```

```
                 実行例
キーを押してください。1 ·
押されたキーは1で値は49です。
もう一度？（Y／N）：Y
キーを押してください。A ·
押されたキーはAで値は65です。
もう一度？（Y／N）：N
```

押したキーは画面には表示されません

▶ 本プログラムは、Curses ライブラリが提供される環境用のものです。コンパイルやリンク時に、Curses ライブラリをリンクするための指示などが必要です。

Curses ライブラリは、コンソール画面の制御などを行う総合的なライブラリであり、本プログラムでは、9個の関数のみを使っています。右ページの **Table 7-1** に示すのが、それらの関数の概要です。

▶ Curses ライブラリは独自の出力メカニズムをもつため、C言語の標準ライブラリである *printf* 関数や *putchar* 関数などとの相性がよくない仕様となっています。これらの標準ライブラリによる出力後は、*fflush*(stdout) ではなく、*refresh*() の呼出しを行うことで画面への出力が行えます。
また、環境によっては、改行文字 \n を出力しても、カーソルが次の行の（先頭でなく）直下に移動することがあります。

Table 7-1 List 7–7 で利用している Curses ライブラリの概要

initscr	スクリーンを作成してライブラリを初期化する。Curses ライブラリの利用時に最初に呼び出さなければならない。
cbreak	行バッファリングを行わないようにする。
noecho	タイプされたキーが画面に表示されないようにする。
refresh	画面を更新する。
addch	文字を表示する。
addstr	文字列を表示する。
printw	書式化を行った表示する。
getch	タイプされた文字を返す。
endwin	ライブラリの後始末用の関数であり、Curses ライブラリの利用時に最後に呼び出さなければならない（通常の環境では、画面上の文字がすべて消えてしまう）。

前の MS–Windows 版のプログラムとの大きな違いは、次の点です。

- プログラムの最初に4個の関数を呼び出している。
- プログラムの最後で1個の関数を呼び出している。
- 標準ライブラリ *puts* の代わりに、文字列の末尾に \n を付加した上で *addstr* 関数を呼び出している。
- 標準ライブラリ *printf* の代わりに、*printw* 関数を呼び出している。
- 非標準ライブラリ *putch* の代わりに、*addch* 関数を呼び出している。

実際の出力に利用している三つの関数の仕様は、次のとおりです。

- *addch(ch)*

文字 *ch* を出力します。出力成功時は OK を返却し、失敗時は ERR を返却します。
  ▶ *putchar* 関数と *putch* 関数は、出力成功時は出力した文字を返却し、失敗時は EOF を返却します。

- *addstr(str)*

文字列 *str* を出力します（標準ライブラリ *puts* とは異なり、自動的に改行文字を末尾で出力することはありません）。出力成功時は OK を返却し、失敗時は ERR を返却します。
  ▶ *puts* 関数は、出力成功時は非負の値を返却し、失敗時は EOF を返却します。

- *printw(format, ...)*

printf 関数のように、第1引数 *format* で指定された書式文字列をもとに、第2引数以降を整形して出力します。出力成功時は OK を返却し、失敗時は ERR を返却します。
  ▶ *printf* 関数は、出力成功時は出力した文字数を返却し、失敗時は負の値を返却します。

標準ライブラリ関数（と MS–Windows 用の *putch* 関数）とは、名前が違うだけでなく、仕様も微妙に違います（特に返却値がまったく異なります）。

共通ヘッダ <getputch.h>

環境ごとにプログラムを作り分けるのは大変ですので、**両環境の差を吸収するためのライブ
ラリを作りましょう。**

ヘッダとして実現しておけば、インクルードするだけで使えるようになるため、使い勝手のよ
いものとなります。**List 7-8** に示す **"getputch.h"** が、そのプログラムです。

▶ 標準Cの第2版に対応しないコンパイラを考慮して、標準Cの第1版に準じたコードとしています。
  そのため、次のようにコーディングしています。
  ▪ 注釈（コメント）は、// 形式は使わずに、/*…*/ 形式のみを使っています。
  ▪ 複合文（ブロック）の中で利用する変数は、ブロックの先頭部で宣言しています。

List 7-8   chap07/getputch.h

```c
/* getch／putch用の共通ヘッダ "getputch.h" */

#ifndef __GETPUTCH

  #define __GETPUTCH

  #if defined(_MSC_VER) || (__TURBOC__) || (LSI_C)

    /* MS-Windows／MS-DOS (Visual C++, Borland C++, LSI-C 86 etc ...) */
                                                        MS-Windows / MS-DOS
    #include <conio.h>
    static void init_getputch(void) { /* 空 */ }    /* ライブラリ初期処理 */
    static void term_getputch(void) { /* 空 */ }    /* ライブラリ終了処理 */

  #else

    /* Cursesライブラリが提供されるUNIX／Linux／macOS */
                                                        UNIX / Linux / macOS
    #include <curses.h>
    #include <stdio.h>
    #include <string.h>

    #undef getch
    #undef putchar
    #undef puts
    #undef printf
    #undef scanf

    /*--- ライブラリ初期処理 ---*/
    static void init_getputch(void)
    {
        initscr();
        refresh();
    }

    /*--- ライブラリ終了処理 ---*/
    static void term_getputch(void)
    {
        endwin();
    }

    /*--- putch：1文字表示 ---*/
    static int putch(int ch)
    {
        int result = addch(ch) == OK ? ch : EOF;
        refresh();        /* 更新 */
        return result;
    }
```

```
/*--- __putchar : putchar関数の代替 ---*/
static int __putchar(int ch)
{
    return putch(ch);
}

/*--- __printf : printf関数の代替 ---*/
static int __printf(const char *format, ...)
{
    int count;
    va_list ap;
    static char __buf[4096];

    va_start(ap, format);
    vsprintf(__buf, format, ap);
    va_end(ap);

    count = printw("%s", __buf) == OK ? strlen(__buf) : EOF;
    refresh();
    return count;
}

/*--- __puts : puts関数の代替 ---*/
static int __puts(const char *s)
{
    /* 改行文字を付加して出力 */
    int count = printw("%s\n", s) == OK ? strlen(s) + 1 : EOF;
    refresh();
    return count;
}

/*--- __getch : getch関数のラッパ ---*/
static int __getch(void)
{
    int ch;
    cbreak();    noecho();
    ch = getch();
    nocbreak();  echo();
    return ch;
}
#define getch   __getch
#define putchar __putchar
#define printf  __printf
#define puts    __puts
#define scanf   scanw

  #endif

#endif
```

▶ Curses ライブラリを使うプログラムで不具合が発生する場合は、次のように対処します。

▪ **日本語文字が化ける**

  プログラムに #include <locale.h> を追加した上で、main 関数の冒頭で（List 7-7 であれば、
initscr() の呼出しより前、"getputch.h" ライブラリを利用する List 7-11 以降のプログラムであ
れば、init_getputch() の呼出しより前）の位置に setlocale(LC_ALL, ""); を挿入する。

▪ **プログラム終了とともに画面が消えてしまう**

  main 関数の末尾側（List 7-7 であれば endwin() の呼出しの前、"getputch.h" ライブラリを利
用する List 7-11 以降のプログラムであれば、term_getputch() の呼出しより前）の位置に、スペース
スキーがタイプされるまで待つためのコード while (getch() != ' '); を挿入する。

インクルードガードされたヘッダの設計

ヘッダ **"getputch.h"** は、関数の（単なる宣言ではない）定義を含んでいます。

同一の関数の定義を含むヘッダを複数回インクルードすると、**重複定義**のエラーが発生します。『同じヘッダを2回も3回もインクルードすることなんかないよ。』と思われるかもしれません。ところが、そうではありません。

たとえば、ヘッダ **"abc.h"** の中で **"curses.h"** をインクルードしているとします。そうすると、

```
#include "curses.h"      // "curses.h"を直接インクルード
#include "abc.h"         // "curses.h"を"abc.h"を通じて間接的にインクルード
```

では、**"curses.h"** のインクルードは2回行われます。

そのため、ヘッダ **"getputch.h"** では、何回インクルードされても不都合が発生しないように、**インクルードガード**（include guard）と呼ばれる手法を利用しています。

その手法について、一般的な形として示した **Fig.7-6** を見ながら理解していきましょう。

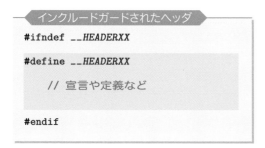

Fig.7-6 何回インクルードされても不都合が生じないヘッダの構造

インクルードが1回目なのか2回目以降なのかで、異なる内容が取り込まれる仕組みです。

初めてインクルードされたとき

マクロ *__HEADERXX* は未定義であるため、**#ifndef 指令**と **#endif 指令**とで囲まれた水色部が読み込まれて（プログラムとして取り込まれて）、マクロ *__HEADERXX* が定義されます。

2回目以降にインクルードされたとき

マクロ *__HEADERXX* が（1回目のインクルード時に）定義ずみであるため、水色部は読み飛ばされます。その結果、重複定義が回避されます。

なお、マクロの名前である *__HEADERXX* は、**ヘッダごとに異なるもの**でなければなりません。**"getputch.h"** では *__GETPUTCH* としています。

▶ ヘッダ **"getputch.h"** では、処理系が MS–Windows 系か、それ以外であるかを判定した上で、取り込むべき範囲を切りかえる仕組みとなっています。

```
#if defined(_MSC_VER) || (__TURBOC__) || (LSI_C)
    /* <conio.h>がインクルードされる */
    /* MS-Windows／MS-DOS用のコード   */
#else
    /* <curses.h>がインクルードされる */
    /* UNIX／Linux／macOS用のコード    */
#endif
```

_MSC_VER、**__TURBOC__**、**LSI_C** は、それぞれ Visual C++、Borland C++（Turbo C++）、LSI C の処理系で、処理系識別のために独自に定義されているマクロです。

上記以外の MS–Windows 用の処理系をお使いであれば、その処理系で独自に定義されるマクロを追加する必要があります。

関数 init_getputch と関数 term_getputch

ヘッダ内の主要な関数を理解していきましょう。まずは、関数 *init_getputch* と関数 *term_getputch* です。

これらは、**"getputch.h"** ライブラリを使うプログラムの最初と最後で呼び出す関数であって、次のように使われます。

- プログラムの最初（ライブラリの利用前）に関数 *init_getputch* を呼び出す。
- プログラムの最後（ライブラリの利用後）に関数 *term_getputch* を呼び出す。

▶ これらの関数の定義のコードを見てみましょう。

MS–Windows 系では、二つの関数は次のように定義されます。

```
static void init_getputch(void) { /* 空 */ }
```

```
static void term_getputch(void) { /* 空 */ }
```

すなわち、これらの関数を呼び出しても、何も実行されません。

一方、Linux などの Curses ライブラリ系では、次のように定義されます。

```
/*--- ライブラリ初期処理 ---*/
static void init_getputch(void)
{
    initscr();
    refresh();
}

/*--- ライブラリ終了処理 ---*/
static void term_getputch(void)
{
    endwin();
}
```

すなわち、これらの関数を呼び出すことで、Curses ライブラリの利用開始時および利用終了時に必要な関数群が呼び出されて実行されます。

呼び出す関数の置換

次は、ヘッダ "getputch.h" 内の右の宣言に着目します。

これらは、getch、putchar、printf、puts、scanf の各
関数の呼出しを、__getch、__putchar、__printf、__puts、
scanw 関数の呼出しに置換するためのオブジェクト形式マク
ロの定義です。**Fig.7-7** に示すのが、具体的な置換の一例です。

```
#define getch     __getch
#define putchar   __putchar
#define printf    __printf
#define puts      __puts
#define scanf     scanw
```

▶ この置換が行われるのは、Curses ライブラリ系の環境のみです。なお、非標準の putch 関数は、
"getputch.h" の中で関数本体が定義されています。

マクロ置換

```
putchar('A');                         __putchar('A');
puts("Hello!");               ➡      __puts("Hello!");
printf("i = %d s = %s\n", i, s);      __printf("i = %d s = %s\n", i, s);
```

Fig.7-7 オブジェクト形式マクロによる呼び出す関数の置換

置きかえられた関数 __getch、__putchar、__printf、__puts は、"getputch.h" の中で定
義されている関数です（scanw 関数は、scanf 関数と同等の機能をもつ Curses ライブラリの
関数です）。

この中で、関数 __printf の動作が最も複雑です。

右の例を考えましょう。関数 __printf に対し
て4個の引数が与えられていますが、引数が何個
となるのかは呼出しのたびに異なります（あらか
じめ決まっているわけではありません）。

```
int a = 123, b = 456;
char ch = '\n';
__printf("a=%d%cb=%d\n", a, ch, b);
```

受け取る引数が可変個であり、第2引数以降の引数を展開・整形した上で出力を行う必要
があることが分かるでしょう。

そのため、関数 __printf の内部では、標準ライブラリである vsprintf 関数を呼び出して
処理を行っています。その vsprintf 関数を理解するには、いろいろな基礎知識が必要です。
順を追って学習していきましょう。

可変個引数の宣言

まずは、printf 関数の形式を確認します。次のとおりです。

```
int printf(const char * restrict format, ...);
```

... は、可変個の引数を受け取ることを示す**省略記号**（ellipsis）です。すなわち、第1引数
は const char * 型の（固定の）引数で、第2引数以降の型や個数が可変です。

▶ ... の3文字は連続しなければなりません（途中にスペースを入れることはできません）。

それでは、可変個引数を受け取る関数の自作法を学習していきます。最初は、**List 7-9** に示すプログラムです。

```c
// 可変個引数を受け取ってアクセスする関数

#include <stdio.h>
#include <stdarg.h>

//--- 第１引数の指定に応じて第２以降の引数の和を求める ---//
double vsum(int sw, ...)
{
    double  sum = 0.0;
    va_list ap;

    va_start(ap, sw);    // 可変部引数アクセス開始

    switch (sw) {
     case 0: sum += va_arg(ap, int);      // vsum(0, int, int)
             sum += va_arg(ap, int);
             break;

     case 1: sum += va_arg(ap, int);      // vsum(1, int, long)
             sum += va_arg(ap, long);
             break;

     case 2: sum += va_arg(ap, int);      // vsum(2, int, long, double)
             sum += va_arg(ap, long);
             sum += va_arg(ap, double);
             break;
    }
    va_end(ap);          // 可変部引数アクセス終了

    return sum;
}

int main(void)
{
    printf("10 + 2          = %.2f\n", vsum(0, 10, 2));

    printf("57 + 300000L    = %.2f\n", vsum(1, 57, 300000L));

    printf("98 + 2L + 3.14  = %.2f\n", vsum(2, 98, 2L, 3.14));

    return 0;
}
```

```
実行結果
10 + 2          = 12.00
57 + 300000L    = 300057.00
98 + 2L + 3.14  = 103.14
```

可変個の引数を受け取る関数 **vsum** は、第２引数以降の引数の和を求めて double 型で返す関数です。

各引数を、どのように加算するのかは、第１引数で次のように指定します。

- **0** … int 型の第２引数と int 型の第３引数を加算。
- **1** … int 型の第２引数と long 型の第３引数を加算。
- **2** … int 型の第２引数と long 型の第３引数と double 型の第４引数を加算。

235

ダブルナンバーサーチ

va_start マクロ：可変個引数アクセスの準備

可変個引数をアクセスする手順を、**Fig.7-8** を見ながら理解していきます。

この図に示すのは、*sw* の値が 2 の例であって、呼び出される際に、第 1 引数 *sw* と、それ以降の int 型、long 型、double 型の三つの引数が積まれています。

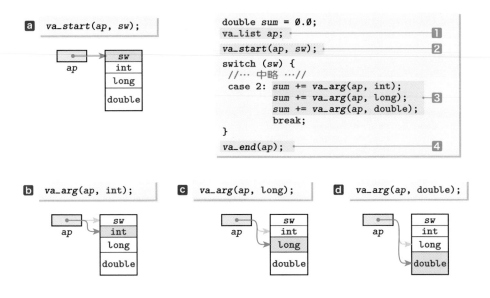

Fig.7-8 可変個引数のアクセス

■で宣言されている変数 *ap* の型は、**<stdarg.h>** ヘッダで定義されている **va_list** 型です。これは、関数呼出し時に積まれた引数をアクセスするための特殊な型です。

可変ではない先頭の引数 *sw* を指すように、変数 *ap* を設定するのが、■の **va_start** マクロの呼出しです。これで、図■の状態となります。

	va_start
ヘッダ	#include <stdarg.h>
形　式	void va_start(va_list ap, 最終引数);
機　能	本マクロは、名前無しの実引数にアクセスする前に呼び出さなければならない。 以降に行われる **va_arg** および **va_end** の呼出しにそなえて **ap** を初期化する。 仮引数最終引数は、関数定義中で可変個数の仮引数並びの最右端に位置する仮引数の識別子、すなわち省略記号 ,... の直前の識別子とする。仮引数最終引数が次の型として宣言されている場合は、その動作は定義されない。 　▪ register 記憶域クラス　　▪ 関数型　　▪ 配列型 　▪ 既定の実引数拡張を適用した結果の型と適合しない型
返却値	なし。

va_arg マクロ：可変個引数の取出し

va_start の呼出しによって、可変個部の引数をアクセスするための準備が完了しました。

次に行うのは、可変個部の引数を一つずつ取り出すことであり、引数の取出しに使うライブラリが **va_arg** マクロです。

	va_arg
ヘッダ	#include <stdarg.h>
形　式	型 va_arg(va_list ap, 型);
機　能	関数呼出しにおける、一つ次の実引数の型および値をもつ式に展開する。仮引数 ap は、va_start によって初期化された va_list ap と同じでなければならない。次に va_arg を呼び出したときに、次の実引数の値が返されるように ap を更新する。仮引数型は、指定された型を示す型名とする。ただし、その型のオブジェクトへのポインタ型が、型の後ろに * を置くだけで得られなければならない。次の実引数がない場合、または型が実際の（既定の実引数拡張にしたがって拡張された）次の実引数の型と適合しない場合、その動作は定義されない。
返却値	va_start マクロの呼出し後の最初の本マクロの呼出しは、最終引数によって指定された実引数の次の実引数の値を返す。その後の一連の呼出しは、残りの実引数の値を順番に返す。

sw が 2 の場合に実行される **3** では、va_arg マクロを 3 回呼び出しています。これで、図 **b**、**c**、**d** に示すように、ポインタ ap が次々と更新されて、引数の値が順に取り出されます。

▶ va_arg を呼び出すたびに、一つ後ろの引数を指すように ap が更新されていきます。

va_end マクロ：可変個引数アクセスの終了

可変個部分の引数のアクセスが終了して、その後片付けのために呼び出すのが、**va_end** マクロです。

4 では、このマクロを呼び出して、可変個引数のアクセス処理の後始末を行っています。

	va_end
ヘッダ	#include <stdarg.h>
形　式	void va_end(va_list ap);
機　能	va_list ap を初期化した va_start の展開によって参照された可変個数の実引数並びをもつ関数からの正常な復帰を可能にする。処理系は、va_end マクロが ap を更新して使用できないようにしてもよい（もう一度 va_start を呼び出さない限り）。対応する va_start マクロの呼出しがない場合、または va_end マクロが復帰の前に呼び出されない場合、その動作は定義されない。
返却値	なし。

vprintf 関数／vfprintf 関数：ストリームへの出力

　可変個の引数を展開・整形して出力する標準ライブラリとしては、標準出力ストリーム（コンソール画面）に出力する *printf* 関数の他に、任意のストリームに出力する *fprintf* 関数があります。

　これらの関数とほぼ同じ機能をもつ *vprintf* 関数と *vfprintf* 関数という、特別なライブラリが提供されます。

vprintf	
ヘッダ	`#include <stdio.h>` `#include <stdarg.h>`
形　式	`int vprintf(const char * restrict format, va_list arg);`
機　能	可変個数の実引数並びを *arg* で置きかえた *printf* と等価である。本関数を呼び出す前に、*va_start* マクロ（さらに、*va_arg* 呼出しが続いても構わない）で *arg* を初期化しておかなければならない。なお、本関数は、*va_end* マクロを呼び出さない。
返却値	転送された文字数を返す。出力エラーが発生したときは、負の値を返す。

vfprintf	
ヘッダ	`#include <stdio.h>` `#include <stdarg.h>`
形　式	`int vfprintf(FILE * restrict stream, const char * restrict format, va_list arg);`
機　能	可変個数の実引数並びを *arg* で置きかえた *fprintf* と等価である。本関数を呼び出す前に、*va_start* マクロ（さらに、*va_arg* 呼出しが続いても構わない）で *arg* を初期化しておかなければならない。なお、本関数は、*va_end* マクロを呼び出さない。
返却値	転送された文字数を返す。出力エラーが発生したときは、負の値を返す。

　これらの関数の引数は可変個引数ではありません。その代わりとして、末尾の引数 *arg* の型が **va_list** 型となっています。

　vprintf 関数を利用する、右ページの **List 7-10** のプログラムで理解していきます。

　まずは実行しましょう。表示とともに警報が発せられます。本プログラムで定義している関数 *alert_printf* は、"警報を発する機能が付加された *printf* 関数" といったところです。

▶　**2**と**3**では、本プログラムで定義している関数 *alert_printf* を、*printf* 関数とまったく同じ感じで呼び出しています（関数の名前が *printf* でなく、*alert_printf* となっているだけです）。

　それでは、関数 *alert_printf* の中身を理解していきましょう。**1**で *vprintf* 関数を呼び出しています。この呼出しは、右ページの **Fig.7-9** に示すように、

　ポインタ **ap** が指すところの後方に、可変個の引数が積まれていますから、それを使って表示してください。

という依頼と考えれば、理解しやすくなります。

List 7-10　　　　　　　　　　　　　　　　　　　　　　　chap07/alert_printf.c

```
// 警報を発する書式付き出力関数

#include <stdio.h>
#include <stdarg.h>

//--- 警報を発する書式付き出力関数 ---//
int alert_printf(const char *format, ...)
{
    va_list ap;

    putchar('\a');
    va_start(ap, format);
    int count = vprintf(format, ap);    // 可変個引数の処理をvprintfに一任 ←①
    va_end(ap);
    return count;
}

int main(void)
{
    alert_printf("Hello!\n");                                    ②
    alert_printf("%d %ld %.2f\n", 2, 3L, 3.14);                  ③

    return 0;
}
```

実行結果
```
♪Hello!
♪2 3 3.14
```

7-2
ダブルナンバーサーチ

可変個引数を自ら一つ一つアクセスするのではなく、**vprintf** 関数に「丸投げ」して、処理
を依頼するわけです。

▶ 図に示すのは、プログラムの③で関数 **alert_printf** が呼び出されたときの動作イメージです。
　　関数 **alert_printf** は、第1引数をそのまま **vprintf** 関数に渡し、積まれた引数を指す **ap** を第2
引数として渡します。『**ap** が指す先の後ろに可変個引数が積まれていますから、後はヨロシク!!』といっ
た感じで **vprintf** 関数に処理を頼んでいる、と理解すればよいでしょう。

vprintf 関数と **vfprintf** 関数をうまく使うと、**printf** 関数と **fprintf** 関数に細工を加えた
出力が簡単に行えることが分かりました。

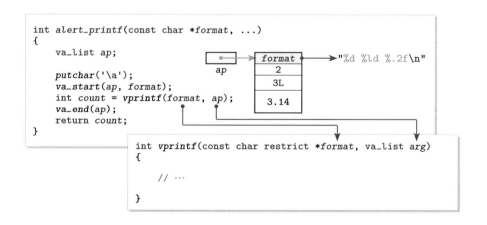

Fig.7-9　可変個引数の他の関数への引渡し

vsprintf 関数：文字列への出力

それでは、ライブラリ "getputch.h" の関数 __printf を理解していきましょう。この関数の中で利用しているのは、sprintf 関数（p.186）とよく似た名前の **vsprintf 関数**です。

	vsprintf
ヘッダ	#include <stdio.h> #include <stdarg.h>
形　式	int vsprintf(char * restrict s, const char * restrict format, va_list arg);
機　能	可変個数の実引数並びを arg で置きかえた sprintf と等価である。本関数を呼び出す前に、va_start マクロ（さらに、va_arg 呼出しが続いても構わない）で arg を初期化しておかなければならない。なお、本関数は、va_end マクロを呼び出さない。
返却値	配列に書き込まれた文字数を返す。ただし、文字列の終わりを示すナル文字は数えない。

1では、コンソール画面に表示する文字列を配列 __buf に作成します。

ただし、具体的な作業は、vsprintf 関数に「丸投げ」しています。

第1引数 format に受け取った書式文字列をもとにして、第2引数以降の引数を展開・書式化した結果の文字列を配列 __buf に格納してもらうわけです。

その結果、**Fig.7-10** の例であれば、図**a**に示す文字列が作られます。

```
static int __printf(const char *format, ...)
{
    int count;
    va_list ap;
    static char __buf[4096];

    va_start(ap, format);
    vsprintf(__buf, format, ap);        ← 1
    va_end(ap);

    count = printw("%s", __buf) == OK ?
                strlen(__buf) : EOF;
    refresh();                          2
    return count;
}
```

2では、その配列 __buf に格納されている文字列の出力を Curses ライブラリの printw 関数にゆだねます（図**b**）。

▶ printf 関数の仕様とあわせるために、出力に成功した場合は、出力した文字数（文字列 buf の長さ）を返却し、失敗した場合は、EOF を返却します。

```
int   a = 123, b = 456;
char ch = '\n';
__printf("a=%d%cb=%d\n", a, ch, b);
```

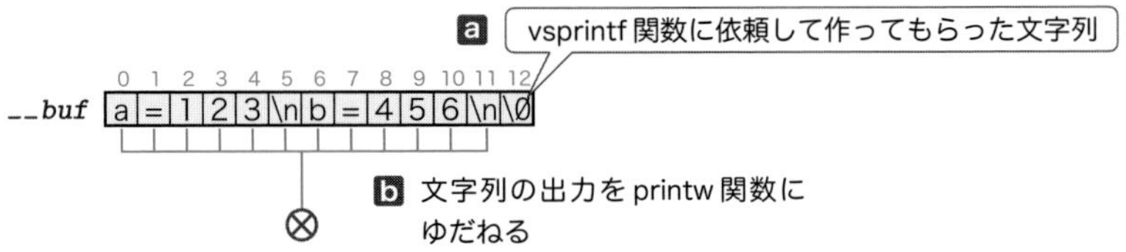

```
          0 1 2 3 4 5 6 7 8 9 10 11 12
__buf     a = 1 2 3 \n b = 4 5 6 \n \0
```

a vsprintf 関数に依頼して作ってもらった文字列

b 文字列の出力を printw 関数にゆだねる

Fig.7-10 関数 __printf による出力

改良したプログラム

"getputch.h" ライブラリを利用するように書きかえた《ダブルナンバーサーチ》のプログラムを、次ページの **List 7-11** に示します。

まずは、トレーニングしましょう。入力時にエンターキーを押す必要がなくなるため、前のプログラムよりも素早くトレーニングできるはずです。

▶ 前節で作成した《ラックナンバーサーチ》を、"getputch.h" を使うように書きかえたプログラムは、第9章で学習します。

✎ まとめ

✿ インクルードガードされたヘッダ

ヘッダは、何度インクルードされても不都合が生じないように実装する必要がある。そのためには、次のように**インクルードガード**を行うとよい。

```
#ifndef __HEADERXX
#define __HEADERXX

    // 宣言や定義など

#endif
```

なお、マクロ名 __HEADERXX は、ヘッダごとに異なるものでなければならない。

✿ ライブラリ "getputch.h"

scanf 関数、*getchar* 関数などの標準ライブラリでは、エンターキーが押される前に入力されたキーボードの情報を取得することはできない（少なくとも、処理系に依存することなく実現することはできない）。

そのために提供される非標準ライブラリが *getch* 関数である。MS–Windows ／ MS–DOS では **<conio.h>** ヘッダで、Curses ライブラリが提供されている UNIX ／ Linux ／ macOS では **<curses.h>** ヘッダで宣言されている。

これらの仕様は異なるため、**List 7-8**（p.230）の "getputch.h" を使って違いを吸収するとよい。

✿ 可変個引数を受け取る関数

可変個引数を受け取る関数を定義する際は、**<stdarg.h>** ヘッダで提供されている、型やライブラリ群を利用する。

- **va_list 型** … 可変個引数をアクセスするための型。
- **va_start マクロ** … 可変個引数アクセスのための準備を行う。
- **va_arg マクロ** … 一つ後方の可変個引数のアクセスを行う。
- **va_end マクロ** … 可変個引数アクセス終了のための後始末を行う。

なお、*printf* 関数、*fprintf* 関数、*sprintf* 関数に準ずるライブラリ関数として、*vprintf* 関数、*vfprintf* 関数、*vsprintf* 関数が提供される。これらの関数は、末尾の引数が va_list 型であり、可変個引数とはなっていない。これらの関数に可変個引数を「丸投げ」して処理を依頼すると、引数の展開・整形を行った上での出力が容易に実現できる。

List 7-11   chap07/doublenum2.c

```c
// ダブルナンバーサーチ・トレーニング（その２：リアルタイムキー入力）

#include <ctype.h>
#include <time.h>
#include <stdio.h>
#include <stdlib.h>
#include "getputch.h"

#define MAX_STAGE   10          // 挑戦回数
#define swap(type, x, y)  do { type t = x; x = y; y = t; } while (0)

int main(void)
{
    int dgt[9] = {1, 2, 3, 4, 5, 6, 7, 8, 9};
    int a[10];

    init_getputch();
    srand(time(NULL));              // 乱数の種を設定
    printf("ダブっている数字を見つけよう!!\n");
    printf("スペースキーで開始します。\n");
    fflush(stdout);
    while (getch() != ' ')                                                    ■1
        ;
    time_t start = time(NULL);
    for (int stage = 0; stage < MAX_STAGE; stage++) {
        int x = rand() % 9;        // ダブってコピーする要素の添字（0～8）

        int i = 0, j = 0;
        while (i < 9) {                     // dgt[x]をダブらせてコピー
            a[j++] = dgt[i];
            if (i == x)
                a[j++] = dgt[i];
            i++;
        }
        for (int i = 9; i > 0; i--) {   // 配列aをシャッフル
            int j = rand() % (i + 1);
            if (i != j)
                swap(int, a[i], a[j]);
        }
        for (int i = 0; i < 10; i++)    // 全要素を表示
            printf("%d ", a[i]);
        printf(" : ");
        fflush(stdout);

        int no;                         // 読み込んだ値
        do {
            no = getch();                                                     ■3
            if (isprint(no)) {          // 表示可能であれば
                putch(no);              // 押されたキーを表示
                if (no != dgt[x] + '0') // 正解でなければ
                    putch('\b');        // カーソルを一つ戻す          ■4   ■2
                else
                    printf("\n");       // 改行
                fflush(stdout);
            }
        } while (no != dgt[x] + '0');
    }
    time_t end = time(NULL);

    double jikan = difftime(end, start);

    printf("%.1f秒かかりました。\n", jikan);
```

```
        if (jikan > 25.0)
            printf("鈍すぎます。\n");
        else if (jikan > 20.0)
            printf("少し鈍いですね。\n");
        else if (jikan > 17.0)
            printf("まあまあですね。\n");
        else
            printf("素早いですね。\n");
        term_getputch();

        return 0;
    }
```

```
┌─────────────────────────────┐
│          実行例             │
├─────────────────────────────┤
│ ダブっている数字を見つけよう!! │
│ スペースキーで開始します。     │
│ 5 7 8 6 4 9 3 9 1 2   : 9    │
│ 1 3 8 9 6 2 5 4 7 5   : 5    │
│ 6 4 7 8 1 2 9 5 3 9   : 9    │
│ … 中略 …                    │
│ 9 7 4 6 3 1 7 5 2 8   : 7    │
│ 6 9 1 8 1 3 5 2 4 7   : 1    │
│ 32.0秒かかりました。          │
│ 鈍すぎます。                 │
└─────────────────────────────┘
```

これまでのプログラムとは異なり、**スペースキーを押すまでトレーニングが始まらないよう**になっています。それを実現するのが、■のwhile文であり、*getch*関数が返す文字が空白文字' 'でない限り繰返しを続けます（空白文字以外が返されると繰返しが終了します）。

▶ このwhile文が制御するループ本体の; は、セミコロンだけの文である**空文**です。

タイプされた文字を処理する■の箇所は、*scanf*関数を利用する**List 7-5**（p.225）のプログラムよりも複雑です。この箇所を理解していきましょう。

まず、■では、押されたキーの値が*getch*関数によって読み込まれ、その値が*no*に代入されます。なお、この段階では、押された文字は画面には表示されていません。

読み込んだ文字が表示文字（p.75）である場合にのみ実行するのが、■の箇所です。ここでは、次のことを行います。

▶ *no*が改行文字やタブ文字などの非表示文字であれば、読み込んだのが数字文字でない＝正解ではないのですから、■の実行はスキップします。

まず、*putch(no)*によって、読み込んだ文字*no*を、*putch*関数によって表示します。

次に、正誤に応じて異なる処理を行います。

> 正解が6であるとする

■ **文字 *no* が正解でない場合**

後退 '\b' を出力してカーソルの位置を一つ手前に戻します。これは、次にタイプされた文字が、再び同じ位置に表示されるようにするための準備です（**Fig.7-11** ■）。

なお、後退の出力を行わないと、図■に示すように、画面上に誤答が残ったままになってしまいます。

■ **文字 *no* が正解である場合**

改行 "\n" を出力します。これは、次の問題へ進むための準備です。

a 文字noに続けて後退を出力

··· 3 4 8 : 5	誤答5がタイプされる
··· 3 4 8 : 5	カーソルを戻す
··· 3 4 8 : 6	正解6がタイプされる

b もし後退を出力しなければ…

| ··· 3 4 8 : 5 | 誤答5がタイプされる |
| ··· 3 4 8 : 56 | 正解6がタイプされる |

Fig.7-11 後退文字の表示

Column 7-3	配列の高速なコピー

　配列をまるごとコピーするには、**for** 文を使って全要素を逐一コピーする必要があることを、本文で学習しました（p.213）。

　memcpy 関数と *memmove* 関数を用いると、配列のコピーや、配列への要素の挿入・削除が高速に行えます。

---

memcpy

ヘッダ	#include <string.h>
形　式	void *memcpy(void * restrict *s1*, const void * restrict *s2*, size_t *n*);
解　説	*s2* が指すオブジェクトの先頭 *n* 文字を *s1* が指すオブジェクトにコピーする。コピー元とコピー先が重なる場合の動作は定義されない。
返却値	*s1* の値を返す。

---

memmove

ヘッダ	#include <string.h>
形　式	void *memmove(void * restrict *s1*, const void * restrict *s2*, size_t *n*);
解　説	*s2* が指すオブジェクトの先頭 *n* 文字を *s1* が指すオブジェクトにコピーする。コピー元とコピー先が重なる場合も正しくコピーする。
返却値	*s1* の値を返す。

※　標準Cでは、関数の仕様は定義されているものの、実装要件などは定義されません（そのため、*memcpy* 関数と *memmove* 関数が高速に動作すると定義されているわけではありません）。

　　ただし、ほとんどの処理系で、これら二つの関数は CPU の命令をうまく活用して高速なコピーを行うように実装されています。

　いずれの関数も、第2引数 *s2* が指す領域を先頭とする、第3引数で指定された *n* バイトの領域を、第1引数が指す領域 *s1* にコピーします。その様子を示したのが、**Fig.7C-5** です。

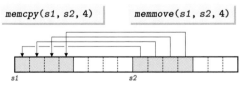

s2 を先頭とする4文字を s1 にコピーする

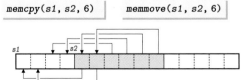

s2 を先頭とする6文字を s1 にコピーする

コピー元とコピー先の領域が重なるときは memmove 関数では確実なコピーが行えるが memcpy 関数での動作は保証されない

Fig.7C-5 memcpy 関数と memmove 関数の働き

List 7C-1 は、これら二つの関数を使ったプログラム例です。

chap07/mem_ary.c

List 7C-1

```
// memcpy関数とmemmove関数の利用例

#include <stdio.h>
#include <string.h>

//--- 配列bのn個の要素をaにコピー ---//
int arycpy(int a[], const int b[], int n)
{
    if (n <= 0)                      // n>0でなければならない
        return 1;
    else {
        memcpy(a, b, n * sizeof(int));
        return 0;
    }
}

//--- a[idx]にxを挿入して以降の要素を一つずつずらす ---//
int aryins(int a[], int n, int idx, int x)
{
    if (idx < 0 || idx >= n)         // 0≦idx<nでなければならない
        return 1;
    else {
        memmove(&a[idx + 1], &a[idx], (n - idx - 1) * sizeof(int));
        a[idx] = x;
        return 0;
    }
}

#define MAX     5          // 配列の要素数

int main(void)
{
    int x[MAX] = {1, 2, 3, 4, 5};
    int y[MAX] = {9, 9, 9, 9, 9};

    arycpy(y, x, MAX);          // xの全要素をyにコピー

    aryins(x, MAX, 2, 10);   // x[2]に10を挿入

    puts("          x   y ");
    puts("-------------");

    for (int i = 0; i < MAX; i++)
        printf("[%d] :%4d%4d\n", i, x[i], y[i]);

    return 0;
}
```

実行結果
```
          x   y
-------------
[0] :    1   1
[1] :    2   2
[2] :   10   3
[3] :    3   4
[4] :    4   5
```

7-2
ダブルナンバーサーチ

　関数 arycpy は、配列 b の n 個の要素を配列 a にコピーする関数です。memcpy 関数を使っているためコピーが高速に実行されることが期待できます。

　関数 aryins は、配列 a[idx] に x を挿入する関数です（a[idx] に x を代入するとともに、それ以降の要素を一つ後方にずらします）。

　main 関数では、配列 x の全要素を y にコピーした上で、x[2] に 10 を挿入しています。

　本プログラムをよく読んで理解しましょう。さらに、aryins の逆の関数、すなわち、配列中のある要素を除去した上で、それ以降の要素を一つ前方にずらす関数 arydel を作りましょう。aryins や arydel を使えば、ラックナンバーやダブルナンバーでの問題作成の高速化が期待できます。

7-3 トライグラフ連想トレーニング

　本節では、連続する3文字の一つを隠して表示して、そこに入るべき文字を瞬間的に連想させる
トレーニングソフトを作ります。

瞬間的判断力の養成

　List 7-12 は、連続する3個の**数字／英大文字／英小文字**の中から1個を隠した状態で表示
して、そこに入るべき文字を瞬間的に連想させ
るトレーニングソフトです。

　まずは実行しましょう。連続する3文字が表
示されますが、その中のどれか1個が疑問符記
号 **?** で隠されています。

　タイプするのは、その隠された文字です。

　たとえば、

　　A ? C :　　※中央の文字が隠されている

と表示されたら **B** を入力し、

　　4 5 ? :　　※右端の文字が隠されている

と表示されたら **6** を入力しなければなりません。

　トレーニングの回数は20回です。

```
┌─────────────実行例─────────────┐
□連続する三つの数字あるいは英字から
□隠されている文字をタイプします。
□たとえば A ? C : と表示されたらBを
□　　　　 4 5 ? : と表示されたら6を
□タイプします。
★スペースキーで開始します。
 A ? C : B
 4 5 ? : 6
 C ? E : D
 h ? j : i
 ? c d : b
 7 8 ? : 9
 ? C D : B
 m n ? : o
 n o ? : p
 … 中略 …
 ? t u : s
 ? U V : T
26.0秒かかりました。
素早いですね。
```

List 7-12　　　　　　　　　　　　　　　　chap07/trigraph.c

```c
// トライグラフ連想トレーニング（数字・英字の3文字の並びを完成させる）

#include <time.h>
#include <ctype.h>
#include <stdio.h>
#include <string.h>
#include <stdlib.h>
#include "getputch.h"

#define MAX_STAGE   20               // 挑戦回数
#define swap(type, x, y)  do { type t = x; x = y; y = t; } while (0)

int main(void)
{
    char *qstr[] = {"0123456789",                    // 数字
                    "ABCDEFGHIJKLMNOPQRSTUVWXYZ",     // 英大文字
                    "abcdefghijklmnopqrstuvwxyz",     // 英小文字
                   };
    int chmax[] = {10, 26, 26};                      // それぞれの文字数

    init_getputch();
```

```
    srand(time(NULL));                      // 乱数の種を設定

    printf("□連続する三つの数字あるいは英字から\n");
    printf("□隠されている文字をタイプします。\n");
    printf("□たとえば A ? C ：と表示されたらBを\n");
    printf("□        ４５？：と表示されたら6を\n");
    printf("□タイプします。\n");

    printf("★スペースキーで開始します。\n");
    while (getch() != ' ')
        ;

    time_t start = time(NULL);

    for (int stage = 0; stage < MAX_STAGE; stage++) {
        int qtype = rand() % 3;      // 0:数字／1:英大文字／2:英小文字
        int nhead = rand() % (chmax[qtype] - 2);    // 先頭文字の添字
        int x     = rand() % 3;      // ３文字のどれを'?'にするか

        putchar('\r');
        for (int i = 0; i < 3; i++) {               // 問題を表示
            if (i != x)
                printf(" %c", qstr[qtype][nhead + i]);
            else
                printf(" ?");
        }
        printf(" : ");
        fflush(stdout);

        int key;                                    // 読み込んだキー

        do {
            key = getch();
            if (isprint(key)) {                     // 表示可能であれば
                putch(key);                         // 押されたキーを表示
                if (key != qstr[qtype][nhead + x])  // 正解でなければ
                    putch('\b');                    // カーソルを一つ戻す
            }
        } while (key != qstr[qtype][nhead + x]);
        printf("\n");
    }

    time_t end = time(NULL);

    double jikan = difftime(end, start);

    printf("\n%.1f秒かかりました。\n", jikan);

    if (jikan > 50.0)
        printf("鈍すぎます。\n");
    else if (jikan > 40.0)
        printf("少し鈍いですね。\n");
    else if (jikan > 34.0)
        printf("まあまあですね。\n");
    else
        printf("素早いですね。\n");

    term_getputch();

    return (0);
}
```

問題の作成

数字とアルファベットの全文字を格納するのが、要素型が **char** へのポインタ型で要素数が 3 の配列 *qstr* です。

Fig.7-12 に示すように、*qstr*[0]、*qstr*[1]、*qstr*[2] は、文字列リテラル **"0123456789"**、**"ABCDEFGHIJKLMNOPQRSTUVWXYZ"**、**"abcdefghijklmnopqrstuvwxyz"**（の各文字列の先頭文字である **'0'**、**'A'**、**'a'**）を指すように初期化されます。

```
char *qstr[] = {"0123456789",                        // 数字
                "ABCDEFGHIJKLMNOPQRSTUVWXYZ",         // 英大文字
                "abcdefghijklmnopqrstuvwxyz",         // 英小文字
               };
```

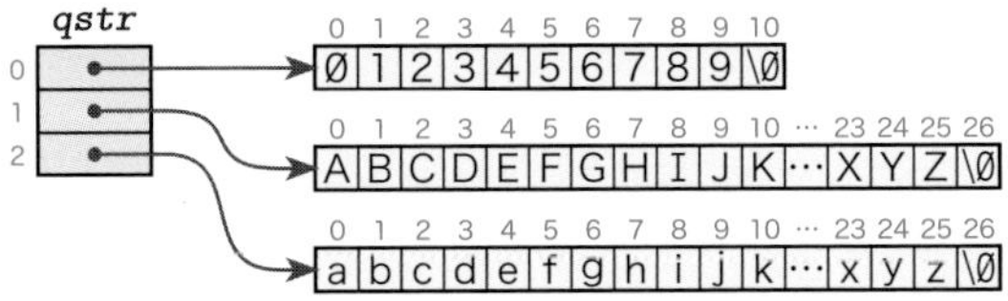

Fig.7-12 数字とアルファベットを格納するための配列 qstr

qstr の各要素 *qstr*[0]、*qstr*[1]、*qstr*[2] が指す文字列の文字数（数字文字は 10 個で、アルファベット文字は 26 個）を覚えておくための配列が *chmax* です。

次のように宣言されています。

```
int chmax[] = {10, 26, 26};            // それぞれの文字数
```

▶ 数字とアルファベットの個数が自明であるため、このような宣言としています。*qstr* の内容の変更に対して柔軟に対応できるようにするには、次のように宣言すべきです。

```
    int chmax[] = {strlen(qstr[0]), strlen(qstr[1]), strlen(qstr[1])};
```

要素に対する初期化子に関数呼出し式を含めます（文字列の長さが自動的に計算されます）。

問題として提示する文字列は、次に示す三つの変数の値をもとに作成します。

```
int qtype = rand() % 3;                    // 0:数字／1:英大文字／2:英小文字
int nhead = rand() % (chmax[qtype] - 2);              // 先頭文字の添字
int x     = rand() % 3;                    // 3文字のどれを'?'にするか
```

これらの変数を理解していきましょう。

▪ 変数 qtype：どの文字種を出題するか

数字／英大文字／英小文字のどれを出題するかを表すのが変数 *qtype* です。配列 *qstr* の添字に対応するように、0、1、2 の乱数で決定します。

- Ø … 数字（`0123456789`）
- 1 … 英大文字（`ABCDEFGHIJKLMNOPQRSTUVWXYZ`）
- 2 … 英小文字（`abcdefghijklmnopqrstuvwxyz`）

■ 変数 nhead：どの３文字を表示するか

変数 *nhead* は、取り出す３文字の先頭文字の添字を表します。次に示すのが一例です。

- *qtype* … Ø ／ *nhead* … 6 ⇨ 出題するのは `"678"`
- *qtype* … 1 ／ *nhead* … 2 ⇨ 出題するのは `"CDE"`
- *qtype* … 2 ／ *nhead* … 5 ⇨ 出題するのは `"fgh"`

変数 *nhead* の値は、次のようになっていなければなりません。

□ 問題が数字のとき

最も先頭側の問題は `"012"` ですから、最小値は Ø です。
最も末尾側の問題は `"789"` ですから、最大値は 7 です。

□ 問題が英字のとき

最も先頭側の問題は `"ABC"` あるいは `"abc"` ですから、最小値は Ø です。
最も末尾側の問題は `"XYZ"` あるいは `"xyz"` ですから、最大値は 23 です。

すなわち、最小値は Ø で、最大値は文字列の文字数から３を引いた *chmax[qtype]* - 3 です。この範囲の乱数を生成して、変数 *nhead* の値を決定します。

▶ Ø ～ *chmax[qtype]* - 3 の乱数を生成するには、*rand* 関数の返却値を *chmax[qtype]* - 2 で割らなければならないことに注意しましょう。

■ 変数 x：3文字のどの文字を隠すか

変数 *qtype* と変数 *nhead* によって、出題する３文字が決定しています。残る作業は、３文字のどれを隠すのかを決定することであり、それを表すのが変数 *x* です。

隠すのが先頭文字であれば Ø、中央の文字であれば 1、最後の文字であれば 2 とします。そこで、Ø ～ 2 の乱数を生成して、変数 *x* の値を決定します。

たとえば、*qtype*、*nhead*、*x* が、それぞれ Ø、6、1 であれば、`"678"` の中央の文字 `'7'` を隠して出題することになります。

＊

問題が決定すると、表示を行います。その際、隠す文字を疑問符記号？に変換した上で表示します。キーボードから読み込まれた文字の処理や、正誤の判定などは、**List 7-11**（p.242）の《ダブルナンバーサーチ》とほぼ同じです。

しっかりとプログラムを読んで、理解しましょう。

Column 7-4	多次元配列の初期化

多次元配列の初期化では、1次元配列に対する初期化の規則がそのまま適用されます。

要素数が3×2である2次元配列の初期化を例に考えていきましょう。

```
int x[3][2] = {{0, 1},
               {2, 3},
               {4, 5},
               };
```

この宣言では、全構成要素に初期化子が与えられており、構成要素 x[0][0]、x[0][1]、x[1][0]、x[1][1]、x[2][0]、x[2][1] が、0、1、2、3、4、5で初期化されます。

初期化子を横1列に並べると、次のようになります。

```
int x[3][2] = { {0, 1}, {2, 3}, {4, 5}, };
```

末尾のコンマ , が余計なように感じられますが、コンパイルエラーにはなりません。事実、**List 7-12**（p.246）の配列 *qstr* も、このように初期化されています。

もちろん、末尾のコンマを取って、次のようにも宣言できます。

```
int x[3][2] = { {0, 1}, {2, 3}, {4, 5} };
```

末尾のコンマには、次のメリットがあります。

- 各行ごとに初期化子を縦に並べて宣言するときに、見かけ上のバランスが取れる。
- 行単位での初期化子の順序の変更や、追加や削除が容易になる（行単位での挿入や削除を行う際に、最終行の末尾にコンマを付けたり取ったりしなくてよいため）。

もちろん、この規則は多次元配列でなくとも適用されますから、1次元配列の初期化においても、次のように宣言できます（第1章で学習しました）。

```
int d[3] = {1, 2, 3,};
```

この形式の宣言は、次のように、文字列を縦に並べる際などでよく使われます。

```
char *rgb[3] = {        // 光の3原色
    "Red",              // 赤
    "Green",            // 緑
    "Blue",             // 青
};
```

＊

配列に与えられた初期化子が不足していれば、その要素は0で初期化されるという規則は、多次元配列に対しても成立します。次に例を示します。

```
int x[3][2] = {{1},
               {2},
               {3},
               };
```

初期化子が与えられていない x[0][1] と x[1][1] と x[2][1] はいずれも0で初期化されます。

なお、初期化子の { } は、必ずしも入れ子となっている必要はありません。次のように宣言すると、先頭要素から順に初期化が行われます。

```
int x[3][2] = {1, 2, 3};
```

図に示すように、1と2と3は、x[0][0] と x[0][1] と x[1][0] に入れられることになります。

✎ 自由課題

☐ 演習 7–1

List **7-4**（p.218）の《ラックナンバーサーチ》は、プレーヤのキー入力を *scanf* 関数で処理するプログラムであった。"getputch.h" ライブラリ（List **7-8**：p.230）を用いて *getch* 関数を利用するように書きかえたプログラムを作成せよ。

☐ 演習 7–2

前問で作成した《ラックナンバーサーチ》の出題対象の数字を、1〜9 ではなく 0〜9 に変更したプログラムを作成せよ。

☐ 演習 7–3

List **7-11**（p.242）の《ダブルナンバーサーチ》の出題対象の数字を、1〜9 ではなく 0〜9 に変更したプログラムを作成せよ。

☐ 演習 7–4

List **7-4**（p.218）で配列をシャッフルする for 文

```
for (int i = 7; i >= 1; i--) {
    int j = rand() % (i + 1);
    if (i != j)
        swap(int, a[i], a[j]);
}
```

を次のように実現すると、どうなるだろうか。考察せよ。

```
for (int i = 7; i >= 1; i--) {
    swap(int, a[i], a[rand() % (i + 1)]);
}
```

☐ 演習 7–5

数字の表示を 3 行にまたがって行う《ラックナンバーサーチ》のプログラムを作成せよ。たとえば、右のように表示して、抜かれている数字を見つけさせること。

```
7  6          3
      2  4
1     9     8
```

☐ 演習 7–6

演習 **7-5** と同様な表示を行う《ダブルナンバーサーチ》のプログラムを作成せよ。

☐ 演習 7–7

出題をフラッシュ形式で表示する《ラックナンバーサーチ》と《ダブルナンバーサーチ》のプログラムを作成せよ。一度に「2 6 1 5 3 9 4 8」と表示して出題するのでなく、「2」「6」「1」… と 1 個の数字を一瞬だけ表示しては消去する、という処理を繰り返して出題すること。

☐ 演習 7–8

出題の文字の並びを逆にした《トライグラフ連想トレーニング》のプログラムを作成せよ。たとえば、連続する 3 文字 A と B と C の B を隠して出題する場合は、「C ? A」と表示すること。

第8章

タイピング練習

本章では、いろいろな種類の《タイピング練習ソフト》を作成します。タイピング技術とプログラミング技術の向上の両方を目指しましょう。

この章で学ぶおもなこと

- タイプされた文字の消去
- 出題順序の並べかえ
- 他の配列要素の値を添字とした
  配列要素のアクセス
- ポインタ値の交換
- 前回生成した乱数とは異なる
  値をもつ乱数の生成
- キーボードを表現する文字列
- 選択肢からの複数選択

8-1 基本タイピング練習

　本章では、いろいろな種類のキーボードタイピング練習用プログラムを作ります。まずは、単純なものから始めましょう。

1個の文字列のタイピング練習

　まず最初に、1個の文字列のタイプに要する時間を計測・表示するタイピング練習ソフトを作ります。**List 8-1** に示すのが、そのプログラムです。

▶ 本章のプログラムは、前章で作成した **"getputch.h"** ライブラリ（p.230）を利用します。

List 8-1　　　　　　　　　　　　　　　　　　　　　chap08/typing1a.c

```
// 一つの文字列によるキータイピング練習（その1）

#include <time.h>
#include <ctype.h>
#include <stdio.h>
#include <string.h>
#include "getputch.h"

int main(void)
{
    char *str = "How do you do?";   // タイプする文字列
    int  len = strlen(str);         // 文字列strの文字数

    init_getputch();

    printf("このとおりタイプしよう!!\n");
    printf("%s\n", str);            // タイプする文字列を表示
    fflush(stdout);

    time_t start = time(NULL);                     // 開始時刻

    for (int i = 0; i < len; i++) {
        int ch;

        do {
            ch = getch();              // キー読込み             ─2
            if (isprint(ch)) {
                putch(ch);             // 押されたキーを表示
                if (ch != str[i])      // 違うキーが押されたら      ─3     ─1
                    putch('\b');       // カーソルを一つ戻す
            }
        } while (ch != str[i]);
    }

    time_t end = time(NULL);                        // 終了時刻

    printf("\n%.1f秒でした。\n", difftime(end, start));

    term_getputch();

    return 0;
}
```

実行例
```
このとおりタイプしよう!!
How do you do?
How do you do?
8.0秒でした。
```

　まずは実行しましょう。タイプするのは、ポインタ **str** が指す文字列 **"How do you do?"** です。右ページの **Fig.8-1** に示すように、文字列の長さは 14（ナル文字を含めて 15 バイト）です。

ポインタと配列の表記の可換性（**Column 3-2**：p.78）によって、`'H'`、`'o'`、…、`'?'` の各文字は、`str[0]`、`str[1]`、…、`str[13]` の添字式によってアクセスできます（ポインタにすぎない `str` が、あたかも配列であるかのようにふるまいます）。

なお、文字列 `str` の長さを表す変数 `len` は、`strlen` 関数で求めた **14** で初期化されます。

▶ 文字列の長さを取得する `strlen` 関数は、第 2 章（p.53）で学習しました。

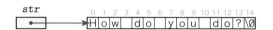

str はポインタであるが、あたかも配列であるかのように
添字式 str[0]、str[1]、… で各要素をアクセスできる

Fig.8-1 タイプする文字列

タイピング練習の主要部である水色の `for` 文を理解していきましょう。

この `for` 文では、変数 `i` の値を 0、1、2、… とインクリメントする `len` 回の繰返しによって文字列内の文字を先頭から順に走査します。

走査の際に着目する `str[i]` が、タイプすべき文字 `'H'`、`'o'`、`'w'`、…、`'?'` です。

なお、誤ってタイプされた文字は受け付けませんので、正しい文字をタイプするまで、次の文字には進めないようになっています。

その制御を行うのが**1**の `do` 文であり、そのループ本体は**2**と**3**で構成されています。

2 タイプされた文字（`getch` 関数の返却値）が変数 `ch` に代入されます。

3 文字 `ch` が**表示文字**（p.75）であれば、その文字を `putch` 関数で表示します（すなわち、改行文字やタブ文字などの非表示文字であれば表示は行いません）。

タイプされて表示した文字 `ch` が、タイプミスであれば（文字 `str[i]` と等しくなければ）、後退 `'\b'` を出力してカーソル位置を一つ手前に戻します（次にタイプされた文字が、同じ位置に表示されるようにするための処理です）。

▶ 前章で学習した《ダブルナンバーサーチ》でのキー入力処理（p.243）と同じ要領です。

これら二つのステップが完了すると、`do` 文の制御式 `ch != str[i]` が評価されます。

タイプミスであれば（`ch` と `str[i]` が等しくなければ）、`do` 文が繰り返されます。すなわち、次の文字に進むことなく、ループ本体の**2**と**3**が再び実行されます。

正しくタイプされると `do` 文は終了し、`for` 文の繰返しによって、次の文字へと進みます。

＊

すべての文字をタイプすると、それに要した時間が表示されます。スピードアップを目指して何度も練習してみましょう。

▶ `"How do you do?"` のタイプに飽きたら、文字列を書きかえて練習するといいでしょう。

☐ タイプされた文字を消していく ─────────────

　右ページ **List 8-2** のプログラムに進みます。まずは実行しましょう。**"How do you do?"** の
タイプ時間が計測されるのは、前のプログラムと同じです。ただし、**Fig.8-2** に示すように、
正しくタイプするたびに文字が消えて、それ以降の部分が詰められていきます。

> ▶ 前のプログラムと同様に、正しいキーをタイプするまで、次の文字へは進めないようになっています。
> すべての文字を正しくタイプして、全部の文字が消えると終了します。

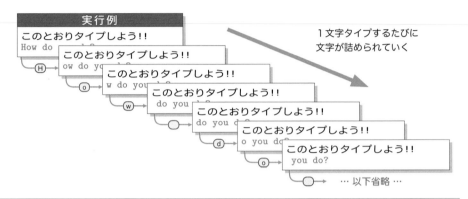

Fig.8-2 List 8-2 の実行例

　前のプログラムよりも高度なこと（？）を行っているにもかかわらず、プログラムは短くなって
います。主要部である**1**の **for** 文の本体は、実質的に二つの短い文だけで構成されます。

> ▶ **2**と**3**のあいだに置かれた関数呼び出し **fflush(stdout)** については、第 2 章（p.39）で簡単に
> 学習しました。詳細は次章（p.289）で学習します。

　その **for** 文は、繰返し開始時の変数 i の値が **0** です。まずは、そのときのループ本体の動
作を理解しましょう。

2　**printf** 関数に対して、**str[i]** へのポインタ **&str[i]** を第2引数として渡しています。

　変数 i の値が **0** ですから、**printf** 関数に渡されるのは **&str[0]**、すなわち文字 **'H'** を指
すポインタです。そのため、右ページ **Fig.8-3 a** に示すように、**str[0]** を先頭とする文字列
"How do you do?" が表示されます。さらに、その直後に空白文字と復帰 **\r** を出力してカー
ソルを行の先頭 **'H'** の位置に戻します。

3　この **while** 文は、タイプされた文字（**getch** 関数の返却値）が、**str[i]** すなわち **'H'** で
ないあいだ繰り返されます。正しい文字がタイプされると **while** 文は終了します。

　その後、**for** 文によって変数 i の値は **1** になります。そうすると、**2**では、図**b**に示すように
str[1] を先頭とする文字列 **"ow do you do?"** が出力され、その後、空白文字と復帰を出力
してカーソルを先頭の **'o'** の位置に戻します。その後、**3**の **while** 文の働きによって、正しく
'o' がタイプされるのを待ちます。

```
List 8-2                                              chap08/typing1b.c
// 一つの文字列によるキータイピング練習（その２：打った文字が消えていく）

#include <time.h>
#include <stdio.h>
#include <string.h>
#include "getputch.h"

int main(void)
{
    char *str = "How do you do?";    // タイプする文字列
    int  len = strlen(str);          // 文字列strの文字数

    init_getputch();
    printf("このとおりタイプしよう!!\n");

    time_t start = time(NULL);                  // 開始時刻

    for (int i = 0; i < len; i++) {
        // str[i]以降と空白を表示してカーソルを先頭へ戻す
        printf("%s \r", &str[i]);                        ─2
                                       空白文字            ─1
        fflush(stdout);
        while (getch() != str[i])                         ─3
            ;
    }
    time_t end = time(NULL);                    // 終了時刻

    printf("\r%.1f秒でした。\n", difftime(end, start));

    term_getputch();

    return 0;
}
```

　表示する文字列の開始位置を *str*[0]、*str*[1]、… と１文字ずつ後方へずらすことによって文字列が一つずつ左側へと詰められているように見せかけていることが分かったでしょう。

　なお、文字列の直後に空白文字を１個表示しているのは、最後尾の文字を画面に残さないようにするためです。

▶ *printf* 関数に渡している "%s \r" の %s と \r のあいだの空白文字を削除すると、末尾の文字 '?' が画面に残ってしまいます。プログラムを書きかえて、動作を確かめましょう。

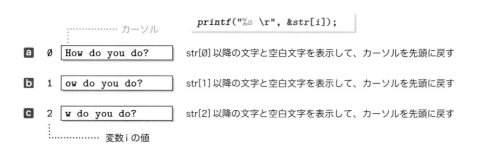

Fig.8-3 タイプした文字を消していく原理

複数の文字列をタイプ

前のプログラムを拡張して、複数の文字列のタイピングを練習できるように拡張します。**List 8-3** に示すのが、そのプログラムです。

```
List 8-3                                                    chap08/typing2a.c
// 複数文字列によるキータイピング練習（その１）

#include <time.h>
#include <stdio.h>
#include <string.h>
#include "getputch.h"

#define QNO     12        // 問題数

int main(void)
{
    char *str[QNO] = {
        "book",  "computer",     "default", "comfort", "monday", "power",
        "light", "programming", "music",    "dog",       "video",  "include",
    };

    init_getputch();

    printf("タイピング練習を始めます。\n");
    printf("スペースキーで開始します。\n");
    while (getch() != ' ')              // スペースキーが押下
        ;                                // されるまで待つ

    time_t start = time(NULL);                      // 開始時刻

    for (int stage = 0; stage < QNO; stage++) {
        int len = strlen(str[stage]);    // 文字列str[stage]の文字数  ←1

        for (int i = 0; i < len; i++) {
            // str[stage][i]以降を表示してカーソルを先頭へ戻す
            printf("%s \r", &str[stage][i]);

            fflush(stdout);                                    ←2
            while (getch() != str[stage][i])
                ;
        }
    }

    time_t end = time(NULL);                        // 終了時刻

    printf("\r%.1f秒でした。\n", difftime(end, start));
    term_getputch();
    return 0;
}
```

まずは実行しましょう。右ページの **Fig.8-4** に示すように、一つの文字列をタイプし終わったら、次の文字列が同じ行に表示されますので、それをタイプします。タイプする文字列は、全部で12個です。

タイプの対象の文字列が、1個から12個になったため、前のプログラムで**単なるポインタ**だった str が、 **ポインタの配列**に変更されています。この点が、プログラム上の大きな変更点です。

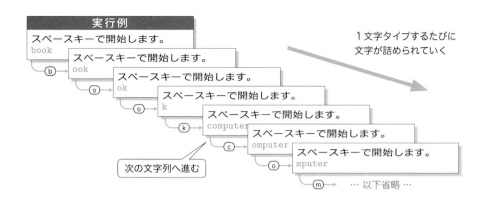

Fig.8-4 List 8-3 の実行例

　配列 *str* の要素 *str*[0]、*str*[1]、*str*[2]、… は、"book"、"computer"、"default"、…
の先頭文字 'b'、'c'、'd'、… を指すポインタです。**Fig.8-5** に示すように、出題は要素の
並びの順で行われます。

　さて、プログラムの主要部である水色の2重ループは、おおむね前のプログラムに準じてい
ますが、次の点が異なります。

▪ for 文が2重になっている

　出題する単語が1個から12個になったため、外側のほうの **for** 文が追加されています。

　この **for** 文では、変数 *stage* の値を 0 から始めて *QNO* 回（12回）の繰返しを行います。

　タイプする文字数が文字列によって異なるため、**1**では、出題する文字列 *str*[*stage*] の長
さを求めて変数 *len* に入れています。

　ループ本体に含まれる**2**の **for** 文が、前のプログラムの**1**に相当します。各繰返しでタイプ
る文字列は、*str*[*stage*] です。これは、前のプログラムの *str* に相当します。

▪ タイプすべき文字が *str*[*i*] ではなく *str*[*stage*][*i*] となっている

　内側の **for** 文の各繰返しにおいてタイプすべき文字は *str*[*stage*][*i*] です。これは、前の
プログラムの *str*[*i*] に相当します。

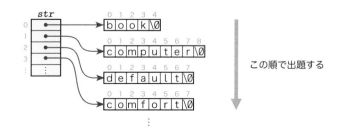

Fig.8-5 タイプする文字列の配列

出題順序をランダムにする（手法1）

前のプログラムでタイピング練習を何度か行うと、次に出題される文字列が思い浮かぶようになってきて、次第にトレーニング効果が薄れてきます。

出題の順序をランダムにしましょう。それが、右ページの **List 8-4** に示すプログラムです。

▶ プログラムの実行例は省略します。

本プログラムでは、要素型が `int` 型で要素数が *QNO*（出題する文字列の個数 12）の配列 *qno* を新しく導入しています。

その配列 *qno* の各要素の値の設定は、タイピング練習の開始前に実行する**1**と**2**の二つの `for` 文で行います。その様子を示したのが **Fig.8-6** です。

1 先頭から順に 0、1、2、…、11 を代入します。

2 前章で学習したアルゴリズム（p.218）で、要素の並びをかき混ぜて**シャッフル**します。

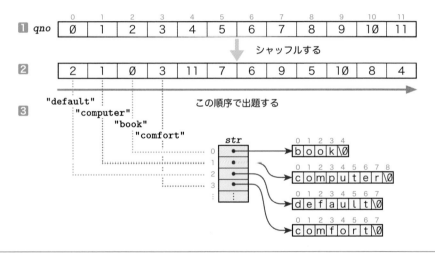

Fig.8-6 出題順序の並びかえ（出題順序用配列を使う手法）

タイピングの主要部である**3**の `for` 文に着目します。前のプログラムとほぼ同じですが、すべての *str[stage]* が *str[qno[stage]]* に変更されています。

そのため、出題は次のように行われます。

- *stage* が 0 のとき *qno[0]* の値は 2 ⇨ 出題するのは *str[2]* すなわち "default"
- *stage* が 1 のとき *qno[1]* の値は 1 ⇨ 出題するのは *str[1]* すなわち "computer"
- *stage* が 2 のとき *qno[2]* の値は 0 ⇨ 出題するのは *str[0]* すなわち "book"
- *stage* が 3 のとき *qno[3]* の値は 3 ⇨ 出題するのは *str[3]* すなわち "comfort"

　…以下省略…

List 8-4	chap08/typing2b.c

```c
// 複数文字列によるキータイピング練習 (その2 : 出題順序ランダム[手法1])

#include <time.h>
#include <stdio.h>
#include <stdlib.h>
#include <string.h>
#include "getputch.h"

#define QNO      12      // 問題数

#define swap(type, x, y)    do { type t = x; x = y; y = t; } while (0)

int main(void)
{
    char *str[QNO] = {
        "book",  "computer",    "default", "comfort", "monday", "power",
        "light", "programming", "music",   "dog",     "video",  "include",
    };
    int qno[QNO];                          // 出題順序

    init_getputch();
    srand(time(NULL));                     // 乱数の種を設定

    for (int i = 0; i < QNO; i++)
        qno[i] = i;                                                        ■

    for (int i = QNO - 1; i > 0; i--) {
        int j = rand() % (i + 1);
        if (i != j)                                                        ■
            swap(int, qno[i], qno[j]);
    }

    printf("タイピング練習を始めます。\n");
    printf("スペースキーで開始します。\n");
    while (getch() != ' ')                 // スペースキーが押下
        ;                                  // されるまで待つ

    time_t start = time(NULL);                      // 開始時刻                ■

    for (int stage = 0; stage < QNO; stage++) {
        int len = strlen(str[qno[stage]]); // 文字列str[qno[stage]]の文字数
        for (int i = 0; i < len; i++) {
            // str[qno[stage]][i]以降を表示してカーソルを先頭へ戻す
            printf("%s \r", &str[qno[stage]][i]);

            fflush(stdout);
            while (getch() != str[qno[stage]][i])
                ;
        }
    }

    time_t end = time(NULL);                         // 終了時刻
    printf("\r%.1f秒でした。\n", difftime(end, start));

    term_getputch();

    return 0;
}
```

配列 qno をうまく使って、出題順序をランダムにしていることが分かりました。

▶ 同じ単語が重複して出題されることはありません。0、1、…、11 をシャッフルしただけだからです。

このようにして、12 個の文字列の練習が完了すると、プログラムは終了します。

出題順序をランダムにする（手法２）

List 8-5 は、出題順序のランダム化を、配列 *qno* を用いずに実現するプログラムです。前の
プログラムよりも、変数が少なく簡潔になっています。

▶ プログラムの実行例は省略します。

List 8-5   chap08/typing2c.c

```c
// 複数文字列によるキータイピング練習（その２：出題順序ランダム[手法２]）

#include <time.h>
#include <stdio.h>
#include <stdlib.h>
#include <string.h>
#include "getputch.h"

#define QNO     12      // 問題数

#define swap(type, x, y)     do { type t = x; x = y; y = t; } while (0)

int main(void)
{
    char *str[QNO] = {
        "book",  "computer",     "default", "comfort", "monday", "power",
        "light", "programming", "music",    "dog",      "video",  "include",
    };

    init_getputch();
    srand(time(NULL));                      // 乱数の種を設定
    for (int i = QNO - 1; i > 0; i--) { // 配列strをシャッフル
        int j = rand() % (i + 1);
        if (i != j)
            swap(char *, str[i], str[j]);                               ■1
    }
    printf("タイピング練習を始めます。\n");
    printf("スペースキーで開始します。\n");
    while (getch() != ' ')                  // スペースキーが押下
        ;                                   // されるまで待つ

    time_t start = time(NULL);                      // 開始時刻

    for (int stage = 0; stage < QNO; stage++) {
        int len = strlen(str[stage]);    // 文字列str[stage]の文字数
        for (int i = 0; i < len; i++) {
            // str[stage][i]以降を表示してカーソルを先頭へ戻す
            printf("%s \r", &str[stage][i]);                           ■2

            fflush(stdout);
            while (getch() != str[stage][i])
                ;
        }
    }

    time_t end = time(NULL);                // 終了時刻

    printf("\r%.1f秒でした。\n", difftime(end, start));

    term_getputch();

    return 0;
}
```

Fig.8-7 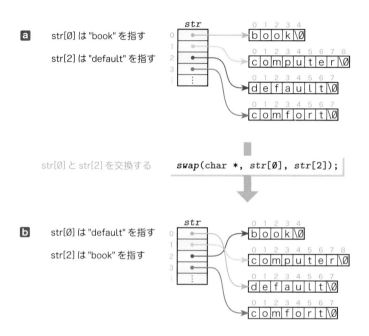 に示すように、配列 *str* の各要素は、"book"、"computer"、"default"、…
へのポインタです。本プログラムでは、この配列 *str* 自体をシャッフルしています（ポインタで
ある要素の値を書きかえています）。

その一例を示したのが、図 **b** です。*str[0]* の値と *str[2]* の値を交換した結果、*str[0]* は
"default" を指すポインタとなり、*str[2]* は "book" を指すポインタとなります。

Fig.8-7 出題順序の並びかえ（出題順序用配列を使わない手法）

配列 *str* の各要素の値＝ポインタをシャッフルしているのが、**1** のコードです。

▶ 前のプログラムと同様に、シャッフルの手順は p.218 と同じです。ただし、交換対象がポインタで
あるため、関数形式マクロ *swap* に与える第1引数が char * となっています。

タイピングの主要部である **2** の各 *stage* で出題する文字列が、**List 8-3** と同じ *str[stage]*
に戻っていることに注意しましょう（**List 8-4** では *str[qno[stage]]* と複雑でした）。

というのも、配列 *str* がシャッフルずみなので、*str[0]*、*str[1]*、…、*str[QNO - 1]* を順
に出力するだけで、出題順がランダムになるからです。

▶ シャッフル後の配列が図 **b** の状態であれば、出題する文字列は先頭から順に、*str[0]* が指す
"default"、*str[1]* が指す "computer"、*str[2]* が指す "book"、… となります。

なお、この方法は、いったんかき混ぜてしまったら、**単語の順序をもとに戻せなくなる**とい
う欠点がありますので、その点は注意が必要です。

8-2　キー配置連想タイピング

　本節では、提示されずに隠されている文字をタイプするという、ちょっと風変わりなタイピング
ソフトを作ります。

キー配置連想タイピング

　本節では、キーボード上のキー配置を思い出しながら練習するトレーニングソフトを作ります。
普通のタイピング練習とは異なり、**タイプするのは提示されていない文字です。**

　なお、キー配置はキーボードによって異なりますので、ここでは、**Fig.8-8** に示すキー配置
を前提とします。

a [Shift]キーを押さない状態

b [Shift]キーを押した状態

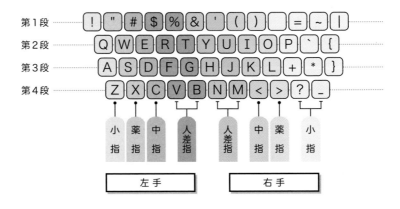

Fig.8-8 キーの配置

▶　この図に示しているキーボードのキー配置では、[Shift] キーを押しながら [Ø] キーを押しても何も
入力されません。

キーボード上のキー構成は、次のようになっています。

- 左手でタイプするキーと、右手でタイプするキーとに分かれる。

- 第1段〜第4段の全4段で構成される。

- [Shift] キーを押さずにタイプするキー（図**a**）と、[Shift] キーを押しながらタイプするキー（図**b**）とがある。

左右／[Shift] 押下の有無／段で分類されるかたまりを"**ブロック**"と呼ぶことにします。そうすると、キーボード全体は、2×2×4＝16 個のブロック構成となります。

▶ たとえば、左手で [Shift] を押しながらタイプする第3段のブロックは [A]、[S]、[D]、[F]、[G] です（それぞれ小指／薬指／中指／人差指／人差指で担当します）。

本トレーニングソフトでは、一つのブロックの並びを、その中の1個の文字を？で隠した状態で提示します。たとえば、

A S D ？ G

と提示されたら、プレーヤは、隠されている？が大文字のFであることを連想してタイプすることになります。

▶ 前章で作成した《トライグラフ連想トレーニング（p.246）》と同じ要領です。

・　　　　　　　　　＊

以上の方針に基づいたプログラムを、次ページの **List 8-6** に示しています。主要な部分を理解していきましょう。

ブロック数 **16** を表すのがマクロ *KTYPE* であり、各ブロックのキーを左側から順に並べた文字列を格納するのが、配列 *kstr* です。

```
#define KTYPE        16          // ブロック数

char *kstr[] = {
    "12345",  "67890-^\\",       // 第1段
    "!\"#$%",  "&'() =~|",       // 第1段 [Shift]
    "qwert",  "yuiop@[",         // 第2段
    "QWERT",  "YUIOP`{",         // 第2段 [Shift]
    "asdfg",  "hjkl;:]",         // 第3段
    "ASDFG",  "HJKL+*}",         // 第3段 [Shift]
    "zxcvb",  "nm,./\\",         // 第4段
    "ZXCVB",  "NM<> _",          // 第4段 [Shift]
};
```

トレーニングの性質上、文字 '?' は出題できませんので、最後に宣言されているブロック用の文字列は、**"NM<>?_"** でなくて **"NM<> _"** としています。

本プログラムでは、スペースキー（空白文字）を出題しない仕様としているため、不都合は生じません。

▶ お使いのキーボードの配置が異なるのであれば、配列 *kstr* の宣言を適当に書きかえましょう。

chap08/typing3.c

```
// キー配置連想タイピング練習（タイプする文字を考えさせる）
//     A?DFG と表示されたらSをタイプ
//     qwe?t と表示されたらrをタイプ

#include <time.h>
#include <stdio.h>
#include <stdlib.h>
#include <string.h>
#include "getputch.h"

#define NO          30           // 練習回数
#define KTYPE       16           // ブロック数

int main(void)
{
    char *kstr[] = {
        "12345",  "67890-^\\",        // 第１段
        "!\"#$%",  "&'() =~|",         // 第１段 [Shift]
        "qwert",  "yuiop@[",           // 第２段
        "QWERT",  "YUIOP`{",           // 第２段 [Shift]
        "asdfg",  "hjkl;:]",           // 第３段
        "ASDFG",  "HJKL+*}",           // 第３段 [Shift]
        "zxcvb",  "nm,./\\",           // 第４段
        "ZXCVB",  "NM<> _",            // 第４段 [Shift]
    };

    init_getputch();
    srand(time(NULL));                 // 乱数の種を設定

    printf("キー位置連想タイピング練習を始めます。\n");
    printf("？で隠された文字をタイプしてください。\n");
    printf("スペースキーで開始します。\n");
    fflush(stdout);
    while (getch() != ' ')
        ;

    time_t start = time(NULL);                          // 開始時刻

    for (int stage = 0; stage < NO; stage++) {
        int  k, p, key;
        char temp[10];

        do {
            k = rand() % KTYPE;
            p = rand() % strlen(kstr[k]);
            key = kstr[k][p];
        } while (key == ' ');

        strcpy(temp, kstr[k]);
        temp[p] = '?';

        printf("%s", temp);
        fflush(stdout);

        while (getch() != key)
            ;
        putchar('\n');
    }

    time_t end = time(NULL);                             // 終了時刻

    printf("%.1f秒でした。\n", difftime(end, start));

    term_getputch();

    return 0;
}
```

実行例

```
キー位置連想タイピング練習を始めます。
？で隠された文字をタイプしてください。
スペースキーで開始します。
AS?FG
?m,./\
67890-?\
?XCVB
zx?vb
!"?$%
ZXC?B
hjk?;:]

… 中略 …

123.2秒でした。
```

次は、提示する問題を作成する**1**の箇所に着目します。

- どのブロックを出題するのかを表すのが変数 k です。この値は、配列 $kstr$ の添字に対応するため、0 以上 $KTYPE$ 未満の乱数として決定します。

  ▶ ブロック数 $KTYPE$ は 16 ですから、生成するのは $0 \sim 15$ の乱数です。

- ブロック中のどの文字を隠して出題するのかを表すのが変数 p です。この値は、出題するブロックを表す文字列の添字に対応するため、0 以上で、かつ、出題するブロックの文字数未満の乱数として決定します。

  ▶ たとえば、次のように決定します。

    k が 0 であればブロックは "12345" の5文字なので、p は $0 \sim 4$ の乱数として決定。
    k が 3 であればブロックは "&'() =~|" の8文字なので、p は $0 \sim 7$ の乱数として決定。

- 出題する（隠す）文字を表すのが変数 key です。

  たとえば k が 0 で p が 2 であれば、**Fig.8-9** に示すように、ブロック "12345" 中の '3' が key となります。

  なお、出題する文字 key として空白文字が得られた場合は、do 文を繰り返して問題を作り直します（本プログラムでは、スペースキーを出題しないからです）。

＊

  続く**2**では、$strcpy$ 関数（p.188）で $kstr[k]$ を $temp$ にコピーした上で、$temp[p]$ に '?' を代入します。これで、画面に表示する文字列 "12?45" が完成です。

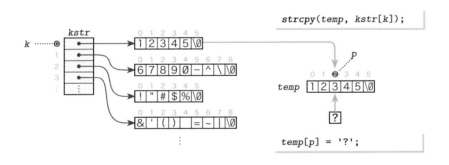

Fig.8-9 出題する文字列の作成

  文字列 $temp$ を表示して、キーボードから文字 key が入力されたら正解です。なお、これまでのタイピング練習と同様に、誤ってタイプされた文字は受け付けません。

  トレーニングを 30 回実行すると、プログラムは終了します。

8-3 総合タイピング練習

本節では、複数のトレーニングメニューを用意して、より総合的に練習ができるタイピング練習
ソフトを作成します。

■ トレーニングメニュー ─────────────

List 8-7 は、4種類の練習ができるタイピングソフトのプログラムです。まずは、プログラム
を実行しましょう。

右に示すように四つのメニューが提示
されますので、練習したいものを選択し
ます。

実行例
練習を選択してください。 （1）単純ポジション　（2）複合ポジション （3）C言語の単語　　（4）英会話　　　　（0）終了：

List 8-7　　　　　　　　　　　　　　　　　　　　　　　　　　chap08/typing4.c

```c
// 総合タイピング練習

#include <time.h>
#include <stdio.h>
#include <stdlib.h>
#include <string.h>
#include "getputch.h"

#define NO          15          // トレーニング回数
#define KTYPE       16          // ブロック数
#define POS_LEN     10          // ポジショントレーニングの文字数

//--- 練習メニュー ---//
typedef enum { Term, KeyPos, KeyPosComp, Clang, Conversation, InValid } Menu;

//--- 各ブロックのキー ---//
char *kstr[] = {
    "12345",  "67890-^\\",      // 第１段
    "!\"#$%",  "&'()=~|",        // 第１段 [Shift]
    "qwert",  "yuiop@[",        // 第２段
    "QWERT",  "YUIOP`{",        // 第２段 [Shift]
    "asdfg",  "hjkl;:]",        // 第３段
    "ASDFG",  "HJKL+*}",        // 第３段 [Shift]
    "zxcvb",  "nm,./\\",        // 第４段
    "ZXCVB",  "NM<>?_",         // 第４段 [Shift]
};

//--- C言語のキーワードとライブラリ関数 ---//
char *cstr[] = {
    "auto",     "break",    "case",     "char",     "const",    "continue",
    "default",  "do",       "double",   "else",     "enum",     "extern",
    "float",    "for",      "goto",     "if",       "int",      "long",
    "register", "return",   "short",    "signed",   "sizeof",   "static",
    "struct",   "switch",   "typedef",  "union",    "unsigned", "void",
    "volatile", "while",
    "abort",    "abs",      "acos",     "asctime",  "asin",     "assert",
    "atan",     "atan2",    "atexit",   "atof",     "atoi",     "atol",
    "bsearch",  "calloc",   "ceil",     "clearerr", "clock",    "cos",
    "cosh",     "ctime",    "difftime", "div",      "exit",     "exp",
    "fabs",     "fclose",   "feof",     "ferror",   "fflush",   "fgetc",
```

```
    "fgetpos",   "fgets",    "floor",    "fmod",     "fopen",     "fprintf",
    "fputc",     "fputs",    "fread",    "free",     "freopen",   "frexp",
    "fscanf",    "fseek",    "fsetpos",  "ftell",    "fwrite",    "getc",
    "getchar",   "getenv",   "gets",     "gmtime",   "isalnum",   "isalpha",
    "iscntrl",   "isdigit",  "isgraph",  "islower",  "isprint",   "ispunct",
    "isspace",   "isupper",  "isxdigit", "labs",     "ldexp",     "ldiv",
    "localeconv",            "localtime","log",      "log10",     "longjmp",
    "malloc",    "memchr",   "memcmp",   "memcpy",   "memmove",   "memset",
    "mktime",    "modf",     "perror",   "pow",      "printf",    "putc",
    "putchar",   "puts",     "qsort",    "raise",    "rand",      "realloc",
    "remove",    "rename",   "rewind",   "scanf",    "setbuf",    "setjmp",
    "setlocale", "setvbuf",  "signal",   "sin",      "sinh",      "sprintf",
    "sqrt",      "srand",    "sscanf",   "strcat",   "strchr",    "strcmp",
    "strcoll",   "strcpy",   "strcspn",  "strerror", "strftime",  "strlen",
    "strncat",   "strncmp",  "strncpy",  "strpbrk",  "strrchr",   "strspn",
    "strstr",    "strtod",   "strtok",   "strtol",   "strtoul",   "strxfrm",
    "system",    "tan",      "tanh",     "time",     "tmpfile",   "tmpnam",
    "tolower",   "toupper",  "ungetc",   "va_arg",   "va_end",    "va_start",
    "vfprintf",  "vprintf",  "vsprintf"
};

//--- 英会話 ---//
char *vstr[] = {
    "Hello!",                          // こんにちは。
    "How are you?",                    // お元気ですか。
    "Fine thanks.",                    // はい元気です。
    "I can't complain, thanks.",       // まあ、何とか。
    "How do you do?",                  // 初めまして。
    "Good bye!",                       // さようなら。
    "Good morning!",                   // おはよう。
    "Good afternoon!",                 // こんにちは。
    "Good evening!",                   // こんばんは。
    "See you later!",                  // さようなら（またね）。
    "Go ahead, please.",               // お先にどうぞ。
    "Thank you.",                      // ありがとう。
    "No, thank you.",                  // いいえ結構です。
    "May I have your name?",           // お名前は？
    "I'm glad to meet you.",           // お目にかかれて光栄です。
    "What time is it now?",            // 何時ですか。
    "It's about seven.",               // 大体７時くらいです。
    "I must go now.",                  // もういかなくちゃ。
    "How much?",                       // おいくら？
    "Where is the restroom?",          // お手洗いはどちらですか。
    "Excuse me.",                      // 失礼します（一人）。
    "Excuse us.",                      // 失礼します（二人以上）。
    "I'm sorry.",                      // ごめんなさい。
    "I don't know.",                   // さあ、知らないよ。
    "I have no change with me.",       // 小銭がないのです。
    "I will be back.",                 // また戻って来ます。
    "Are you going out?",              // 出かけるの？
    "I hope I'm not disturbing you.",  // お邪魔じゃなければいいのですが。
    "I'll offer no excuse.",           // 弁解するつもりはありません。
    "Shall we dance?",                 // 踊りませんか。
    "Will you do me a favor?",         // ちょっとお願いしたいのですが。
    "It's very unseasonable.",         // それは季節外れだね。
    "You are always welcome.",         // いつでも歓迎しますよ。
    "Hold still!",                     // じっとして！
    "Follow me.",                      // ついて来て。
    "Just follow my lead.",            // 僕のするとおりにやるだけだよ。
    "To be honest with you,",          // 正直に言うと…
};
```

8-3

総合タイピング練習

```
//--- 文字列strをタイプ練習（ミス回数を返す） ---//
int go(const char *str)
{
    int len = strlen(str);            // 文字数
    int mistake = 0;                  // ミス回数

    for (int i = 0; i < len; i++) {
        // str[i]以降を表示してカーソルを先頭へ戻す
        printf("%s \r", &str[i]);
        fflush(stdout);
        while (getch() != str[i]) {
            mistake++;
        }
    }
    return mistake;
}

//--- 単純ポジショントレーニング ---//
void pos_training(void)
{
    printf("\n単純ポジショントレーニングを行います。\n");
    printf("練習するブロックを選択してください。\n");
    printf("第1段 (1) 左 %-8s    (2) 右 %-8s\n", kstr[ 0], kstr[ 1]);
    printf("第2段 (3) 左 %-8s    (4) 右 %-8s\n", kstr[ 4], kstr[ 5]);
    printf("第3段 (5) 左 %-8s    (6) 右 %-8s\n", kstr[ 8], kstr[ 9]);
    printf("第4段 (7) 左 %-8s    (8) 右 %-8s\n", kstr[12], kstr[13]);

    int temp;

    // ブロックを選択させる
    do {
        printf("番号（練習中止は99）：");
        scanf("%d", &temp);
        if (temp == 99) return;            // 練習中止
    } while (temp < 1 || temp > 8);
    int line = 4 * ((temp - 1) / 2) + (temp - 1) % 2;

    printf("%sの問題を%d回練習します。\n", kstr[line], NO);

    printf("スペースキーで開始します。\n");
    while (getch() != ' ')
        ;

    int tno = 0;                       // 文字数
    int mno = 0;                       // ミス回数
    int len = strlen(kstr[line]);      // 練習するブロックのキー数

    time_t start = time(NULL);                    // 開始時刻

    for (int stage = 0; stage < NO; stage++) {
        char str[POS_LEN + 1];

        int i;
        for (i = 0; i < POS_LEN; i++)             // 問題文字列を作成
            str[i] = kstr[line][rand() % len];
        str[i] = '\0';

        mno += go(str);                           // 練習実行
        tno += strlen(str);
    }

    time_t end = time(NULL);                       // 終了時刻

    printf("問題：%d文字／ミス：%d回\n", tno, mno);
    printf("%.1f秒でした。\n", difftime(end, start));
}
```

```
//--- 複合ポジショントレーニング ---//
void pos_training2(void)
{
    int temp;
    int len[KTYPE];                         // 問題のブロックのキー数
    char *format = "第%d段（%2d）左 %-8s（%2d）右 %-8s "
                          "(%2d)[左] %-8s（%2d)[右] %-8s\n";

    printf("\n複合ポジショントレーニングを行います。\n");
    printf("練習するブロックを選択してください（複数選べます）。\n");

    for (int i = 0; i < 4; i++) {
        int k = i * 4;
        printf(format, i + 1, k + 1, kstr[k],     k + 2, kstr[k + 1],
                          k + 3, kstr[k + 2], k + 4, kstr[k + 3]);
    }
    // ブロックを重複させずに選択させる（最大16個）
    int sno = 0;                            // 選択されたブロック数
    int select[KTYPE];                      // 選ばれたブロック

    while (sno < 16) {
        do {
            printf("番号（選択終了は50／練習中止は99）：");
            scanf("%d", &temp);
            if (temp == 99) return;         // 練習中止
        } while (!(temp >= 1 && temp <= KTYPE) && temp != 50);

        if (temp == 50)
            break;
        int i = 0;
        for ( ; i < sno; i++)
            if (temp == select[i]) {
                printf("その段は既に選ばれています。\a\n");
                break;
            }
        if (i == sno)
            select[sno++] = temp;           // 選ばれたブロックを登録
    }

    if (sno == 0)                           // 一つも選ばれなかった
        return;

    printf("以下のブロックの問題を%d回練習します。\n", NO);

    for (int i = 0; i < sno; i++)
        printf("%s ", kstr[select[i] - 1]);

    printf("\nスペースキーで開始します。\n");
    while (getch() != ' ')
        ;

    int tno = 0;                            // 文字数
    int mno = 0;                            // ミス回数
    for (int i = 0; i < sno; i++)
        len[i] = strlen(kstr[select[i] - 1]);   // ブロックのキー数

    time_t start = time(NULL);                  // 開始時刻

    for (int stage = 0; stage < NO; stage++) {
        char str[POS_LEN + 1];
        int i;
        for (i = 0; i < POS_LEN; i++) {             // 問題文字列を作成
            int q = rand() % sno;
            str[i] = kstr[select[q] - 1][rand() % len[q]];
        }
        str[i] = '\0';
```

```
        mno += go(str);                          // 練習実行
        tno += strlen(str);
    }

    time_t end = time(NULL);                      // 終了時刻

    printf("問題：%d文字／ミス：%d回\n", tno, mno);
    printf("%.1f秒でした。\n", difftime(end, start));
}

//--- C言語／英会話トレーニング ---//
void word_training(const char *mes, const char *str[], int n)
{
    printf("\n%sを%d個練習します。\n", mes, NO);

    printf("スペースキーで開始します。\n");
    while (getch() != ' ')
        ;

    int tno = 0;                     // 文字数
    int mno = 0;                     // ミス回数
    int pno = n;                     // 前回の問題番号（存在しない番号）

    time_t start = time(NULL);                    // 開始時刻

    for (int stage = 0; stage < NO; stage++) {
        int qno;                     // 問題番号

        do {                         // 同じ問題を連続して出題しない
            qno = rand() % n;
        } while (qno == pno);

        mno += go(str[qno]);          // 問題はstr[qno]
        tno += strlen(str[qno]);
        pno = qno;
    }

    time_t end = time(NULL);                       // 終了時刻

    printf("問題：%d文字／ミス：%d回\n", tno, mno);
    printf("%.1f秒でした。\n", difftime(end, start));
}

//--- メニュー選択 ---//
Menu SelectMenu(void)
{
    int ch;

    do {
        printf("\n練習を選択してください。\n");

        printf("(1) 単純ポジション (2) 複合ポジション\n");
        printf("(3) C言語の単語    (4) 英会話      (0) 終了 ：");

        scanf("%d", &ch);

    } while (ch < Term || ch >= InValid);

    return (Menu)ch;
}
```

8 タイピング練習

```
int main(void)
{
    Menu menu;                                    // メニュー
    int cn = sizeof(cstr) / sizeof(cstr[0]);      // Ｃ言語の単語数
    int vn = sizeof(vstr) / sizeof(vstr[0]);      // 英会話の文書数

    init_getputch();

    srand(time(NULL));                            // 乱数の種を設定

    do {
        switch (menu = SelectMenu()) {

         case KeyPos :                            // 単純ポジショントレーニング
                pos_training();
                break;

         case KeyPosComp :                        // 複合ポジショントレーニング
                pos_training2();
                break;

         case Clang :                             // Ｃ言語の単語
                word_training("Ｃ言語の単語", cstr, cn);
                break;

         case Conversation :                      // 英会話
                word_training("英会話の文書", vstr, vn);
                break;
        }
    } while (menu != Term);

    term_getputch();

    return 0;
}
```

　トレーニングのメニューを表示して、練習者に選択させるのが、関数 *SelectMenu* です。キーボードから 0 ～ 4 の整数値を読み込んで、その値を列挙型 *Menu* の値にキャストした上で返却します。

▶　メニューを表すための列挙型 *Menu* は、プログラムの冒頭で typedef 宣言されています。
　　各列挙子 *Term*、*KeyPos*、*KeyPosComp*、*Clang*、*Conversation*、*InValid* には、それぞれ 0、1、2、3、4、5 の値が自動的に割り振られます。

☐ 単純ポジショントレーニング ─────────────

《単純ポジショントレーニング》は、一つのブロックに含まれるキーを組み合わせて練習するトレーニングです。

練習の対象は、[Shift] キーを押さずにタイプするキーです。そのため、出題は、配列 *kstr* の水色の初期化子が与えられた要素の中から行います。

```
//--- 各ブロックのキー ---//
char *kstr[] = {
    "12345",  "67890-^\\",      // 第１段
    "!\"#$%",  "&'()=~|",        // 第１段 [Shift]
    "qwert",  "yuiop@[",        // 第２段
    "QWERT",  "YUIOP`{",        // 第２段 [Shift]
    "asdfg",  "hjkl;:]",        // 第３段
    "ASDFG",  "HJKL+*}",        // 第３段 [Shift]
    "zxcvb",  "nm,./\\",        // 第４段
    "ZXCVB",  "NM<>?_",         // 第４段 [Shift]
};
```

▶ 本プログラムは、**Fig.8-8**（p.264）に示したキー配置を前提としています。必要に応じて、配列 *kstr* を書きかえましょう。

右に示すのが、実行の一例です。

まず最初に、どのブロックを練習するのかを選択します。

ここに示す例のように『第３段の左手』の(5) を選択すると、a、s、d、f、g をランダムに 10 個並べたものが出題されます。

```
           実行例
単純ポジショントレーニングを行います。
練習するブロックを選択してください。
第1段 (1) 左 12345     (2) 右 67890-^\
第2段 (3) 左 qwert     (4) 右 yuiop@[
第3段 (5) 左 asdfg     (6) 右 hjkl;:]
第4段 (7) 左 zxcvb     (8) 右 nm,./\
番号（練習中止は99）：5█
asdfgの問題を15回練習します。
スペースキーで開始します。
fddfgadsga
… 中略 …
問題：150文字／ミス：12回
33.0秒でした。
```

▶ 出題される文字数の 10 は、プログラムの冒頭で次のようにマクロとして定義されています。
```
#define POS_LEN  10          // ポジショントレーニングの文字数
```
この値を変更すると、文字数は自由に変えられます。なお、*POS_LEN* の値は、《単純ポジショントレーニング》と《複合ポジショントレーニング》の両方で利用されています。

出題の対象＝水色の初期化子が与えられた要素の添字は、0、1、4、5、8、9、12、13 です。

その一方で、選択肢として画面に表示して、練習者にキーボードから打ち込ませるブロックの番号は1、2、3、4、5、6、7、8 です。

キーボードから読み込んだ 1 ～ 8 の値 *temp* を添字に変換するのが、次の箇所です。

```
int line = 4 * ((temp - 1) / 2) + (temp - 1) % 2;
```

右辺の計算によって得られた値で、変数 *line* が初期化されます。その値が、出題するブロックの添字です。

▶ 例として、選択肢 (5) の asdfg が選ばれた場合を考えましょう。変数 *temp* に読み込まれているのは 5 であり、右辺の計算によって得られるのは 8 です。その 8 を添字としてもつ配列 *kstr* の要素 *kstr*[8] が指す文字列は "asdfg" です。

問題の作成と、トレーニングの実行について、**Fig.8-10** を見ながら理解していきましょう。

まず最初に、選択されたブロック文字列 *kstr[line]* の文字数を、変数 *len* に格納します。続く外側の **for** 文が、トレーニングを *NO* 回行うための繰返しです。

そのループ本体内の **1** では、各回で出題すべき文字列 *str* を作成します。具体的には、文字列 *kstr[line]* からランダムに取り出した文字を *str[0]* ～ *str[9]* に代入した上で、ナル文字を *str[POS_LEN]* すなわち *str[10]* に代入します。

▶ 問題用文字列の作成は、第 5 章の記憶力トレーニング（p.131）と同じ要領です。
この例では、文字 'a'、's'、'd'、'f'、'g' をランダムに 10 個並べた問題が作られます。

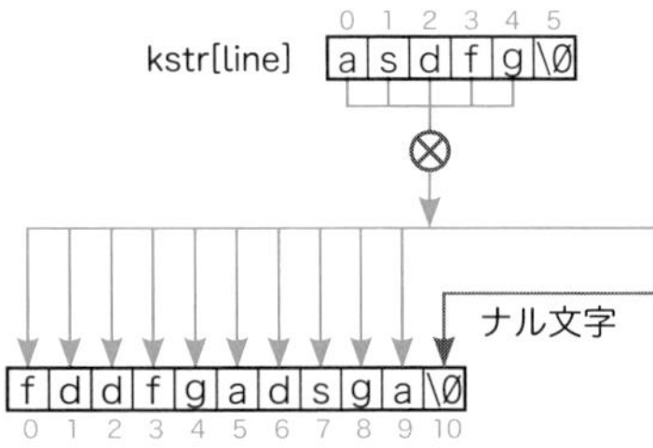

```
int len = strlen(kstr[line]);
// …中略…
for (int stage = 0; stage < NO; stage++) {
    char str[POS_LEN + 1];

    int i;
    for (i = 0; i < POS_LEN; i++)
        str[i] = kstr[line][rand() % len];   // 1
    str[i] = '\0';

    mno += go(str);      // 練習実行
    tno += strlen(str);                       // 2
}
```

8-3 総合タイピング練習

Fig.8-10 問題文字の作成（第 3 段／左手）

問題を作り終わると **2** が実行されます。

ここで最初に呼び出されるのが、右に示す関数 *go* です。

この関数は、受け取った文字列 *str* のタイピング練習を行う関数です。

関数内のコードは、**List 8-2**（p.257）の主要部とおおむね同じです。

ただし、タイプミスのたびに、変数 *mistake* の値をインクリメントしていく点が異なります。

```
int go(const char *str)
{
    int len = strlen(str); // 文字数
    int mistake = 0;        // ミス回数

    for (int i = 0; i < len; i++) {
        printf("%s \r", &str[i]);
        fflush(stdout);
        while (getch() != str[i]) {
            mistake++;
        }
    }
    return mistake;
}
```

タイプが終了すると、タイプミスの回数である変数 *mistake* の値を返します。

▶ 関数 *go* は、《単純ポジショントレーニング》だけでなく、《複合ポジショントレーニング》、《C言語の単語トレーニング》、《英会話トレーニング》からも呼び出されます。
すなわち、すべてのトレーニングに共通の**下請け関数**です。

関数 *go* から戻ると、ミス回数である返却値を *mno* に加え、出題した文字列の文字数を *tno* に加えます。

外側の **for** 文の終了時（*NO* 回のトレーニング終了時）には、出題された *tno* 文字中の *mno* 文字をミスしたことになります。

複合ポジショントレーニング

《複合ポジショントレーニング》は、単純ポジショントレーニングの応用であり、複数のブロックに含まれるキーを組み合わせた練習です。

　ブロックの組合せは、練習者自身が自由に作れるようになっています。たとえば、次に示す実行例のように、第3段／左手と、第3段／右手の二つを選んだ場合は、"asdfg"と"hjkl;:]"に含まれる文字をランダムに10個並べたものを練習します。

▶ ブロックの組合せによっては、苦手なキータイピングを克服することも可能です。なお、すべてのブロックを選択すると、すべてのキーの練習が行えます。

```
                              実行例
複合ポジショントレーニングを行います。
練習するブロックを選択してください（複数選べます）。
第1段 （ 1） 左 12345    （ 2） 右 67890-^\ （ 3）[左] !"#$%   （ 4）[右] &'()=~|
第2段 （ 5） 左 qwert    （ 6） 右 yuiop@[  （ 7）[左] QWERT   （ 8）[右] YUIOP`{
第3段 （ 9） 左 asdfg    （10） 右 hjkl;:]  （11）[左] ASDFG   （12）[右] HJKL+*}
第4段 （13） 左 zxcvb    （14） 右 nm,./\   （15）[左] ZXCVB   （16）[右] NM<>?_
番号 （選択終了は50／練習中止は99）：9⏎
番号 （選択終了は50／練習中止は99）：10⏎
番号 （選択終了は50／練習中止は99）：50⏎
以下のブロックの問題を15回練習します。
asdfg hjkl;:]
スペースキーで開始します。
:];h]j;g:a
… 以下省略 …
```

まずは、ブロックの選択肢を表示する箇所を理解していきます。

```
char *format = "第%d段 (%2d) 左 %-8s (%2d) 右 %-8s "
                "(%2d)[左] %-8s (%2d)[右] %-8s\n";
printf("\n複合ポジショントレーニングを行います。\n");
printf("練習するブロックを選択してください（複数選べます）。\n");
for (int i = 0; i < 4; i++) {
    int k = i * 4;
    printf(format, i + 1, k + 1, kstr[k],     k + 2, kstr[k + 1],
                   k + 3, kstr[k + 2], k + 4, kstr[k + 3]);
}
```

水色部の printf 関数の呼出しでは、第1引数に与えるのが、（文字列リテラルではなくて）char * 型の変数 format となっています。

　このような、**書式文字列へのポインタを引数として与える手法**は、条件によって書式文字列を切りかえる際などにも重宝しますので、知っておきましょう。

▶ 次に示すのが、プログラムの一例です。
```
char *f[] = {"%5.1f\n", "%6.2f\n"};

for (int i = 0; i < 6; i++)
    printf(f[i % 2], x[i]);
```
この for 文は、x[0]～x[5]の値を順に表示します。その際、変数 i の値が偶数であれば書式文字列として f[0] を使って出力して、奇数であれば f[1] を使って出力します。

次は、プレーヤがブロックを選択する箇所を理解します。選択されたブロックの個数を表す
のが変数 *sno* で、ブロックの番号を格納するのが配列 *select* です。最大で 16 個＝ *KTYPE* 個
を選択できますので、その要素数は *KTYPE* です。

```
int sno = 0;                    // 選択されたブロック数
int select[KTYPE];              // 選ばれたブロック

while (sno < 16) {
    // 中略 … 練習したい段の値をtempに読み込む
    int i = 0;
    for ( ; i < sno; i++)
        if (temp == select[i]) {
            printf("その段は既に選ばれています。\a\n");
            break;
        }
    if (i == sno)
        select[sno++] = temp;       // 選ばれたブロックを登録
}
```

同一ブロックを複数回選択させないようにする仕組みを、**Fig.8-11** を見ながら理解していき
ましょう。

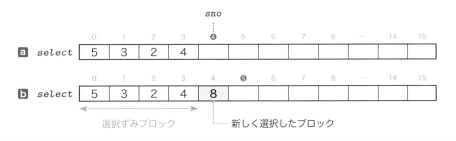

Fig.8-11 配列 select と sno

図**a**に示すのは、5、3、2、4 のブロック 4 個が選択ずみであるときの配列 *select* と *sno* の
様子です。選択後に行うのは、次の二つの処理です。

1 この for 文では、入力されたブロック *temp* が既に選択されていないかをチェックしま
す。*select[0]* ～ *select[sno - 1]* 中に *temp* が存在すれば、選択ずみと判定できますので、
break 文によって for 文による繰返しを中断します。なお、その際の変数 *i* の値は *sno* より
小さくなります。

2 for 文が中断されずに最後まで実行された（変数 *i* の値が *sno* と等しい）場合は、*temp*
は未選択のブロックです。その値を *select[sno]* に格納して *sno* をインクリメントします。

図では、*temp* に 8 が読み込まれており、変数 *sno* と配列 *select* は、図**a**から図**b**へと
変化しています。*select[0]* ～ *select[3]* 中に *temp* の値 8 が存在しないことの確認を行っ
た後に、*select[4]* に 8 を格納し、その直後に *sno* の値をインクリメントして 5 とします。

C言語の単語トレーニング

《C言語の単語トレーニング》は、C言語のキーワードやライブラリ関数として使われる語句の練習です。

このトレーニングと《英会話トレーニング》は、共通の関数 word_training で実現されており、次のように main 関数から呼び分けられています。

実行例

C言語の単語を15個練習します。
スペースキーで開始します。
malloc

… 以下省略 …

```
case Clang :             // C言語の単語
            word_training("C言語の単語", cstr, cn);
            break;

case Conversation :      // 英会話
            word_training("英会話の文書", vstr, vn);
            break;
```

関数 word_training を呼び出す際に、3個の引数を渡しています。その内の2番目の引数が、練習する単語を格納した配列 cstr です。

文字列 cstr は、次のように定義されています。"auto" から "while" までがキーワードで、それ以降はライブラリ関数です。

```
//--- C言語のキーワードとライブラリ関数 ---//          キーワード
char *cstr[] = {
    "auto",      "break",     "case",      "char",      "const",     "continue",
    "default",   "do",        "double",    "else",      "enum",      "extern",
    "float",     "for",       "goto",      "if",        "int",       "long",
    "register",  "return",    "short",     "signed",    "sizeof",    "static",
    "struct",    "switch",    "typedef",   "union",     "unsigned",  "void",
    "volatile",  "while",

    "abort",     "abs",       "acos",      "asctime",   "asin",      "assert",
    "atan",      "atan2",     "atexit",    "atof",      "atoi",      "atol",
    "bsearch",   "calloc",    "ceil",      "clearerr",  "clock",     "cos",
    "cosh",      "ctime",     "difftime",  "div",       "exit",      "exp",
    "fabs",      "fclose",    "feof",      "ferror",    "fflush",    "fgetc",
    "fgetpos",   "fgets",     "floor",     "fmod",      "fopen",     "fprintf",
    "fputc",     "fputs",     "fread",     "free",      "freopen",   "frexp",
    "fscanf",    "fseek",     "fsetpos",   "ftell",     "fwrite",    "getc",
    "getchar",   "getenv",    "gets",      "gmtime",    "isalnum",   "isalpha",
    "iscntrl",   "isdigit",   "isgraph",   "islower",   "isprint",   "ispunct",
    "isspace",   "isupper",   "isxdigit",  "labs",      "ldexp",     "ldiv",
    "localeconv",            "localtime", "log",       "log10",     "longjmp",
    "malloc",    "memchr",    "memcmp",    "memcpy",    "memmove",   "memset",
    "mktime",    "modf",      "perror",    "pow",       "printf",    "putc",
    "putchar",   "puts",      "qsort",     "raise",     "rand",      "realloc",
    "remove",    "rename",    "rewind",    "scanf",     "setbuf",    "setjmp",
    "setlocale", "setvbuf",   "signal",    "sin",       "sinh",      "sprintf",
    "sqrt",      "srand",     "sscanf",    "strcat",    "strchr",    "strcmp",
    "strcoll",   "strcpy",    "strcspn",   "strerror",  "strftime",  "strlen",
    "strncat",   "strncmp",   "strncpy",   "strpbrk",   "strrchr",   "strspn",
    "strstr",    "strtod",    "strtok",    "strtol",    "strtoul",   "strxfrm",
    "system",    "tan",       "tanh",      "time",      "tmpfile",   "tmpnam",
    "tolower",   "toupper",   "ungetc",    "va_arg",    "va_end",    "va_start",
    "vfprintf",  "vprintf",   "vsprintf"
};                                                      ライブラリ関数
```

関数 `word_training` が受け取るのは、3個の引数です。トレーニング名の文字列を受け取るのが第1引数 *mes*、練習する文字列の配列を受け取るのが第2引数 *str*、配列の要素数を受け取るのが第3引数 *n* です。

```
//--- C言語／英会話トレーニング ---//
void word_training(const char *mes, const char *str[], int n)
{
    printf("\n%sを%d個練習します。\n", mes, NO);
    //… 中略 …//
}
```

《C言語の単語トレーニング》で第1引数 *mes* に受け取る文字列は "C言語の単語" です。そのため、『C言語の単語を15個練習します。』と表示してトレーニングを開始します。

＊

トレーニングでは、毎回、乱数の生成によって出題する単語を決定して、変数 *qno* に格納します。

なお、このトレーニングは、同一単語を連続して出題しないようになっています。そのために導入した変数が *pno* です。

```
int pno = n;                          // 前回の問題番号（存在しない番号） ←■
//… 中略 …//
for (int stage = 0; stage < NO; stage++) {
    int qno;                          // 問題番号

    do {                              // 同じ問題を連続して出題しない
        qno = rand() % n;                                              ←■
    } while (qno == pno);

    mno += go(str[qno]);              // 問題はstr[qno]
    tno += strlen(str[qno]);
    pno = qno;                                                        ←■
}
```

1回のトレーニングが終了した■で、出題した番号 *qno* を変数 *pno* に代入します。その結果、次の練習時には、変数 *pno* に"前回出題した番号"が格納されていることになります。

問題番号 *qno* を決定する■の do 文では、前回出題した番号 *pno* とは異なる値になるまで乱数を繰り返し生成します。

＊

練習開始前の■では、変数 *pno* を *n* で初期化しています。もし 0 で初期化したらどうなるでしょう。第1回目の練習時（*stage* が 0 のとき）には、*cstr[0]* すなわち "auto" が出題されなくなります。

つまり、変数 *pno* に代入するのは、問題番号（0、1、…、*n* – 1）としてあり得ない値でなければなりません。

本プログラムでは *n* としていますが、もちろん -1 といった値でも構いません。

英会話トレーニング

《英会話トレーニング》は、日常の英会話で使わ
れる文書のタイピング練習です。

文書の文字列は、配列 *vstr* に格納されています。

▶ 各英文の意味は、プログラム中のコメントに日本語
で示しています。

実行例

英会話の文書を15個練習します。
スペースキーで開始します。
Good afternoon!

… 以下省略 …

```
//--- 英会話 ---//
char *vstr[] = {
    "Hello!",                        // こんにちは。
    "How are you?",                  // お元気ですか。
    "Fine thanks.",                  // はい元気です。
    "I can't complain, thanks.",     // まあ、何とか。
    "How do you do?",                // 初めまして。
    "Good bye!",                     // さようなら。
    "Good morning!",                 // おはよう。
    "Good afternoon!",               // こんにちは。
    "Good evening!",                 // こんばんは。
    "See you later!",                // さようなら（またね）。
    "Go ahead, please.",             // お先にどうぞ。
    "Thank you.",                    // ありがとう。
    "No, thank you.",                // いいえ結構です。
    "May I have your name?",         // お名前は？

    //… 中略 …//

    "To be honest with you,",        // 正直に言うと…
};
```

実質的なタイピング練習は、関数 *word_training* で実現しているため、トレーニングの要領
は、《C言語の単語トレーニング》と同じです。

▶ 関数 *word_training* に対して、C言語トレーニングとは異なる引数を与えているだけです。

✏ **まとめ**

❋ 前回生成した乱数とは異なる値をもつ乱数の生成

　同じ値の乱数を連続して生成しないようにするためには、"前回生成した乱数" と異なる値が得られ
るまで繰り返し乱数を生成する必要がある。

```
zenkai = n;      // 前回の乱数（代入するのは生成する範囲ではない値）

while ( /*…*/ ) {                 // 何らかの繰返し
    do {
        konkai = rand() % n;      // 0～n-1の乱数を生成
    } while (konkai == zenkai);
    // 今回生成した乱数konkaiは、前回のzenkaiとは異なる値となる
    zenkai = konkai;
}
```

✍️ 自由課題

☐ 演習 8-1

List 8-4（p.261）は、12 個の文字列をランダムな順序で練習するトレーニングであった。12 個の文字列をすべて出題するのではなく、10 個をランダムに選んで出題するように変更せよ。なお、同じ文字列を重複して出題しないものとする。

☐ 演習 8-2

List 8-7（p.268）の《C 言語の単語トレーニング》と《英会話トレーニング》では、*NO* 個の文字列を出題する（*NO* は 15 として定義されている）。一つ前に出題したものと重複しないような工夫はされているものの、それより前（2 回前、3 回前、…）に出題した文字列とは重複する可能性がある。

1 回のトレーニングにおいて同一の文字列を出題しないように変更せよ。

※ マクロ *NO* の値は、単語の個数以下であるという前提を設けてよい。

☐ 演習 8-3

List 8-7 の《英会話トレーニング》において、タイピングする文書の日本語訳を表示すると、単なるタイピングだけでなく、英会話そのものの学習にもなる。そこで、

こんにちは。　Hello!

と表示して、Hello! をタイプさせるモードを追加せよ（日本語訳を表示するモードと表示しないモードを、練習者に選択させるものとする）。前問で作成したプログラムに組み込むこと。

☐ 演習 8-4

List 8-6（p.266）の《キー配置連想タイピング》を、前問で作成したプログラムに組み込め。

☐ 演習 8-5

ブロック内の 2 つのキーを取り出した、すべての順列を 5 回ずつ練習するタイピングソフトを作成せよ。たとえば、“ASDFG” のブロックの練習は、次のようになる。

```
ASASASASAS SASASASASA    ADADADADAD DADADADADA
AFAFAFAFAF FAFAFAFAFA    AGAGAGAGAG GAGAGAGAGA
SDSDSDSDSD DSDSDSDSDS    SFSFSFSFSF FSFSFSFSFS
SGSGSGSGSG GSGSGSGSGS    DFDFDFDFDF FDFDFDFDFD
DGDGDGDGDG GDGDGDGDGD    FGFGFGFGFG GFGFGFGFGF
```

☐ 演習 8-6

前問は、いわゆる 2 拍子の練習であった。3 拍子（たとえば ASDASD … ）の練習を行うタイピング練習ソフトを作成せよ。

☐ 演習 8-7

演習 8-5 と演習 8-6 で作成したトレーニングを、演習 8-4 で作成したプログラムに組み込め。

さらに、各トレーニングの終了後に、タイプに要した時間だけでなく、タイプ速度（1 個のキーのタイプに要した平均の時間）を表示するように変更せよ。

第9章

ファイル処理

本章では、ファイル処理の基本を学習します。トレーニングの結果をファイルに保存して「これまでの最高得点」が分かるようにした《ラックナンバーサーチ》や、各種のユーティリティプログラムを作成します。

この章で学ぶおもなこと

- ファイルとストリーム
- 標準ストリーム
- バッファリング
- リダイレクト
- テキストファイル
- バイナリファイル
- FILE 型
- fclose 関数
- fflush 関数
- fgetc 関数
- fopen 関数
- fprintf 関数
- fputc 関数
- fputs 関数
- fread 関数
- fscanf 関数
- fwrite 関数
- getchar 関数
- setbuf 関数
- setvbuf 関数
- EOF
- stderr
- stdin
- stdout

9-1 標準ストリーム

プログラム上で行った処理の結果を実行終了後にも保存しておくためには、ファイルの読み書きが欠かせません。本章では、ファイル処理について学習します。

コピープログラム

List 9-1 に示すのは、C言語の世界であまりにも有名なプログラムです。まずは、このプログラムをきちんと理解することから始めます。

```
// 入力された文字をそのまま出力

#include <stdio.h>

int main(void)
{
    int ch;

    while ((ch = getchar()) != EOF)
        putchar(ch);

    return 0;
}
```

List 9-1 chap09/concopy.c

起動・実行例
```
>concopy ⏎
Hello! ⏎
Hello!
This is a pen. ⏎
This is a pen.
Ctrl + Z
>
```

プログラムを実行しましょう。キーボードから打ち込んだ文字が、そのままコンソール画面に表示されます。

▶ ここに示す起動・実行例は、MS-Windows 上で実行プログラムのファイル名が **"concopy.exe"** のときのものです。起動時は、拡張子 **.exe** を付けて、**concopy.exe** としても構いません。

入力の終了の指示は、[Ctrl] キーを押しながら [Z] キーをタイプすることで行います（一部の処理系・環境では、その後にエンターキー（リターンキー）のタイプも必要です）。

なお、UNIX では [Ctrl] + [Z] ではなく [Ctrl] + [D] です。

getchar 関数と EOF

getchar 関数は、1個の文字を読み込んで、その文字を返す関数です。

ただし、エラーの発生や入力の終了を検出すると **EOF** を返します。**EOF** は、End Of File の略であり、**<stdio.h>** ヘッダ内で負値の整数として定義されるオブジェクト形式マクロです。

EOF
```
#define EOF -1      // 定義の一例（値は処理系によって異なる）
```

▶ 多くの処理系では、ここに示すように、**EOF** は -1 として定義されています（ただし、すべての処理系で -1 と定義されるという保証はありません）。

	getchar
ヘッダ	`#include <stdio.h>`
形　式	`int getchar(void);`
機　能	標準入力ストリーム `stdin` から次の文字（もし存在すれば）を `unsigned char` 型の値として読み取り、`int` 型に変換する。そして、その標準入力ストリームに結び付けられているファイル位置表示子（もし定義されていれば）を進める。
返却値	標準入力ストリーム `stdin` の次の文字を返す。ストリームでファイルの終わりが検出された場合、そのストリームに対するファイル終了表示子をセットし `EOF` を返す。

▶ "標準入力ストリーム" や "`stdin`" については、p.290 で学習します。

代入と比較

プログラムの主要部は短い `while` 文ですが、その制御式は複雑です。

Fig.9-1 を見ながら理解しましょう。この式の演算は2段階で行われます。

① `getchar` 関数によって読み込んで返却された文字が変数 `ch` に代入されます。

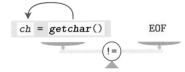

⑴ getchar 関数が返した値を ch に代入

⑵ 式 (ch = getchar()) と EOF の等価性を判定

Fig.9-1 List 9-1 の制御式

② 代入式 `ch = getchar()` と `EOF` の値が等しくないかどうかの判定が行われます。代入式 `ch = getchar()` の評価で得られるのは、代入後の `ch` の型と値ですから、この判定を日本語で表現すると、次のようになります。

読み込んだ文字を `ch` に代入して、その値が `EOF` と等しくなければ …

▶ 式 `ch = getchar()` を囲む `( )` は省略できません。等価演算子 `!=` の優先順位が、代入演算子 `=` よりも高いからです。

C言語の熟練者は、このような、式の中に式を詰め込んだ表現を好む傾向があります。

というのも、詰め込まなければ、右のようにプログラムが長くなってしまうからです。

```
while (1) {
    ch = getchar();
    if (ch == EOF) break;
    putchar(ch);
}
```

▶ プログラムを詰め込んで短くしさえすればいいというものではありませんから、このような短い記述を無理に真似る必要はありません。とはいえ、他人が作成したプログラムをスラスラ読めるようになるには、この程度の式は一目で理解できなければならない、というのも事実です。

`while` 文のループ本体では、読み込んだ文字 `ch` を `putchar` 関数によって表示します。

入力からの文字がつきる（あるいはエラーが発生する）まで、文字が1個ずつ次々と読み込まれ、そのまま画面へと出力される原理が理解できました。

☐ ストリームとバッファリング ────────

次は、プログラム実行の様子を検討します。

本プログラムは、1文字読み込むたびに文字をコピーする（画面
に出力する）はずです。ところが実際には、エンターキーが押され
た後に1行分まとめてコピーが行われています。

このように動作するのは、どうしてでしょうか。

＊

まずは、機械式のディスク装置に100個の文字を出力することを考えてみます。

もし1文字単位でディスクを100回アクセスすれば、ディスク装置が始終ガチャガチャと動
作することになるでしょう。しかし、100文字分を一度にまとめて出力すれば、高速かつ滑ら
かに処理できるはずです。もちろん、出力だけでなく、入力も同様です。

そこで、**Fig.9-2** に示すように、読み込んだ文字や、書き出すべき文字を、いったん**バッファ**
（buffer）に蓄えて、バルブを閉めておきます。そして、

- バッファに一定量の文字がたまった。
- プログラム側の都合で即座に読み書きする必要が生じた。

といったことを契機にバルブを開けて、OS に対して入出力の要求を行います。

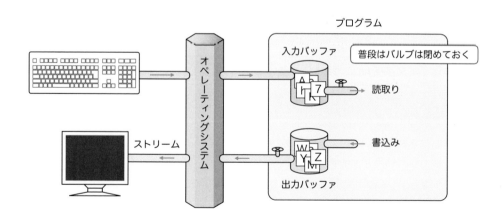

Fig.9-2 ストリームとバッファリング

このようにして入出力を円滑にする手法が**バッファリング**（buffering）です。

なお、キーボードやディスプレイなどの周辺機器と結び付いて、"文字が流れる通り道"と
なっている経路のことを**ストリーム**（stream）と呼びます。

バッファリングの種類

C言語でサポートされている3種類のバッファリングを学習しましょう。

▶ ここで「ホスト環境」とは、一般にはプログラムが実行されているOSを意味します。

完全バッファリング（fully buffering）

完全なバッファリングが行われます。

▪ **入力ストリームからの入力**

　　入力される文字はバッファに蓄えられます。バッファが満杯になったときにホスト環境からの転送が行われます。

▪ **出力ストリームへの出力**

　　出力される文字はバッファに蓄えられます。バッファが満杯になったときにホスト環境への転送が行われます。

行バッファリング（line buffering）

行単位のバッファリングが行われます。

▪ **入力ストリームからの入力**

　　入力される文字はバッファに蓄えられます。改行文字を読み取るか、バッファが満杯になったときに、ホスト環境からの転送が行われます。

　　なお、ホスト環境からの文字転送を必要とする入力要求があった場合にも転送が行われます。

▪ **出力ストリームへの出力**

　　出力される文字はバッファに蓄えられます。改行文字を書き込むか、バッファが満杯になったときに、ホスト環境への転送が行われます。

非バッファリング（unbuffering）

バッファリングは行われません。

▪ **入力ストリームからの入力**

　　入力される文字は、入力元のホスト環境から可能な限り、ただちに転送されます。

▪ **出力ストリームへの出力**

　　出力される文字は、出力先のホスト環境へ可能な限り、ただちに転送されます。

☐ setvbuf 関数／setbuf 関数：バッファリング方法の変更 ─────

　バッファリングの方法を変更したり、プログラム側で独自に用意した領域をバッファとして
ストリームに結び付けたりできるようになっています。

　そのために提供されるのが、**setvbuf** 関数と **setbuf** 関数のライブラリ関数です。

	setvbuf
ヘッダ	#include <stdio.h>
形　式	int *setvbuf*(FILE * restrict *stream*, char * restrict *buf*, int *mode*, size_t *size*);
機　能	本関数の呼出しが許されるのは、*stream* の指すストリームがオープンされたファイルに結び付けられてから、そのストリームに対して他の操作が行われるまでの間だけとする。実引数 *mode* には、*stream* に対するバッファリングの方法を次のとおりに決める。 　　_IOFBF … 入出力を完全バッファリングする。 　　_IOLBF … 入出力を行バッファリングする。 　　_IONBF … 入出力をバッファリングしない。 *buf* が空ポインタであれば領域を割り付け、それをバッファとして使う。*buf* が空ポインタでなければ、*buf* の指す配列をバッファとして使う。実引数 *size* は、配列の大きさを指定する。配列の内容は、常に不定とする。
返却値	成功したときは 0 を返し、*mode* に無効な値が指定されたとき、または要求にしたがうことができなかったときは 0 以外の値を返す。

	setbuf
ヘッダ	#include <stdio.h>
形　式	void *setbuf*(FILE * restrict *stream*, char * restrict *buf*);
機　能	値を返さない点を除けば、*mode* を値 _IOFBF、*size* を値 BUFSIZ（**Column 9-1**：p.295）とした *setvbuf* 関数と等価とする。ただし、*buf* が空ポインタの場合は、*mode* を値 _IONBF とした *setvbuf* 関数と等価とする。
返却値	なし。

　これらの関数の使用にあたって、注意すべき点があります。

　たとえば、キーボードやディスプレイ画面に割り当てられている標準入力ストリームや標準
出力ストリーム（p.290）に対して、これらの関数によってバッファリング方法の変更を指示し
ても、**成功する保証がないこと**です。

　また、C言語のプログラムレベルだけでなく、OS レベルにおいても、入出力はバッファリン
グされているのが普通です。

　そのため、多くの環境では、*setvbuf* 関数や *setbuf* 関数を利用して、キーボードからの入
力を"非バッファリング"にすることはできません。すなわち、**エンターキーが押される前に押
下されたキーの入力情報を得るための、処理系や実行環境に依存しない方法はない**のです。

　第 7 章や第 8 章で、標準Cでは提供されない *getch* 関数を利用したのは、このような背景
があるからです。

▊ fflush 関数：バッファのフラッシュ

第2章のテロップを始めとするいくつかのプログラムでは、**コンソール画面への確実な出力**を行うために、次の関数呼出しを行っていました。

```
fflush(stdout);
```

呼び出している **fflush 関数**は、バッファ上にたまっている未出力の文字を強制的に**フラッシュする（掃き出す）**働きをします。

	fflush
ヘッダ	#include <stdio.h>
形　式	int **fflush**(FILE *stream);
機　能	*stream* が出力ストリームまたは直前の操作が入力でない更新ストリームを指すとき、そのストリームにおいてまだ書き込まれていないデータをホスト環境に引き渡し、ホスト環境がそのデータをファイルに書き込む。それ以外のときの動作は、定義されない。 *stream* が空ポインタのとき、フラッシュ動作が定義されるすべてのストリームに対して、この動作を行う。
返却値	書込みエラーが発生すれば EOF を返し、そうでなければ 0 を返す。

fflush 関数に渡している **stdout** は、**コンソール画面**と結び付いた**標準出力ストリーム**です。

▶ 標準出力ストリームについては、次ページで学習します。

多くの処理系では、標準出力ストリーム用バッファのバルブは普段は閉じられており、次のいずれかの条件が成立したときに開くようになっています。

- 改行文字がバッファ内に入った。
- バッファが満杯になった。

そのため、標準出力ストリーム **stdout** のバッファ上に蓄えられている文字を強制的に画面に表示させるには、**fflush**(stdout) によって、バルブを開く必要があるのです（**Fig.9-3**）。

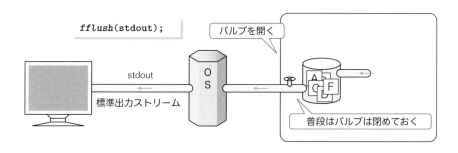

Fig.9-3 fflush 関数によるバッファのフラッシュ（掃き出し）

標準ストリーム

前ページで簡単に学習した **stdout** を含め、C言語のプログラムでは、三つのストリームが **標準ストリーム**として提供されています。

▶ これらの標準ストリームは、プログラムの実行開始とともに利用できるようになっていますので、特別な前準備などをプログラムのコード上で行う必要はありません。

stdin … 標準入力ストリーム（standard input stream）

通常の入力を読み取るためのストリームです。ほとんどの環境では、キーボードに割り当てられています。*scanf* 関数や *getchar* 関数は、このストリームからの入力を行います。

stdout … 標準出力ストリーム（standard output stream）

通常の出力を書き込むためのストリームです。ほとんどの環境では、コンソール画面に割り当てられています。*printf* 関数や *putchar* 関数は、このストリームへの出力を行います。

stderr … 標準エラーストリーム（standard error stream）

エラーを書き出すためのストリームです。ほとんどの環境では、標準出力ストリームと同様に、コンソール画面に割り当てられています。

標準エラーストリームに対して出力を行う際には、*printf* 関数や *putchar* 関数ではなく、この後で学習する *fprintf* 関数や *fputc* 関数などを利用します。

リダイレクト

ほとんどの OS では、**リダイレクト（リディレクト）**という機能によって、標準入力ストリームと標準出力ストリームの接続先を変更できます。

プログラムを起動する際に、変更の指示を次のように行います。

- 標準入力ストリームの変更 … 記号 **<** に続いて入力元を与える。
- 標準出力ストリームの変更 … 記号 **>** に続いて出力先を与える。

List 9-1（p.284）のプログラム concopy を、リダイレクトを使って、

```
>concopy < abc.c > out.txt⏎
```

と起動・実行すると、**Fig.9-4** に示すように、標準入力ストリームがファイル **"abc.c"** に割り当てられ、標準出力ストリームがファイル **"out.txt"** に割り当てられます。

その結果、ファイル **"abc.c"** の中身が **"out.txt"** にコピーされることになります。

▶ このリダイレクトでは、標準エラーストリームの接続先は切りかえられません。

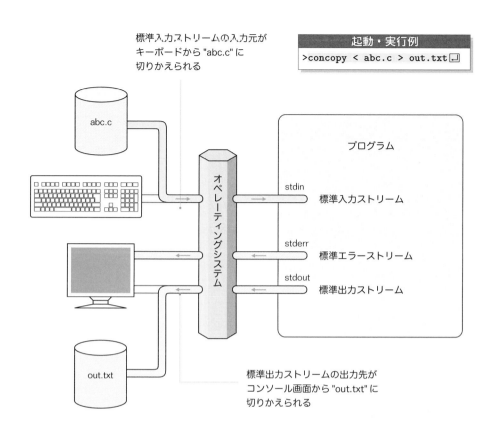

標準入力ストリームの入力元が
キーボードから "abc.c" に
切りかえられる

プログラム

stdin   標準入力ストリーム

stderr   標準エラーストリーム

stdout   標準出力ストリーム

オペレーティングシステム

abc.c

out.txt

標準出力ストリームの出力先が
コンソール画面から "out.txt" に
切りかえられる

Fig.9-4 リダイレクト

なお、標準出力ストリームの接続先のみを切りかえて、

```
>concopy > out.txt⏎
```

と実行すると、キーボードから打ち込んだ文字が **"out.txt"** にコピーされます。また、標準入力ストリームの接続先のみを切りかえて、

```
>concopy < abc.c⏎
```

と実行すると、ファイル **"abc.c"** の中身がコンソール画面に表示されます。

＊

　リダイレクトは便利ですが万能ではありません。この機能に頼ることなくファイルを取り扱うためには、プログラム上からファイルの読み書きを行わなければなりません。

　ファイルを自由に読み書きできるように学習を進めていきましょう。

9-2 テキストファイル

本節では、テキストファイルを題材にして、オープン、クローズ、入出力といったファイル処理の
基礎を学習します。

ファイルのオープンとクローズ

みなさんがノートを利用するときは、最初にノートを開きます。それからページをめくって読
んだり、適当な場所に書き込んだりします。もちろん、読み書きの作業が終了したら、ノート
を閉じます（**Fig.9-5**）。

オープン　　　　　　クローズ

Fig.9-5　ファイルのオープンとクローズ

プログラムでのファイルの取扱いも同様です。まず最初にファイルを開きます。それから、
読んだり書いたりしたい箇所を探して読み書きを行って、最後に閉じます。
　ファイルを開く操作を**オープン**（open）といい、ファイルを閉じる操作を**クローズ**（close）
といいます。

fopen 関数：ファイルのオープン

ファイルの**オープン**に利用するのが*fopen*関数です（右ページ）。オープンするファイルの
名前を第1引数に与え、オープンする“モード”を第2引数に与えて呼び出します。
　その“モード”の概略は、次のとおりです。

- **読取りモード** … ファイルからの入力だけを行う。
- **書込みモード** … ファイルへの出力だけを行う。
- **更新モード**　 … ファイルに対する入出力を行う。
- **追加モード**　 … ファイルの末尾位置以降への出力を行う。

　*fopen*関数は、ファイルのオープンに成功すると、アクセスのためのストリームを準備します。
　準備が終了すると、そのストリームを制御するための情報を格納する**FILE**型のオブジェクト
へのポインタを返します。

fopen

ヘッダ	`#include <stdio.h>`

形　式　`FILE *fopen(const char * restrict filename, const char * restrict mode);`

　　　　`filename` が指す文字列を名前とするファイルをオープンし、そのファイルにストリームを結び付ける。

　　　　実引数 `mode` が指す文字列は、次の文字の並びのいずれかで始まる。

`r`　　テキストファイルを読取りモードでオープンする。

`w`　　テキストファイルを書込みモードで生成するか、または長さ 0 に切り捨てる。

`a`　　追加、すなわちテキストファイルをファイルの終わりの位置からの書込みモードでオープンまたは生成する。

`rb`　バイナリファイルを読取りモードでオープンする。

`wb`　バイナリファイルを書込みモードで生成するか、または長さ 0 に切り捨てる。

`ab`　追加、すなわちバイナリファイルをファイルの終わりの位置から書込みモードでオープンまたは生成する。

`r+`　テキストファイルを更新（読取りと書込み）モードでオープンする。

`w+`　テキストファイルを更新モードで生成するか、または長さ 0 に切り捨てる。

`a+`　追加、すなわちテキストファイルをファイルの終わりの位置から書込みをする更新モードでオープンまたは生成する。

`r+b` または `rb+`　　バイナリファイルを更新（読取りと書込み）モードでオープンする。

`w+b` または `wb+`　　バイナリファイルを更新モードで生成するか、または長さ 0 に切り捨てる。

`a+b` または `ab+`　　追加、すなわちバイナリファイルをファイルの終わりの位置から書込みをする更新モードでオープンまたは生成する。

解　説

　　　存在しないファイルまたは読取り操作が許されていないファイルに対する読取りモードでのオープン（`mode` の最初の文字が `'r'` の場合）は失敗する。

　　　追加モードでオープン（`mode` の先頭文字が `'a'` の場合）されたファイルへのオープン後の書込み操作は、すべてファイルの終わりに対して行われる。その間に `fseek` 関数を呼び出しても無視される。バイナリファイルにナル文字のつめ物をする処理系では、バイナリの追加モードでのオープン時（`mode` の先頭文字が `'a'` で、`'b'` が 2 番目または 3 番目の文字の場合）には、そのストリームに対するファイル位置表示子を、ファイルに書かれているデータの最後を越えた位置にセットすることもある。

　　　更新モードでオープン（`'+'` が `mode` の 2 番目または 3 番目の文字である場合）されたファイルに結び付けられたストリームに対しては、入力操作と出力操作を許す。ただし、出力操作の後に入力操作を行う場合、この二つの操作の間にファイル位置付け関数（`fseek`、`fsetpos` もしくは `rewind`）を呼び出さなければならない。さらに入力操作がファイルの終わりを検出した場合を除いて、入力操作の後で出力操作を行うときは、その二つの操作の間にファイル位置付け関数を呼び出さなければならない。処理系によっては、更新モードでのテキストファイルのオープン（または生成）を、同じモードでのバイナリストリームのオープン（または生成）に代えても構わない。

　　　オープンしたストリームが対話装置に結び付けられていないことが認識できる場合、そしてその場合に限り、そのストリームを完全バッファリングする。オープン時に、ストリームに対するエラー表示子とファイル終了表示子をクリアする。

返却値　オープンしたストリームを制御するオブジェクトへのポインタを返す。オープン操作が失敗したとき、空ポインタを返す。

9-2　テキストファイル

FILE 型

`<stdio.h>` ヘッダで定義されている **FILE 型**は、ストリームの制御に必要な情報を記録するための型です。記録する情報として、次のものを含みます。

▪ ファイル位置表示子（file position indicator）
現在アクセスしているアドレス（ファイル上の位置）を記録します。

▪ エラー表示子（error indicator）
読取りエラーまたは書込みエラーが起こったかどうかを記録します。

▪ ファイル終了表示子（end-of-file indicator）
ファイルの終わりに達したかどうかを記録します。

FILE 型の具体的な実現法は処理系によって異なりますが、ほとんどの処理系では構造体として実現されています。

> ▶ 標準ストリーム用の stdin、stdout、stderr は、いずれも FILE 型へのポインタ型です。これらのポインタには、プログラムの実行を開始した時点で、それぞれに対する FILE 型オブジェクトが準備された上で、そのオブジェクトを指すポインタが入れられています。

fopen 関数はオープンに成功すると、そのファイルと結び付けられたストリームに関する情報を格納した FILE 型オブジェクトへのポインタを返します。

ファイル **"abc.c"** を"読取りモード"でオープンする **Fig.9-6** の例で考えていきましょう。

点線で囲まれた部分が、*fopen* 関数によって生成・返却された FILE 型オブジェクトです。そのオブジェクトへのポインタが、**FILE *** 型のポインタ *fp* に入れられます。

オープン後は、ファイル **"abc.c"** に対する処理のすべては、ポインタ *fp* を通じて行います。ポインタ *fp* が指す **FILE** 型オブジェクトの情報をもとにして、読込みなどの処理を行うと、その結果に基づいて、上記に示した **FILE** 型に含まれる情報が更新されます。

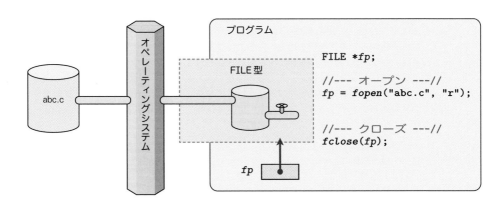

Fig.9-6 ストリームとファイルのオープン／クローズ

fclose関数：ファイルのクローズ

ファイルの使用が終了したら**クローズ**することによって、ストリームとの結び付きを切り離します。そのために提供されているのが*fclose*関数です。

	fclose
ヘッダ	#include <stdio.h>
形　式	int *fclose*(FILE *stream);
機　能	*stream* が指すストリームをフラッシュし、そのストリームに結び付けられたファイルをクローズする。そのストリームに対してバッファリングされただけでまだ書き込まれていないデータは、ホスト環境に引き渡し、ホスト環境がそのデータをファイルに書き込む。バッファリングされただけでまだ読み取られていないデータは切り捨てる。そしてそのストリームをファイルから切り離す。そのストリームに結び付けられたバッファが自動的に割り付けられたものであれば、そのバッファを解放する。
返却値	ストリームのクローズに成功したとき 0 を返し、何らかのエラーを検出したとき EOF を返す。

この関数の使い方は単純です。左ページの図に示しているように、ファイルのオープン時に*fopen* 関数が返したポインタを、引数として与えて呼び出すだけです。

▶ ファイルをクローズした後は、ストリームへのポインタ（図中の *fp*）自体は存在するのですが、ポインタが指す先である FILE 型オブジェクト（図の点線部）は消滅している可能性があります。そのため、クローズずみのポインタを用いてストリームを操作するようなことをしてはいけません。

なお、*fclose* 関数を明示的に呼び出さなくても、（abort 関数によって main 関数を強制的に中断しない限り）プログラムの終了時（すなわち main 関数の終了時）に、オープンされたファイルのバッファが自動的にフラッシュされた上で、ファイルがクローズされます。

Column 9-1	**FOPEN_MAX と FILENAME_MAX と BUFSIZ**

<stdio.h> ヘッダでは、EOF 以外にもいくつかのマクロが定義されています。そのうち、以下に示す三つのマクロは、処理系の特性を表します。

いずれも、実用的なプログラム作成の際に必要となるものです。

▪ FOPEN_MAX

同時にオープンできることを処理系が保証するファイルの最小値を表す値です。三つの標準ストリームを含めて、最低でも 8 です。

▪ FILENAME_MAX

オープンできることを処理系が保証するファイル名の最大長を保持するために、char 型の配列が必要とする十分な大きさを表す値です。

▪ BUFSIZ

バッファの大きさを表す整数値です。この値は、*setbuf* 関数で利用されます。

□ トレーニング情報の保存と取得 ────────────

ファイルの読み書きを応用したプログラムを作りましょう。**List 9-2** は、第 7 章で作成した《ラックナンバーサーチ》に次の機能を追加したプログラムです。

- ▪ プログラムの起動時に、前回のトレーニングが終了したときの日付・時刻と、これまでの最高得点を表示する。

▶ さらに、第 7 章で作成した **"getputch.h"** ライブラリを導入するとともに、トレーニングを繰り返し実行できるように変更しています。

9

ファイル処理

List 9-2　　　　　　　　　　　　　　　　　　　　　　chap09/lacknum2.c

```c
// ラックナンバーサーチ・トレーニング（その 2：前回の日時・最高得点を表示）

#include <time.h>
#include <float.h>
#include <ctype.h>
#include <stdio.h>
#include <stdlib.h>
#include "getputch.h"

#define MAX_STAGE    10
#define swap(type, x, y)      do { type t = x; x = y; y = t; } while (0)

char dtfile[] = "LACKNUM.DAT";            // ファイル名

//--- 前回のトレーニング情報を取得・表示して最高得点を返す ---//
double get_data(void)
{
    FILE *fp;
    double best;         // 最高得点

    if ((fp = fopen(dtfile, "r")) == NULL) {
        printf("本プログラムを実行するのは初めてですね。\n\n");
        best = DBL_MAX;
    } else {
        int year, month, day, h, m, s;

        fscanf(fp, "%d%d%d%d%d%d", &year, &month, &day, &h, &m, &s);
        fscanf(fp, "%lf", &best);
        printf("前回の終了は%d年%d月%d日%d時%d分%d秒でした。\n",
                                        year, month, day, h, m, s);
        printf("これまでの最高得点（最短所要時間）は%.1f秒です。\n\n", best);
        fclose(fp);
    }

    return best;
}

//--- 今回のトレーニング情報を書き込む ---//
void put_data(double best)
{
    FILE *fp;

    if ((fp = fopen(dtfile, "w")) == NULL)
        printf("エラー発生!!");
```

```
    else {
        time_t t = time(NULL);
        struct tm *local = localtime(&t);
        fprintf(fp, "%d %d %d %d %d %d\n",
                    local->tm_year + 1900, local->tm_mon + 1, local->tm_mday,
                    local->tm_hour,        local->tm_min,      local->tm_sec);

        fprintf(fp, "%f\n", best);
        fclose(fp);
    }
}

//--- トレーニングを実行して得点（所要時間）を返す ---//
double go(void)
{
    int dgt[9] = {1, 2, 3, 4, 5, 6, 7, 8, 9};
    int a[8];

    printf("欠けている数字を見つけよう!!\n");
    printf("スペースキーで開始します。\n");
    while (getch() != ' ')
        ;

    time_t start = time(NULL);

    for (int stage = 0; stage < MAX_STAGE; stage++) {
        int x = rand() % 9;      // コピーを飛ばす要素の添字（0〜8）

        int i = 0, j = 0;
        while (i < 9) {                    // dgt[x]を飛ばしてコピー
            if (i != x)
                a[j++] = dgt[i];
            i++;
        }
        for (int i = 7; i > 0; i--) {      // 配列aをシャッフル
            int j = rand() % (i + 1);
            if (i != j)
                swap(int, a[i], a[j]);
        }
        for (int i = 0; i < 8; i++)        // 全要素を表示
            printf("%d ", a[i]);
        printf(" : ");

        fflush(stdout);

        int no;                            // 読み込んだ値
        do {
            no = getch();
            if (isprint(no)) {             // 表示可能であれば
                putch(no);                 // 押されたキーを表示
                if (no != dgt[x] + '0')    // 正解でなければ
                    putch('\b');           // カーソルを一つ戻す
                else
                    printf("\n");          // 改行
                fflush(stdout);
            }
        } while (no != dgt[x] + '0');
    }
    time_t end = time(NULL);

    double jikan = difftime(end, start);

    printf("%.1f秒かかりました。\n", jikan);
```

```
    if (jikan > 25.0)
        printf("鈍すぎます。\n");
    else if (jikan > 20.0)
        printf("少し鈍いですね。\n");
    else if (jikan > 17.0)
        printf("まあまあですね。\n");
    else
        printf("素早いですね。\n");

    return jikan;
}

int main(void)
{
    init_getputch();
    srand(time(NULL));              // 乱数の種を設定
    double best_score = get_data(); // これまでの最高得点（所要時間）を得る   ◀━1
    int retry;        // もう一度？
    do {
        double score = go();          // トレーニング実行            ●━━━━━━2

        if (score < best_score) {
            printf("最高得点（所要時間）を更新しました!!\n");
            best_score = score;        // 最高得点更新                        3
        }

        printf("もう一度しますか … (0)いいえ (1)はい：");
        scanf("%d", &retry);
    } while (retry == 1);

    put_data(best_score);              // 今回の日付・時刻・得点を書き込む   ◀━4

    term_getputch();

    return 0;
}
```

9

ファイル処理

まずは、本プログラムを2回以上実行しましょう。

実行例①	実行例②
本プログラムを実行するのは初めてですね。 欠けている数字を見つけよう!! スペースキーで開始します。 *1 5 7 9 6 4 3 8 : 2* *5 8 4 3 7 1 2 6 : 9* *1 8 6 2 7 5 9 4 : 3* *6 7 1 2 8 3 4 9 : 5* *5 3 6 9 7 2 1 8 : 4* *9 3 4 6 8 5 1 7 : 2* … 中略 … 31.0秒かかりました。 鈍すぎます。 最高得点（所要時間）を更新しました!! もう一度しますか … (0)いいえ (1)はい：0⏎	前回の終了は2028年10月18日17時28分35秒でした。 これまでの最高得点（最短所要時間）は31.1秒です。 欠けている数字を見つけよう!! スペースキーで開始します。 *5 3 6 9 7 2 1 8 : 4* *3 2 1 7 4 5 6 9 : 8* *1 2 3 4 8 6 9 7 : 5* *1 5 7 9 6 4 3 8 : 2* *5 8 4 3 7 1 2 6 : 9* … 中略 … 29.0秒かかりました。 鈍すぎます。 最高得点（所要時間）を更新しました!! もう一度しますか … (0)いいえ (1)はい：0⏎

　初めて起動した際は、実行例①のように『本プログラムを実行するのは初めてですね。』と表示されます。また、2回目以降のプログラム起動時には、実行例②のように前回の日付・時刻とこれまでの最高得点が表示されます。

トレーニングの日付と得点をあわせて<トレーニング情報>と呼ぶことにしましょう。

本プログラムでは、トレーニング情報をファイル **"LACKNUM.DAT"** に格納しています。その中身を示したのが **Fig.9-7** です。

前回のトレーニング終了時刻は、ファイルの1行目に6個の整数値として保存され、前回までの最高得点は、実数値として2行目に保存されます。

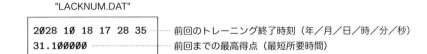

"LACKNUM.DAT"

```
2028 10 18 17 28 35  ……… 前回のトレーニング終了時刻（年／月／日／時／分／秒）
31.100000  ……………………… 前回までの最高得点（最短所要時間）
```

Fig.9-7 トレーニング情報を格納するファイルの中身

☐ 最高得点の更新

《ラックナンバーサーチ》は、できるだけ短時間で終了することを目指すトレーニングですから、**最短の所要時間が最高得点です**（所要時間が短いほど高成績です）。

最高得点の管理を行っているのが、**1**～**4**の箇所です。まずは、その大まかな流れを理解していきましょう。

1では、関数 *get_data* によって、前回までの最高得点（所要時間）をファイルから読み込み、その値で変数 *best_score* を初期化します。

▶ 最高得点を読み込む関数 *get_data* については、次ページで学習します。

次は**2**です。ここで呼び出している関数 *go* は、トレーニングを行う関数です。トレーニングに要した時間を返却する仕様であり、返却された値は変数 *score* に入れられます。

変数 *score* の値、すなわち、今回のトレーニングに要した時間が *best_score* よりも小さければ、**最高得点を更新した**ことになるため、**3**では、その旨を表示して *best_score* に *score* の値を代入します。

トレーニングが終了した**4**では、関数 *put_data* によって、最高得点の情報をファイルに書き込みます。

▶ 最高得点を書き込む関数 *put_data* についても、この後で学習します。

＊

本プログラムでファイルへの読み書きを行っているのは、関数 *get_data* と関数 *put_data* です。二つの関数の働きを見ていきましょう。

☐ トレーニング情報の読込み

プログラム開始直後の**1**で呼び出される関数 *get_data* は、前回の実行終了時に保存された
トレーニング情報を読み込む関数です。

まずファイル **"LACKNUM.DAT"** を読取りモード **"r"** でオープンして、オープンに成功したかど
うかで、次のように異なる処理を行います。

▪ ファイルのオープンに失敗した場合

ファイルが壊れていたり消去されていたりしない限り、**本プログラムを実行するのは初めて**
ということです。その旨を表示して、最高得点（最短所要時間）を、**double** 型で表現できる
最大値 **DBL_MAX** とします。

> ▶ 最短所要時間を大きな値にすると、最高得点は実質的に **0** となります。なお、**double** 型で表現で
> きる最大値を表す **DBL_MAX** は、**<float.h>** ヘッダで定義されているオブジェクト形式マクロです。

▪ ファイルのオープンに成功した場合

前回の実行時に保存しておいたトレーニング情報（日付・時刻と最高得点）を読み込んで、
それらを画面に表示して、ファイルをクローズします。

☐ fscanf 関数：書式付きの入力

ファイルからのトレーニング情報の読込みでは、*fscanf* 関数を利用しています。

fscanf	
ヘッダ	#include <stdio.h>
形　式	int *fscanf*(FILE * restrict stream, const char * restrict format, ...);
機　能	標準入力ストリームではなく、*stream* が指すストリームから読み込む点を除いて、*scanf* 関数と等価である。
返却値	変換が一つも行われないまま入力誤りが発生すると、マクロ EOF の値を返す。それ以外の場合、代入された入力項目の個数を返す。この個数は、入力中に照合誤りが発生すると、変換指定子に対応する実引数の数よりも小さくなることもあり、**0** になることもある。

この関数は *scanf* 関数とほぼ同等の入力操作を行います。異なるのは、入力元が標準入力
ストリームではなく、第1引数が指すストリームである点です。

たとえば、オープンずみのストリーム **fp** から、**int** 型の整数値を読み込んで変数 **k** に格納す
るコードは、次のようになります。

```
fscanf(fp, "%d", &k);
```

scanf の前に **f** を付けて、入力元のストリームを第1引数に追加するだけです。

トレーニング情報の書出し

プログラム終了直前の**4**で呼び出される関数 *put_data* は、トレーニング情報をファイルに書き出す関数です。

まずファイル "LACKNUM.DAT" を書込みモード "w" でオープンして、オープンに成功したかどうかで、次のように異なる処理を行います。

▪ **ファイルのオープンに失敗した場合**

画面に『エラー発生 !!』とメッセージを表示します。

▪ **ファイルのオープンに成功した場合**

現在の日付と時刻を *time* 関数で調べて、その値をファイルに書き出します。さらに、最高得点をファイルに書き込んでファイルをクローズします。

この関数をプログラムの最後に実行することによって、**今回書き込まれたトレーニング情報が、次回のプログラム起動時に得られるようになります**。

fprintf 関数：書式付きの出力

ファイルへのトレーニング情報の書出しでは、*fprintf* 関数を利用しています。

	fprintf
ヘッダ	#include <stdio.h>
形　式	int fprintf(FILE * restrict stream, const char * restrict format, ...);
機　能	標準出力ストリームではなく、*stream* が指すストリームに書き込む点を除いて、*printf* 関数と等価である。
返却値	転送した文字数を返す。出力エラーが発生したときは、負の値を返す。

この関数は *printf* 関数とほぼ同等の出力操作を行います。異なるのは、出力先が標準出力ストリームではなく、第1引数が指すストリームである点です。

たとえば、オープンずみのストリーム *fp* に対して、int 型の整数値 *k* の値を 10 進数で書き込むコードは、次のようになります。

```
fscanf(fp, "%d", &k);
```

printf の前に *f* を付けて、出力先のストリームを第 1 引数として追加するだけです。

9-3　ユーティリティの作成

　ファイルの基本的な使い方が分かりました。本節では、実用的なファイル処理プログラムを作成していきます。

concat：ファイルの連結出力

　List 9-3 に示すプログラム concat は、本章の最初に学習した **List 9-1**（p.284）を拡張したものです。

List 9-3　　　　　　　　　　　　　　　　　　　　　　　　　　　　chap09/concat.c

```c
// concat … ファイルの連結コピー

#include <stdio.h>

//--- srcからの入力をdstへ出力 ---//
void copy(FILE *src, FILE *dst)
{
    int ch;

    while ((ch = fgetc(src)) != EOF)
        fputc(ch, dst);
}

int main(int argc, char *argv[])
{
    FILE *fp;

    if (argc < 2)
        copy(stdin, stdout);              // 標準入力 → 標準出力
    else {
        while (--argc > 0) {
            if ((fp = fopen(*++argv, "r")) == NULL) {
                fprintf(stderr, "ファイル%sが正しくオープンできません。\n",
                                *argv);
                return 1;
            } else {
                copy(fp, stdout);    // ストリームfp → 標準出力
                fclose(fp);
            }
        }
    }
    return 0;
}
```

```
起動・実行例❶
>concat ⏎
Hello! ⏎
Hello!
This is a pen. ⏎
This is a pen.
Ctrl + Z
>
```

　起動時のコマンドライン引数の与え方によって、大きく三つの目的に利用できます。

　▶　コマンドライン引数については、6–4 節で学習しました。

① 標準入力ストリームのコピー

　起動・実行例①に示すように、コマンドライン上から引数を与えることなく起動すると、**List 9-1** のプログラムと同等の動作を行います。

　すなわち、標準入力ストリームから文字を読み込んで、標準出力ストリームにコピーします。

② 単一のファイルのコピー

コマンドライン上からファイル名を一つだけ与えて起動すると、そのファイルの中身をコンソール画面（標準出力ストリーム）に出力します。

起動・実行例②に示すのは、本プログラム自身、すなわち、ファイル **"concat.c"** の中身を表示する様子です。

```
起動・実行例❷
>concat concat.c⏎
// concat … ファイルの連結コピー

#include <stdio.h>

//--- srcからの入力をdstへ出力 ---//
void copy(FILE *src, FILE *dst)
{
        int ch;

        while ((ch = fgetc(src)) != EOF)
                fputc(ch, dst);

… 中略 …
}
>
```

実行環境の OS がサポートしていれば、リダイレクトで出力先を切りかえることができます。

たとえば、次のように実行すると、ファイル **"concat.c"** の内容がそっくり **"a.txt"** にコピーされます。

> **>concat concat.c > a.txt⏎**

なお、指定されたファイルが存在しない場合は、水色部の *fprintf* 関数の呼出しによって、その旨のメッセージを**標準エラーストリーム**に出力します。

▶ 次のように、エラーメッセージ出力を *printf* 関数で行うのはNGです。
  printf("ファイル%sが正しくオープンできません。\n", *argv);
  標準出力ストリームの接続先がリダイレクトで変更されているときに、エラーメッセージがコンソール画面に表示されず、変更された接続先に書き込まれてしまうからです。

| **Column 9-2** | **リダイレクト（リディレクト）に関する補足** |

本文では、標準入力ストリームをリダイレクトする**<**と、標準出力ストリームをリダイレクトする**>**について学習しました。

標準出力ストリームのリダイレクトでは、**>**で指定されたファイルが既に存在する場合、内容が消されて上書きされます。**>**ではなく**>>**を使うと、上書きではなく、追記されます。

また、**>**ではなく**2>**を使うことで、**標準エラーストリーム**のリダイレクトが行えます。ここでの2は標準エラーを表すディスクリプタです（なお、0 が標準入力ストリームを表し、1 は標準出力ストリームを表します）。

③ 複数ファイルの連続コピー

　起動・実行例③に示すように、コマンドラインから複数のファイル名を与えると、それらの内容が**連続**して出力されます。

　複数のファイルを連結したものをコピーする、というイメージです。

　そもそもプログラムのファイル名に含まれる **cat** は、『連結する』という意味の単語 concatenate に由来します。

　▶ 間違っても、cat を猫のことと勘違いしないようにしましょう。
　　 UNIX では、ファイルを連結表示する **cat** コマンドが提供されます。
　　 ちなみに、文字列の連結を行う標準ライブラリ関数 **strcat**（p.190）の名前も concatenate に由来します。

　もちろん、入出力先は、リダイレクトによって変更することも可能です。たとえば、

```
起動・実行例③
>concat concat.c detab.c⏎
// concat … ファイルの連結コピー
                                    concat.c
#include <stdio.h>

//--- srcからの入力をdstへ出力 ---//
void copy(FILE *src, FILE *dst)
{
    int ch;

    while ((ch = fgetc(src)) != EOF)
        fputc(ch, dst);
}

int main(int argc, char *argv[])
{

  … 中略 …

}
// detab … 水平タブ文字を展開する

#include <stdio.h>
                                    detab.c
  … 以下省略 …

※2個のファイルが連続して出力される
```

```
>concat concat.c detab.c > condet.txt⏎
```

と実行すると、コマンドラインで与えられた二つのファイル **"concat.c"** と **"detab.c"** を連結したものが、ファイル **"condet.txt"** にコピーされます。

　　　　　　＊

　プログラムで主要な処理を行うのが、2個の引数を受け取る関数 *copy* です。

　この関数は、*src* が指すストリームから文字を次々と読み込んで、*dst* が指すストリームにコピーします。

```
void copy(FILE *src, FILE *dst)
{
    int ch;

    while ((ch = fgetc(src)) != EOF)
        fputc(ch, dst);
}
```

　関数 *copy* の本体は、**List 9-1** の main 関数の本体とほぼ同じです。

　異なるのは、入出力のために呼び出している関数です。入力は *getchar* 関数ではなく *fgetc* 関数にゆだねて、出力は *putchar* 関数ではなく *fputc* 関数にゆだねています。

fgetc 関数：ストリームからの1文字読込み

　ストリームからの読込みに利用している ***fgetc* 関数**は、1個の文字を読み込むという点で *getchar* 関数と同じです。

　ただし、入力元は標準入力ストリームではなく、第1引数が指すストリームです。

---

fgetc

ヘッダ	`#include <stdio.h>`
形　式	`int fgetc(FILE *stream);`
機　能	*stream* が指す入力ストリームから次の文字（もし存在すれば）を `unsigned char` 型の値として読み取り、`int` 型に変換する。そして、そのストリームに結び付けられているファイル位置表示子（もし定義されていれば）を進める。
返却値	*stream* が指す入力ストリームの次の文字を返す。ストリームでファイルの終わりを検出すると、そのストリームに対するファイル終了表示子をセットし `EOF` を返す。読取りエラーが発生すると、そのストリームに対するエラー表示子をセットし `EOF` を返す。

標準入力ストリームへのポインタ `stdin` を引数として与えて `fgetc(stdin)` と呼び出せば、実質的に `getchar()` と同じ動作となります。

■ fputc 関数：ストリームへの1文字出力

fgetc 関数とは逆に、ストリームに文字を出力するのが **fputc 関数**です。この関数は、1個の文字を出力するという点で *putchar* 関数と同じです。

ただし、出力先は標準出力ストリームではなく、第2引数が指すストリームです。

---

fputc

ヘッダ	`#include <stdio.h>`
形　式	`int fputc(int c, FILE *stream);`
機　能	*stream* が指す出力ストリームに *c* で指定された文字を `unsigned char` 型に変換して書き込む。このとき、ストリームに結び付けられるファイル位置表示子が定義されていれば、それが指示する位置に文字を書き込み、ファイル位置表示子を適切に進める。ファイルが位置付けに関する要求をサポートできない場合、またはストリームが追加モードでオープンされていた場合、文字出力は常に出力ストリームの最後への文字追加となる。
返却値	書き込んだ文字を返す。書込みエラーが発生すると、そのストリームに対するエラー表示子をセットして `EOF` を返す。

標準出力ストリームへのポインタ `stdout` を第2引数に与えて `fputc(c, stdout)` と呼び出すと、実質的に `putchar(c)` と同じ動作となります。

▶ *fputc* 関数と同等な *putc* 関数という標準ライブラリ関数もあります。この関数の形式は、次のとおり *fputc* 関数と同じです（機能も同じです）。

`int putc(int c, FILE *stream);`

初期のC言語では、*putc* 関数のみが提供されていました（関数でなくマクロとして提供されることも多かったようです）。その後、他の入出力ライブラリとあわせるために名前の先頭に *f* を付けた *fputc* 関数が追加されました。

detab：水平タブ文字を空白文字に変換

　前のプログラム concat の実行例として示したのは、タブが4文字幅の環境で作成したファイルを、タブが8文字幅の環境で実行したときに得られるものでした。タブの箇所が間延びして表示されていることが分かるでしょう。

　ファイル中のタブを空白文字に変換した上でファイル内容を出力すると、タブを任意の幅で出力できます。

　そのように作ったプログラムが、**List 9-4** の detab です。

　起動・実行例①のように引数を与えずに起動すると、標準入力ストリームから文字を読み込んで、標準出力ストリームへと出力します（concat プログラムと同じ要領です）。なお、タブは行の先頭から8桁ごとの位置となります。

　コマンドラインから指定可能なのは、次の二つの引数です。

```
起動・実行例❶
>detab ↵
Hello!➡How are you? ↵
Hello!   How are you?
Let's➡go. ↵
Let's   go.
Ctrl + Z
>
```

▶　実行例中の➡は、タブ文字の入力を表します。

入力元ファイル名

　読み込むファイルの名前です。

タブ幅

　-t に整数値を続けることによって指定するタブ幅です。

　これらの引数を与えて起動・実行する例を②と③に示しています。入力元のファイルは同じですが、タブ幅の指定を変えているため、得られる結果が異なっています。

```
起動・実行例❷
>detab -t3 concat.c ↵
// concat … ファイルの連結コピー

#include <stdio.h>

//--- srcからの入力をdstへ出力 ---//
void copy(FILE *src, FILE *dst)
{
   int ch;

   while ((ch = fgetc(src)) != EOF)
      fputc(ch, dst);
}

… 以下省略 …
```

```
起動・実行例❸
>detab -t6 concat.c ↵
// concat … ファイルの連結コピー

#include <stdio.h>

//--- srcからの入力をdstへ出力 ---//
void copy(FILE *src, FILE *dst)
{
      int ch;

      while ((ch = fgetc(src)) != EOF)
         fputc(ch, dst);
}

… 以下省略 …
```

　複数のファイルを指定する際は、個々のファイルに対してタブ幅の指定が行えます。たとえば、

```
>detab -t4 detab.c abc.c -t8 readme.txt prog1.asm ↵
```

と実行すると、"detab.c" と "abc.c" を4文字のタブ幅で、"readme.txt" と "prog1.asm" を8文字の幅でタブ文字を空白文字へと変換します。

List 9-4　　　　　　　　　　　　　　　　　　　　　　　　　　　chap09/detab.c

```
// detab … 水平タブ文字を展開する

#include <stdio.h>
#include <stdlib.h>

//--- srcからの入力をタブを展開してdstへ出力 ---//
void detab(FILE *src, FILE *dst, int width)
{
    int ch;
    int pos = 1;

    while ((ch = fgetc(src)) != EOF) {
        int num;

        switch (ch) {
         case '\t':                         // タブ文字
            num = width - (pos - 1) % width;
            for ( ; num > 0; num--) {
                fputc(' ', dst);
                pos++;                                              ■1
            }
            break;

         case '\n':                         // 改行文字
            fputc(ch, dst); pos=1; break;                          ■2

         default:                           // それ以外の文字
            fputc(ch, dst); pos++; break;                          ■3
        }
    }
}

int main(int argc, char *argv[])
{
    int  width = 8;
    FILE *fp;

    if (argc < 2)
        detab(stdin, stdout, width);        // 標準入力 → 標準出力
    else {
        while (--argc > 0) {
            if (**(++argv) == '-') {
                if (*++(*argv) == 't')
                    width = atoi(++*argv);
                else {
                    fputs("パラメータが不正です。\n", stderr);
                    return 1;
                }
            } else if ((fp = fopen(*argv, "r")) == NULL) {
                fprintf(stderr, "ファイル%sが正しくオープンできません。\n",
                                *argv);
                return 1;
            } else {
                detab(fp, stdout, width);   // ストリームfp → 標準出力
                fclose(fp);
            }
        }
    }
    return 0;
}
```

9-3

ユーティリティの作成

　関数 *detab* は、*src* が指すストリームから読み込んで、タブ文字を *width* 桁ごとの空白文字
へと変換して *dst* が指すストリームに出力します。この関数を理解していきましょう。

変数 *pos* が表すのは、出力中の文字の桁位置（行の先頭から数えて何文字目であるのか）です。この値を利用して、タブ文字を何文字の空白文字に変換するのかを計算します。

具体的な計算の手順を、右ページの **Fig.9-8** を見ながら考えていきましょう。ここに示しているのは、タブ幅が4桁の例であり、●の中の数値は、変数 *pos* の値です。

▪ 通常の文字を読み込んだ場合

❶と❷では、'a' と 'b' を読み込んでいます。標準出力ストリームに読み込んだ文字をそのまま出力するとともに、*pos* をインクリメントします（プログラム❸）。

▪ タブ文字を読み込んだ場合

❸では、タブ文字を読み込んでいます。次のタブ位置まで空白文字を埋める必要がありますので、*num* 個（この場合は2個）の空白文字を出力し（❸と❹）、その分だけ *pos* の値を増やします（プログラム❶）。

▪ 改行文字を読み込んだ場合

⓯では、改行文字を読み込んでいます。続く⓰で *pos* を 1 に戻すことによって、桁位置のリセットを行います（プログラム❷）。

fputs 関数：文字列の出力

コマンドライン引数でのタブ幅の指定は、**-t***n* という形式（*n* は 10 進の整数値）です。

もし与えられた引数の **-** に続く文字が **t** でなければ、『パラメータが不正です。』をコンソール画面に表示します。

その表示に利用しているのが、ストリームに対して文字列を書き出す *fputs* 関数です。

fputs	
ヘッダ	#include <stdio.h>
形　式	int *fputs*(const char * retstrict *s*, FILE * retstrict *stream*);
機　能	*stream* が指すストリームに *s* が指す文字列を書き込む。文字列の終端ナル文字の書込みは行わない。
返却値	書込みエラーが発生すると EOF を返し、それ以外のときは非負の値を返す。

この関数は標準出力ストリームに対して文字列を書き出す *puts* 関数とは異なり、**改行文字を付加しません**。そのため、標準出力ストリームに **"ABC"** と表示して改行するには、次のように、明示的な改行文字の出力が必要です。

```
fputs("ABC\n", stdout);          // puts("ABC")と同じ
```

利用者に必ず伝えるべきエラーメッセージのコンソール画面への出力は、標準出力ストリーム stdout ではなく、標準エラーストリーム stderr に対して行います。

▶ すなわち、*puts* 関数や *printf* 関数を使うのはNGです。というのも、プログラム起動時に標準出力先がリダイレクトされた場合に、コンソール画面でなくて、リダイレクト先にメッセージが出力されてしまうからです。

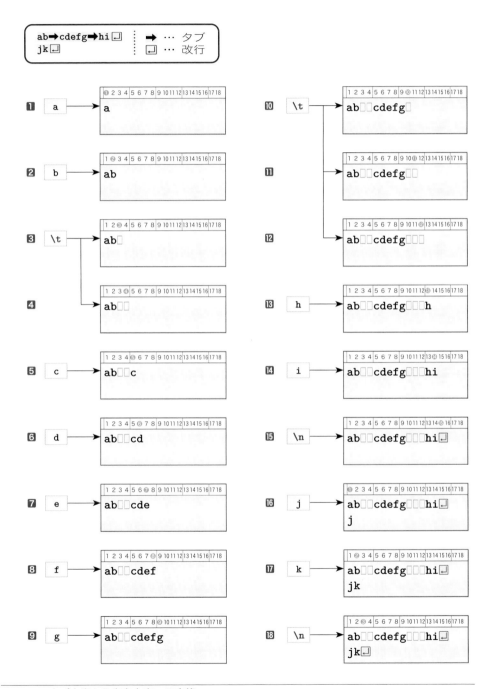

Fig.9-8 タブ文字から空白文字への変換

▢ entab：空白文字を水平タブ文字に変換

detabと反対の動作、すなわち空白文字を水平タブ文字に変換するのが、**List 9-5** に示すプログラム entab です。

```c
// entab … 空白文字を水平タブ文字に変換する

#include <stdio.h>
#include <stdlib.h>

//--- srcからの入力の空白文字をタブ化してdstへ出力 ---//
void entab(FILE *src, FILE *dst, int width)
{
    int ch;
    int count = 0;
    int ntab  = 0;
    int pos   = 1;

    for ( ; (ch = fgetc(src)) != EOF; pos++)
        if (ch == ' ') {
            if (pos % width != 0)
                count++;
            else {
                count = 0;
                ntab++;
            }
        } else {
            for ( ; ntab > 0; --ntab)
                fputc('\t', dst);
            if (ch == '\t')
                count = 0;
            else
                for ( ; count > 0; count--)
                    fputc(' ', dst);
            fputc(ch, dst);
            if (ch == '\n')
                pos = 0;
            else if (ch == '\t')
                pos += width - (pos - 1) % width - 1;
        }
}

int main(int argc, char *argv[])
{
    int width = 8;
    FILE *fp;

    if (argc < 2)
        entab(stdin, stdout, width);              // 標準入力 → 標準出力
    else {
        while (--argc > 0) {
            if (**(++argv) == '-') {
                if (*++(*argv) == 't')
                    width = atoi(++*argv);
                else {
                    fputs("パラメータが不正です。\n", stderr);
                    return 1;
                }
```

9
ファイル処理

```
         } else if ((fp = fopen(*argv, "r")) == NULL) {
             fprintf(stderr, "ファイル%sが正しくオープンできません。\n",
                             *argv);
             return 1;
         } else {
             entab(fp, stdout, width);   // ストリームfp → 標準出力
             fclose(fp);
         }
      }
   }
   return 0;
}
```

　タブ幅を指定する数値は、**detab**と同様に、**-t** の直後に与えます。ご自身でプログラムをよく読んで理解しましょう。

> ▶ *fputc* 関数を含め、ストリームに対する読み書きを行う関数では、ストリームを指定する引数 *fp* は、原則として**末尾**に位置します。
>
> 　引数 *fp* が**先頭**となっているのは、*fprintf* 関数と *fscanf* 関数だけです。可変個引数を受け取る仕様であるため、*fp* が先頭に位置せざるを得ないからです。

✎ まとめ

✼ ストリームと標準ストリーム

　ファイルや機器などへの文字の入出力は、**ストリーム**を通じて行う。**標準入力 stdin ／標準出力 stdout ／標準エラー stderr** の三つの**標準ストリーム**は、プログラム実行開始時に準備される。

　多くの環境では、標準入力ストリームと標準出力ストリームの接続先を、リダイレクトによって変更できるようになっている。

✼ ファイルのオープンとクローズ

　ファイルをオープンしてストリームと結び付けるには *fopen* **関数**を、利用を終了して切り離すには *fclose* **関数**を用いる。

✼ ファイルのアクセス

　ファイルのアクセスの際は、*fopen* 関数によって返却された **FILE 型オブジェクトへのポインタ**を利用する。読み書きは、*fprintf* **関数**、*fputc* **関数**、*fputs* **関数**、*fscanf* **関数**、*fgetc* **関数**などのライブラリによって行える。

✼ バッファリング

　ストリームに対する読み書きは、即座に行われるのではなく、いったんバッファに蓄えた上で行われる。バッファリングの方法として、**完全バッファリング／行バッファリング／非バッファリング**がある。

　バッファリングの方法を設定・変更するには、*setvbuf* **関数**および *setbuf* **関数**を用いる。

　また、*fflush* **関数**を用いることによって、出力ストリームのバッファにたまっている文字を**フラッシュする**（掃き出す）ことができる。

9-4 バイナリファイル

これまでのプログラムでの読み書きの対象は、すべてテキストファイルでした。本節では、バイナリファイルについて学習します。

☐ テキストファイルとバイナリファイル ─────────────

まずは、テキストファイルとバイナリファイルの違いを理解しましょう。

☐ テキストファイル

テキストファイルでは、データを文字の並びで表現します。たとえば、整数値 357 は、3個の文字 '3'、'5'、'7' の並びです。そのため、この値を *printf* 関数や *fprintf* 関数などを使って画面やファイルに書き込むと、3バイトになります。

また、数値が 2057 であれば、書き出されるのは '2'、'0'、'5'、'7' の4文字です。

ASCII コード体系であれば、これらの2個の数値データは、**Fig.9-9 a** に示すビットで構成されます。

文字数が数値の桁数に依存することが分かります。

☐ バイナリファイル

バイナリファイルでは、データをビットの並びで表現します。具体的なビット数は処理系に依存するものの、int 型の整数値の大きさは、必ず sizeof(int) バイトとなります。

int 型整数を2バイト16ビットで表現する環境であれば、整数値 357 と 2057 は、図 b に示すビットで構成されます。

文字数（バイト数）が数値の桁数には依存しないことが分かります。

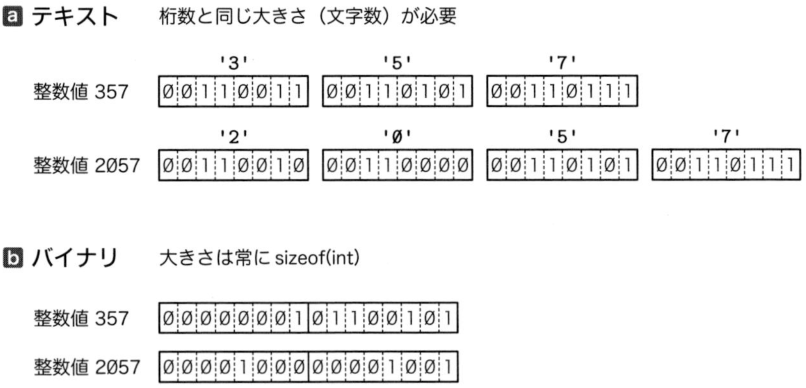

a テキスト　　桁数と同じ大きさ（文字数）が必要

```
          '3'           '5'           '7'
整数値 357  00110011   00110101   00110111

          '2'           '0'           '5'           '7'
整数値 2057 00110010   00110000   00110101   00110111
```

b バイナリ　　大きさは常に sizeof(int)

```
整数値 357   0000000101100101

整数値 2057  0000100000001001
```

Fig.9-9 テキストとバイナリ

▶ MS-Windowsであれば、『メモ帳（notepad）で中身を見られる』のがテキストファイルで、『メモ帳で見ても中身が分からない』のがバイナリファイルであるといったところです。
　UNIXであれば、テキストファイルはcatコマンド、バイナリファイルはodコマンドで中身を見ることができます。

fread関数：ファイルからの読取り

バイナリファイルの読み書きに適しているのが、**fread**関数と**fwrite**関数です。
　ファイルから記憶域にデータを読み取るのが**fread関数**です。受け取る引数は、データの格納先へのポインタ、データの個数、1個のデータの大きさ、ストリームへのポインタです。

	fread
ヘッダ	#include <stdio.h>
形　式	size_t fread(void * restrict ptr, size_t size, size_t nmemb, 　　　　　　FILE * restrict stream);
機　能	*stream*が指すストリームから、最大*nmemb*個の大きさ*size*の要素を、*ptr*が指す配列に読み取る。そのストリームに対応するファイル位置表示子（定義されていれば）は、読取りに成功した文字数分だけ進む。エラーが発生したとき、そのストリームに対応するファイル位置表示子の値は不定とする。一つの要素の一部だけが読み取られたとき、その値は不定とする。
返却値	読取りに成功した要素の個数を返す。その個数は、読取りエラーまたはファイルの終わりになったとき、*nmemb*より小さいことがある。*size*または*nmemb*が0のとき0を返す。このとき、配列の内容とストリームの状態は、変化しない。

▶ 読み込むデータが1個である場合は、第2引数*size*に1を指定します。

fwrite関数：ファイルへの書込み

記憶域の内容をファイルへ書き込むのが**fwrite**関数です。受け取る引数は、データの格納先へのポインタ、データの個数、1個のデータの大きさ、ストリームへのポインタです。

	fwrite
ヘッダ	#include <stdio.h>
形　式	size_t fwrite(const void * restrict ptr, size_t size, size_t nmemb, 　　　　　　FILE * restrict stream);
機　能	*ptr*が指す配列から、最大*nmemb*個の大きさ*size*の要素を、*stream*が指すストリームに書き込む。そのストリームに対応するファイル位置表示子（定義されていれば）は、書込みに成功した文字数分進む。エラーが発生したとき、そのストリームに対応するファイル位置表示子の値は、不定とする。
返却値	書込みに成功した要素の個数を返す。その個数は、書込みエラーが起きたときに限り、*nmemb*より小さくなる。

☐ hdump：文字と 16 進数コードによるファイルのダンプ ──────────

　コマンドラインで指示されたファイルをバイナリファイルとしてオープンし、その内容を文字と文字コードとで表示するプログラム hdump を **List 9-6** に示します。

chap09/hdump.c

List 9-6

```c
// hdump … ファイルのダンプ

#include <ctype.h>
#include <stdio.h>
#include <limits.h>

//--- ストリームsrcの内容をdstへダンプ ---//
void hdump(FILE *src, FILE *dst)
{
    int n;
    unsigned long count = 0;
    unsigned char buf[16];

    while ((n = fread(buf, 1, 16, src)) > 0) {
        fprintf(dst, "%08lX ", count);                      // アドレス

        for (int i = 0; i < n; i++)                          // 16進数
            fprintf(dst, "%0*X ", (CHAR_BIT + 3) / 4, (unsigned)buf[i]);

        if (n < 16)
            for (int i = n; i < 16; i++)
                fputs("   ", dst);

        for (int i = 0; i < n; i++)                          // 文字
            fputc(isprint(buf[i]) ? buf[i] : '.', dst);

        fputc('\n', dst);

        count += 16;
    }
    fputc('\n', dst);
}

int main(int argc, char *argv[])
{
    if (argc < 2)
        hdump(stdin, stdout);            // 標準入力 → 標準出力
    else {
        FILE *fp;

        while (--argc > 0) {
            if ((fp = fopen(*++argv, "rb")) == NULL) {
                fprintf(stderr, "ファイル%sが正しくオープンできません。\n",
                                *argv);
                return 1;
            } else {
                hdump(fp, stdout);  // ストリームfp → 標準出力*/
                fclose(fp);
            }
        }
    }

    return 0;
}
```

本プログラムのように、ファイルやメモリの内容を一気に書き出す（表示する）プログラムは、一般に**ダンプ**（dump）プログラムと呼ばれます。

▶ ダンプは、ダンプカーが一度に荷を下ろすさまにたとえた用語です。

実行例に示すのは、この **hdump** プログラムで、本プログラム自身、すなわち、ソースファイル **"hdump.c"** をダンプした結果です。

▶ 実行結果は MS-Windows 上での実行例です。実行結果は、実行する環境で採用されている文字コードに依存します。

本プログラムでは、ファイルのオープン時に、**"rb"** モード（バイナリの読取りモード）でのオープンを指定しています。

ファイルからの読込みを行うのが、水色部です。*fread* 関数を用いて 16 文字ごとに読み込んで、標準出力ストリームへの出力を行います。

▶ まず各バイトごとに、2 桁の 16 進数値として表示を行い、その後、表示文字はそのままの文字として出力し、非表示文字は **'.'** として出力します。

fread 関数が返却するのは、読み込んだデータの個数です。本プログラムでは、返却された値（読み込まれた文字数）が、変数 *n* に代入されます。その *n* の値が 0 より大きいあいだ、ファイルから文字を読み込んで表示する、という処理を繰り返します。

```
┌─────────────────────────────────────────────────────┐
│                   起動・実行結果一例                    │
├─────────────────────────────────────────────────────┤
│>hdump hdump.c⏎                                        │
│00000000 2F 2F 20 68 64 75 6D 70 20 81 63 20 83 74 83 40 // hdump .t.@ │
│00000010 83 43 83 8B 82 CC 83 5F 83 93 83 76 0D 0A 0D 0A .C.........v... │
│00000020 23 69 6E 63 6C 75 64 65 20 3C 63 74 79 70 65 2E #include <ctype. │
│00000030 68 3E 0D 0A 23 69 6E 63 6C 75 64 65 20 3C 73 74 h>..#include <st │
│00000040 64 69 6F 2E 68 3E 0D 0A 23 69 6E 63 6C 75 64 65 dio.h>..#include │
│00000050 20 3C 6C 69 6D 69 74 73 2E 68 3E 0D 0A 2F  <limits.h>..../ │
│00000060 2F 2D 2D 20 2D 20 83 58 83 67 83 8A 81 5B 83 80 /-- .X.g...[..s │
│00000070 72 63 82 CC 93 E0 97 65 82 F0 64 73 74 82 D6 83 rc...e..dst.. │
│00000080 5F 83 93 83 76 20 2D 2D 2D 2F 2F 0D 0A 76 6F 69 _...v ---//..voi │
│00000090 64 20 68 64 75 6D 70 28 46 49 4C 45 20 2A 73 72 d hdump(FILE *sr │
│000000A0 63 2C 20 46 49 4C 45 20 2A 64 73 74 29 0D 0A 7B c, FILE *dst)..{ │
│000000B0 0D 0A 09 69 6E 74 20 6E 3B 0D 0A 09 75 6E 73 69 ...int n;...unsi │
│000000C0 67 6E 65 64 20 6C 6F 6E 67 20 63 6F 75 6E 74 20 gned long count │
│000000D0 3D 20 30 3B 0D 0A 09 75 6E 73 69 67 6E 65 64 20 = 0;...unsigned │
│000000E0 63 68 61 72 20 62 75 66 5B 31 36 5D 3B 0D 0A 0D char buf[16];... │
│000000F0 0A 09 77 68 69 6C 65 20 28 28 6E 20 3D 20 66 72 ..while ((n = fr │
│00000100 65 61 64 28 62 75 66 2C 20 31 2C 20 31 36 2C 20 ead(buf, 1, 16, │
│00000110 73 72 63 29 29 20 3E 20 30 29 20 7B 0D 0A 09 09 src)) > 0) {.... │
│00000120 66 70 72 69 6E 74 66 28 64 73 74 2C 20 22 25 30 fprintf(dst, "%0 │
│00000130 38 6C 58 20 22 2C 20 63 6F 75 6E 74 29 3B 09 09 8lX ", count);.. │
│00000140 09 09 09 09 2F 2F 20 83 41 83 68 83 8C 83 58 0D ....// .A.h...X. │
│00000150 0A 0D 0A 09 09 66 6F 72 20 28 69 6E 74 20 69 20 .....for (int i │
│00000160 3D 20 30 3B 20 69 20 3C 20 6E 3B 20 69 2B 2B 29 = 0; i < n; i++) │
│00000170 09 09 09 09 09 09 2F 2F 20 31 36 90 69 90 94 ......// 16.i.. │
│00000180 0D 0A 09 09 09 66 70 72 69 6E 74 66 28 64 73 74 .....fprintf(dst │
│00000190 2C 20 22 25 30 2A 58 20 22 2C 20 28 43 48 41 52 , "%0*X ", (CHAR │
│000001A0 5F 42 49 54 20 2B 20 33 29 20 2F 20 34 2C 20 28 _BIT + 3) / 4, ( │
│000001B0 75 6E 73 69 67 6E 65 64 29 62 75 66 5B 69 5D 29 unsigned)buf[i]) │
│000001C0 3B 0D 0A 0D 0A 09 09 69 66 20 28 6E 20 3C 20 31 ;......if (n < 1 │
│000001D0 36 29 0D 0A 09 09 09 66 6F 72 20 28 69 6E 74 20 6)....for (int │
│                       … 以下省略 …                      │
└─────────────────────────────────────────────────────┘
```

bcopy：ファイルのコピー

次は、ファイルをコピーするプログラムを作りましょう。**List 9-7** に示すのが、そのプログラム bcopy です。

chap09/bcopy.c

```
// bcopy … ファイルのコピー

#include <stdio.h>

#define BSIZE    1024            // この大きさに分割してコピー

int main(int argc, char *argv[])
{
    int n;

    if (argc != 3) {
        fprintf(stderr, "パラメータが不正です。\n");
        fprintf(stderr, "bcopy コピー元ファイル名 コピー先ファイル名\n");
    } else {
        FILE *src, *dst;
        unsigned char buf[BSIZE];
        if ((src = fopen(*++argv, "rb")) == NULL) {
            fprintf(stderr, "ファイル%sがオープンできません。\n", *argv);
            return 1;
        } else if ((dst = fopen(*++argv, "wb")) == NULL) {
            fprintf(stderr, "ファイル%sがオープンできません。\n", *argv);
            fclose(src);
            return 1;
        } else {
            while ((n = fread(buf, 1, BSIZE, src)) > 0)
                fwrite(buf, 1, n, dst);
            fclose(src);
            fclose(dst);
        }
    }
    return 0;
}
```

コマンドラインからは、二つの引数を与えます。最初の引数がコピー元のファイル名で、2番目の引数がコピー先のファイル名です。たとえば、ファイル **"abc.dat"** を、**"xyz.bin"** にコピーするのであれば、次のように起動・実行します。

> bcopy abc.dat xyz.bin⏎

なお、コマンドライン引数の個数が不正であれば、『パラメータが不正です。』のメッセージとともに、このプログラムの使い方を簡単に表示して終了します。

コピー元のファイルは "バイナリの読取りモード" でオープンし、コピー先のファイルは "バイナリの書込みモード" でオープンしています。

両方のファイルがオープンできると、*BSIZE* で指定された大きさに区切ってコピー元ファイルから読み込み、その内容をそのままコピー先ファイルに書き込みます。このプログラムでは、*BSIZE* の値は 1024 ですから、1,024 バイト単位でコピーが行われます。

✍ 自由課題

☑ 演習 9-1

List 9-2（p.296）の《ラックナンバーサーチ》を拡張して、最高得点だけではなくて、これまでの
ベスト 10 の点数（所要時間）と、最近の 10 回の点数と、それらの実行日時を記録するように変更
したプログラムを作成せよ。

☑ 演習 9-2

前問で作成したプログラムに《ダブルナンバーサーチ》を追加したプログラムを作成せよ。

メニューで《ラックナンバーサーチ》と《ダブルナンバーサーチ》のいずれかを選べるようにす
るとともに、各トレーニングごとに得点の情報を記録すること。

☑ 演習 9-3

前問で作成したプログラムの情報の記録を、テキストファイルではなく、バイナリファイルに対
して行うように変更したプログラムを作成せよ。

☑ 演習 9-4

前章の演習 8-7（p.281）を拡張して、タイピング所要時間・速度・ミス回数などの履歴を記録・
管理できるようにしたプログラムを作成せよ。

☑ 演習 9-5

コマンドラインから与えられたファイルの先頭 n 行を表示するプログラム conhead を作成せよ。表
示する行数は -n という形式でコマンドラインから与えるものとする。

たとえば、次のように実行した場合は、ファイル "abc.c" の先頭 15 行を表示する。

```
conhead abc.c -15
```

なお -n が省略された場合は、ファイルの先頭 10 行を表示すること。

☑ 演習 9-6

前問とは逆に、コマンドラインから与えられたファイルの末尾 n 行を表示するプログラム contail
を作成せよ。なお -n が省略された場合は、ファイルの末尾 10 行を表示すること。

☑ 演習 9-7

List 9-7（p.316）のプログラム bcopy は、コピー先のファイルが存在する場合に、上書きされて内
容が消去されてしまう。コピー先のファイルが存在する場合は、

「ファイル *** は既に存在します。上書きしてよろしいですか？ … (0) はい／ (1) いいえ：」

と確認を行い、ユーザが (0) を選択した場合にのみコピーを行うように書きかえたプログラムを作
成せよ。

☑ 演習 9-8

住所録を取り扱うプログラムを作成せよ。ファイルに保存する項目・形式やメニューなどを自分
で設計すること。

第10章

英単語学習ソフト

本章で作るのは、《英単語学習ソフト》です。まずは、出題する単語のデータをプログラム上で宣言するものを作り、その後に、単語のデータを外部のファイルから読み込むように改良します。

この章で学ぶおもなこと

- 選択形式の学習ソフト
- 文字列の配列の動的な確保
  （2次元配列／ポインタの配列）
- ファイルからの単語の読込み

10-1 英単語学習ソフト

本節では、選択肢から解答を選ぶ形式の《英単語学習ソフト》を作成します。最初に試作版を作り、それから学習ソフトへと改良していきます。

単語表示ソフト

英単語学習ソフトを作る前に、まずは、単語をランダムに表示するだけの試作版プログラムを作りましょう。**List 10-1** に示すのが、そのプログラムです。

List 10-1　　　　　　　　　　　　　　　　　　　　　　　chap10/wordcai0.c

```c
// 英単語学習ソフト (試作版：日本語の単語／英単語をランダムに表示)

#include <time.h>
#include <stdio.h>
#include <stdlib.h>

#define QNO  12          // 単語の数

//--- 日本語 ---//
char *jword[] = {
    "動物", "車", "花", "家", "机",    "本",
    "椅子", "父", "母", "愛", "平和", "雑誌",
};

//--- 英語 ---//
char *eword[] = {
    "animal", "car",    "flower", "house", "desk",  "book",
    "chair",  "father", "mother", "love",  "peace", "magazine",
};

int main(void)
{
    srand(time(NULL));  // 乱数の種を設定

    int pq = QNO;       // 前回の問題番号 (初期値は存在しない問題番号)
    int retry;          // 再挑戦するか？

    do {
        int nq;                 // 問題番号

        do {                    // 前回と重複しないように問題番号を決定
            nq = rand() % QNO;
        } while (nq == pq);

        int lang = rand() % 2;  // 単語の言語 (0：日本語／1：英語)

        printf("%s\n", lang ? eword[nq] : jword[nq]);

        pq = nq;

        printf("もう一度？ 0-いいえ／1-はい：");
        scanf("%d", &retry);
    } while (retry == 1);

    return 0;
}
```

実行例
```
flower
もう一度？ 0-いいえ／1-はい：1⏎
animal
もう一度？ 0-いいえ／1-はい：1⏎
車
もう一度？ 0-いいえ／1-はい：0⏎
```

▶ ソースファイルの名前に含まれる **cai** は、computer assisted instruction のことです。

まずはプログラムを実行しましょう。"動物"、"車"、… と、それに対応する英単語 "animal"、"car"、… の12組・計24個の中からランダムに選ばれた単語が表示されます。

▶ 単語数の12を表すオブジェクト形式マクロ *QNO* は、プログラム冒頭で定義されています。

単語文字列（の先頭文字へのポインタ）を格納する配列は二つです。日本語の単語用の配列が *jword* で、英語の単語用の配列が *eword* です。

これらの配列要素の添字を、単語の"番号"と呼びます。たとえば、"動物" と "animal" の単語の番号は 0 で、"車" と "car" の単語の番号は 1 です。

☐ 単語の選択と表示 ──────────

単語をランダムに選ぶために使っているのが、二つの変数 *nq* と *lang* です。それぞれを決定する**1**と**2**の箇所を理解していきましょう。

1 単語の番号 = 変数 *nq* の決定

表示する単語の番号用の変数 *nq* は、0 以上 *QNO* 未満（0 〜 11）の乱数として決定します。

1回前に表示した単語の番号 *pq* とは異なる値の乱数を生成することで、**同じ番号の単語が連続して選ばれないようにしています。**

▶ 第8章で学習したものと同じ手法です（p.279）。

2 言語（日本語／英語）= 変数 *lang* の決定

言語を表す変数 *lang* は、0 または 1 の乱数として決定します。なお、0 は日本語の単語であることを表し、1 は英語の単語であること表します。

選んだ単語を表示するのが、**3**の箇所です。*printf* 関数に与えている2番目の引数は、条件演算子 **? :** を用いた条件式（p.75）です。

```
lang ? eword[nq] : jword[nq]
```

そのため、表示は次のように行われます。

───────────────────────────

変数 *lang* の値が：

    0 以外であれば … 番号が *nq* の **英 語** の単語 *eword[nq]* を表示する。

    0 であれば   … 番号が *nq* の**日本語**の単語 *jword[nq]* を表示する。

───────────────────────────

▶ たとえば *lang* が 1 で *nq* が 2 であれば、表示されるのは "flower" です。

ランダムに選んだ単語を表示した後は、もう一度行うかどうかをたずね、変数 *retry* に読み込まれた値が 1 である限り、繰り返せるようになっています。

単語学習ソフトへの拡張

単語を表示するプログラムを拡張して、学習ソフトにしましょう。**List 10-2** に示すのが、そのプログラムです。

List 10-2 chap10/wordcai1.c

```c
// 英単語学習ソフト（その１）

#include <time.h>
#include <stdio.h>
#include <stdlib.h>

#define QNO  12      // 単語の数
#define CNO   4      // 選択肢の数

#define swap(type, x, y)    do { type t = x; x = y; y = t; } while (0)

//--- 日本語 ---//
char *jword[] = {
    "動物", "車", "花", "家", "机",    "本",
    "椅子", "父", "母", "愛", "平和", "雑誌",
};

//--- 英語 ---//
char *eword[] = {
    "animal", "car",     "flower", "house", "desk",  "book",
    "chair",  "father", "mother", "love",  "peace", "magazine",
};

//--- 選択肢を生成して正解の添字を返す ---//
int make_cand(int c[], int answer)
{
    c[0] = answer;                      // 先頭要素に正解を入れる

    for (int i = 1; i < CNO; i++) {
        int j, x;
        do {                            // 重複しないように選択肢を生成
            x = rand() % QNO;
            for (j = 0; j < i; j++)
                if (c[j] == x)          // 生成ずみの番号を
                    break;              // スキップ
        } while (i != j);
        c[i] = x;
    }

    int idx = rand() % CNO;             // 正解の格納先の添字
    if (idx != 0)
        swap(int, c[0], c[idx]);        // 正解を移動

    return idx;
}

//--- 選択肢を表示 ---//
void print_cand(const int c[], int lang)
{
    for (int i = 0; i < CNO; i++)
        printf("(%d) %s  ", i, lang ? jword[c[i]] : eword[c[i]]);
    printf(" : ");
}
```

```
int main(void)
{
    srand(time(NULL));   // 乱数の種を設定

    int pq = QNO;         // 前回の問題番号（初期値は存在しない問題番号）
    int retry;            // 再挑戦するか？

    do {
        int nq;                      // 問題番号
        int cand[CNO];               // 選択肢の番号

        do {                         // 前回と重複しないように問題番号を決定
            nq = rand() % QNO;
        } while (nq == pq);

        int lang = rand() % 2;          // 問題の言語（0：日本語／1：英語）

        printf("%sはどれですか？\n", lang ? eword[nq] : jword[nq]);

        int na = make_cand(cand, nq);   // 選択肢を生成
        int no;                         // 読み込む解答番号

        do {
            print_cand(cand, lang);     // 選択肢を表示
            scanf("%d", &no);
            if (no != na)
                puts("\a違います。");
        } while (no != na);
        puts("正解です。");

        pq = nq;

        printf("もう一度？ 0-いいえ／1-はい：");
        scanf("%d", &retry);
    } while (retry == 1);

    return 0;
}
```

実行例

```
bookはどれですか？
(0) 本   (1) 平和  (2) 家   (3) 動物  ：0⏎
正解です。
もう一度？ 0-いいえ／1-はい：1⏎
家はどれですか？
(0) house  (1) love  (2) car  (3) desk  ：0⏎
正解です。
もう一度？ 0-いいえ／1-はい：0⏎
```

　単語と解答用の選択肢を提示した上で学習者に選択させ、その結果に応じて正誤の判定結果を表示します。

　提示する選択肢は、次のとおりです。

- 問題が 英 語 の単語 ⇨ 選択肢は日本語の単語を4個。
- 問題が日本語の単語 ⇨ 選択肢は 英 語 の単語を4個。

なお、提示する選択肢の個数 4 は、水色部でマクロ *CNO* として定義されており、この値は自由に変更できます。

▶ 選択肢の個数 *CNO* を、全単語数 *QNO* を超える値にしてはいけません。

問題として提示する単語の決定法は前のプログラムと同じですので、新しく追加された二つの関数を理解していきましょう。

- 関数 *make_cand* … 選択肢を生成する。
- 関数 *print_cand* … 選択肢を表示する。

選択肢の生成

まずは、選択肢を生成する関数 *make_cand* を理解していきます。

```
//--- 選択肢を生成して正解の添字を返す ---//
int make_cand(int c[], int answer)
{
    c[0] = answer;                      // 先頭要素に正解を入れる          ■1

    for (int i = 1; i < CNO; i++) {
        int j, x;
        do {                            // 重複しないように選択肢を生成
            x = rand() % QNO;
            for (j = 0; j < i; j++)
                if (c[j] == x)          // 生成ずみの番号を              ■2
                    break;              // スキップ
        } while (i != j);
        c[i] = x;
    }

    int idx = rand() % CNO;             // 正解の格納先の添字
    if (idx != 0)                                                      ■3
        swap(int, c[0], c[idx]);        // 正解を移動

    return idx;                                                       ■4
}
```

この関数は、次の二つの引数を受け取る仕様です。

▪ *c* … 選択肢の番号を格納する配列

生成した選択肢の単語の番号を格納する配列です。

▪ *answer* … 問題（正解）の番号

正解（出題する単語）の番号です。

▶ たとえば、出題する単語が＜椅子＞であれば、*answer* には6を受け取ります。

関数を構成する四つのステップについて、右ページの **Fig.10-1** を見ながら理解していきます。

■1 正解の格納

図**a**に示すように、配列の先頭要素 *c[0]* に正解の番号 *answer* を代入します。

■2 正解以外の選択肢の生成

この **for** 文で行うのは、正解以外の三つの選択肢の生成です。

図**b**に示すように、変数 *i* の値を1、2、3とインクリメントして、3回の繰返しを行います。
ループ本体内の **do** 文は、まだ選択肢として選ばれていない値が得られるまで、乱数を生成する繰返しです（重複した選択肢が生成されないようにします）。

▶ これは、第4章の《マスターマインド》で、重複しないように問題用の数字を生成する際に利用した、**List 4-1**（p.104）と同じ手法です。

3 正解の移動

このままで終了すると、選択肢の先頭が必ず正解になってしまいます。そこで、本ステップでは正解の移動を行います。

まず、∅ ～ 3 の乱数を生成して、その値を *idx* とします。その後、図 **c** に示すように、c[∅] と c[*idx*] とを交換します。

> ▶ 乱数で生成する *j* の値の範囲を∅～3ではなく1～3にすることはできません。正解が2番目、3番目、4番目にのみ位置して、決して先頭には位置しないことになってしまうからです。
>
> なお、生成した乱数 *idx* が ∅ のときは、if 文によって、正解移動のための c[∅] と c[∅] を交換する処理をスキップします。

交換の結果、図 **d** に示すように、正解は c[*idx*] に位置することになります。

4 正解の番号の返却

正解が格納されている要素 c[*idx*] の添字 *idx* を返却して関数の実行を終了します。

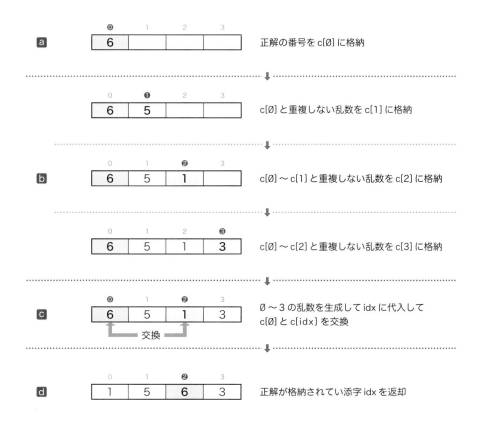

	❶	1	2	3	
a	6				正解の番号を c[∅] に格納

	0	❶	2	3	
	6	5			c[∅] と重複しない乱数を c[1] に格納

	0	1	❷	3	
b	6	5	1		c[∅] ～ c[1] と重複しない乱数を c[2] に格納

	0	1	2	❸	
	6	5	1	3	c[∅] ～ c[2] と重複しない乱数を c[3] に格納

	❶	1	❷	3	
c	6	5	1	3	∅ ～ 3 の乱数を生成して idx に代入して c[∅] と c[idx] を交換

交換

	0	1	❷	3	
d	1	5	6	3	正解が格納されてい添字 idx を返却

Fig.10-1 選択肢の生成（改良版）

選択肢の表示 ──────────────────────────────

関数 *print_cand* は、二つの引数を受け取って、選択肢を表示します。

■ *c* … 選択肢の番号が格納された配列

引数 *c* に受け取るのは、**選択肢の単語**
の番号が格納された配列です。

```
void print_cand(const int c[], int lang)
{
    for (int i = 0; i < CNO; i++)
        printf("(%d) %s  ", i,
                        lang ? jword[c[i]]
                             : eword[c[i]]);
    printf(" : ");
}
```

■ *lang* … 問題の言語（英語／日本語）

引数 *lang* に受け取るのは、**出題する単**
語の言語を表す値です。英語であれば 1、
日本語であれば 0 です。

for 文では、出題する単語とは逆の言語の単語を表示します。

- 問題が 英 語（*lang* は 1）⇨ 選択肢は日本語
- 問題が日本語（*lang* は 0）⇨ 選択肢は 英 語

たとえば、変数 *lang* が英語を表す 1 で、*c[0]*、*c[1]*、*c[2]*、*c[3]* の値が 5、10、3、0 で
あれば、日本語の選択肢が次のように表示されます。

(0) 本 (1) 平和 (2) 家 (3) 動物 ：

学習の流れ ──────────────────────────────

プログラムの主要なパーツを理解しました。出題する単語の決定、選択肢の決定、選択肢
の表示を行った後は、ユーザが打ち込んだ解答が正解かどうかを判定します。

▶ ユーザが望む限り何度も繰り返せるようになっているのは、前のプログラムと同様です。

Column 10-1	インライン関数

関数定義の際に、inline という関数指定子を前置きすると、その関数は**インライン関数**（inline
function）となります。インライン関数とは、高速に動作する可能性がある関数です（実際に高速に
動作するようにコンパイルするかどうかは、処理系にゆだねられます）。

```
//---- インライン関数の定義の一例 ---//
inline int max2(int a, int b)
{
    return a > b ? a : b;
}
```

なお、関数の**結合性**が通常の関数とは異なるなど、利用にあたっては注意を要します。

Column 10-2	多次元配列の受渡し

n 次元の多次元配列を受け取る関数の仮引数は、次のルールに基づいて宣言します。

- n 次元の要素数は省略可能（宣言しても無視されるため、別の引数として受け取る）。
- (n - 1) 次元以下の要素数は、定数として宣言する。

そのため、1次元配列～3次元配列を受け取る引数の典型的な宣言例は、次のようになります。

```
void func1(int v[],        int n);   // 要素型はintで、        要素数は別の引数n
void func2(int v[][3],     int n);   // 要素型はint[3]で、     要素数は別の引数n
void func3(int v[][2][3], int n);   // 要素型はint[2][3]で、要素数は別の引数n
```

このように、任意に指定できるのは、最も高い次元の要素数のみです。そのことを利用して作成したプログラムを List 10C-1 に示します。

List 10C-1		chap10/array.c

```
// n行3列の2次元配列の全構成要素に同一値を代入

#include <stdio.h>

//---int[3]型を要素型とする要素数nの配列mの全構成要素にvを代入 ---//
void fill(int m[][3], int n, int v)
{
    for (int i = 0; i < n; i++)
        for (int j = 0; j < 3; j++)
            m[i][j] = v;
}

//---int[3]型を要素型とする要素数nの配列mの全構成要素の値を表示 ---//
void mat_print(const int m[][3], int n)
{
    for (int i = 0; i < n; i++) {
        for (int j = 0; j < 3; j++)
            printf("%4d", m[i][j]);
        putchar('\n');
    }
}

int main(void)
{
    int no;
    int x[2][3] = {0};       // 2行3列：要素型はint[3]型で要素数は2
    int y[4][3] = {0};       // 4行3列：要素型はint[3]型で要素数は4

    printf("全構成要素に代入する値：");
    scanf("%d", &no);

    fill(x, 2, no);          // xの全構成要素にnoを代入
    fill(y, 4, no);          // yの全構成要素にnoを代入

    printf("--- x ---\n");   mat_print(x, 2);
    printf("--- y ---\n");   mat_print(y, 4);

    return 0;
}
```

```
              実行例
全構成要素に代入する値：18⏎
--- x ---
  18  18  18
  18  18  18
--- y ---
  18  18  18
  18  18  18
  18  18  18
  18  18  18
```

関数 fill と関数 mat_print が受け取る引数 m の2次元の要素数（行数）は省略されており、1次元の要素数（列数）が3となっています。そのため、これらの関数に対しては、**行数は任意**で、**列数が3の配列**を渡せます（本プログラムでは、2行3列の配列と、4行3列の配列を渡しています）。

10-2　文字列の配列の動的な確保

出題する単語がたったの12個では、すぐに暗記できます。もっと多くの単語を取り扱えるよう
にしましょう。

単一の文字列の動的な確保

単語数がある程度以上になるのであれば、プログラムと独立した**ファイル**に単語を格納する
ことを検討すべきです（なによりも、単語の追加や削除などの作業が容易になるからです）。

ただし、プログラム側では単語数が不明となるため、**プログラム実行時に任意の要素数の
配列を動的に確保する必要があります。**

＊

順を追って学習を進めていきましょう。まずは、1個の単語用の領域を確保するプログラム
を作ります。それが、**List 10-3** に示すプログラムです。

List 10-3　　　　　　　　　　　　　　　　　　　　　chap10/alloc_str.c

```
// 文字列を動的に確保

#include <stdio.h>
#include <stdlib.h>
#include <string.h>

int main(void)
{
    char str[16];

    printf("文字列strを入力せよ：");                     ─1
    scanf("%s", str);

    char *ptr = malloc(strlen(str) + 1);    // 記憶域を動的に確保   ─2

    if (ptr) {
        strcpy(ptr, str);                   // 文字列をコピー   ─3
        printf("文字列strの複製ptrを作りました。\n");
        printf("str = %s\n", str);
        printf("ptr = %s\n", ptr);
        free(ptr);                          // 記憶域を解放   ─4
    }

    return 0;
}
```

実行例
```
文字列strを入力せよ：ABCDEFGHIJ⏎
文字列strの複製ptrを作りました。
str = ABCDEFGHIJ
ptr = ABCDEFGHIJ
```

まずは、実行しましょう。キーボードから文字列を打ち込むと、その文字列の複製が作られ
て表示されます。

本プログラムでは、二つの変数が定義されています。キーボードから読み込んだ文字列を
格納するのが配列 **str** で、複製用の文字列（の先頭文字）を指すポインタが **ptr** です。

それでは、プログラムの流れを理解していきます。

1 キーボードから文字列を読み込んで、配列 *str* に格納します。

2 読み込んだ文字列の複製を格納するための記憶域を確保します。そのために呼び出しているのが、**引数に与えられた大きさの記憶域を確保して、その領域の先頭文字へのポインタを返却する *malloc* 関数**です（p.148）。

確保する領域のバイト数は、読み込んだ文字列の長さに **1** を加えた値です。

▶ *strlen* 関数の返却値は、文字列末尾のナル文字を含まない文字数です（p.53）。確保する記憶域のバイト数を計算する際は、求めた長さに **1** を加えるのを忘れないようにします。

なお、返却されたポインタで *ptr* が初期化されるため、**Fig.10-2 a** に示すように、*ptr* は、確保された領域の先頭文字を指すことになります。

▶ *calloc* 関数で確保した領域の全ビットは **0** で埋められますが、*malloc* 関数によって確保された領域のビットは不定値となります（p.148）。

3 キーボードから読み込んだ文字列 *str* を、確保した領域 *ptr* にコピーします（図 **b**）。これで複製が完了します。

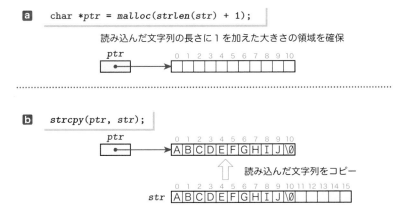

Fig.10-2 文字列の複製の作成

4 キーボードから読み込んだ文字列と、複製した文字列の表示が終わると、確保していた記憶域を解放します。

▶ *free* 関数には、確保した記憶域へのポインタをそのまま渡します（p.149）。

多くの環境では、*malloc* 関数や *calloc* 関数による記憶域の確保を行うと、その管理のための領域が余分に消費されます。そのため、**1** バイトの領域を **100** 回に分けて確保するよりも、**100** バイトの領域を一度に確保したほうが記憶域の消費が抑えられます。

また、たとえ *malloc* 関数や *calloc* 関数を連続して呼び出しても、それによって確保されるのが連続した記憶域となる保証がないことにも注意が必要です。

文字列の配列の動的な確保（２次元配列）

英単語学習ソフトで扱うのは複数の文字列ですから、動的に確保するのは、単一の文字列ではなく、"文字列の配列" でなければなりません。

さて、文字列の配列には、次の２種類があるのでした（p.84）。

- ２次元配列
- ポインタの配列（個々の文字列の先頭文字を指すポインタの配列）

まずは、**２次元配列**の確保を行いましょう。**List 10-4** に示すのが、そのプログラムです。

List 10-4　　　　　　　　　　　　　　　　　　　　chap10/alloc_2dary.c

```c
// 文字列の配列を動的に確保（２次元配列）

#include <stdio.h>
#include <stdlib.h>

int main(void)
{
    int num;                // 文字列の個数

    printf("文字列は何個：");
    scanf("%d", &num);

    char (*p)[15] = (char (*)[15])malloc(num * 15);

    if (p == NULL)
        puts("記憶域の確保に失敗しました。");
    else {
        for (int i = 0; i < num; i++) {         // 文字列を読み込む
            printf("p[%d] : ", i);
            scanf("%s", p[i]);
        }

        for (int i = 0; i < num; i++)           // 文字列を表示
            printf("p[%d] = %s\n", i, p[i]);

        free(p);                                // 記憶域を解放
    }

    return 0;
}
```

```
          実行例
文字列は何個：3␍
p[0] : animal␍
p[1] : car␍
p[2] : flower␍
p[0] : animal
p[1] : car
p[2] : flower
```

２次元配列は、『"配列" を要素とする《配列》』ですから、要素である "配列" の要素数、すなわち２次元配列の列数は、定数でなければなりません。

▶　２次元配列の列数は、ナル文字を含めた文字列の最大文字数です。

本プログラムでの列数は **15** であり、確保する《配列》の要素型は、次のとおりです。

char 型を要素型とする要素数 15 の配列

▶　配列に格納する文字列は、ナル文字を除いて 14 文字以内に収まらなければなりません。

実行例のように、《配列》の要素数（文字列の個数＝２次元配列の行数）である num が 3 であるとします。その場合、確保するのは、次の型の配列です。

『char 型を要素型とする要素数 15 の配列』を要素型とする要素数 3 の配列

この《配列》は、**Fig.10-3** に示すように、3個の要素 p[0]、p[1]、p[2] で構成され、それら個々の要素も "配列" です。

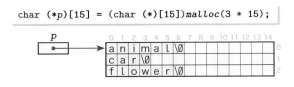

```
char (*p)[15] = (char (*)[15])malloc(3 * 15);
```

Fig.10-3 文字列の配列を格納する2次元配列の確保（要素数 3）

ここで、要素 p[0] に着目しましょう。"配列" である p[0] 内の各要素は char 型であって、先頭から順に p[0][0]、p[0][1]、p[0][2]、…、p[0][14] の添字式でアクセスできます。

▶ 格納されている文字列 "animal" はナル文字を含めて7文字です。各文字が p[0][0] ～ p[0][6] に格納されていますので、p[0][7] ～ p[0][14] は未使用の状態です。

＊

さて、配列用の記憶域の確保にあたっては、要素数は自由に指定できるのでした。

そのため、（要素自体の型を決定づける列数は変更できないものの）、行数は自由に変更できます。たとえば、文字列の個数 num が 5 であれば、**Fig.10-4** に示すように、確保するのは次の型の配列です。

『char 型を要素型とする要素数 15 の配列』を要素型とする要素数 5 の配列

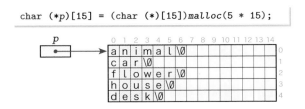

```
char (*p)[15] = (char (*)[15])malloc(5 * 15);
```

Fig.10-4 文字列の配列を格納する2次元配列の確保（要素数 5）

ここまでの検討から、次のことが分かります。

- 2次元配列の行数（文字列の個数）は任意である（実行時に自由に決められる）。
- 2次元配列の列数（ナル文字を含めた文字列の長さ）は定数であって変更できない。
- 最も長い文字列の文字数は、あらかじめ分かっていなければならない。
- 各行のナル文字以降の領域は利用されない（無駄な領域が発生する）。

文字列の配列の動的な確保（ポインタの配列）

次は、**ポインタの配列の確保**を行います。**List 10-5** に示すのが、そのプログラムです。

▶ 異なる文字数の文字列の配列は、2次元配列ではなく、"**ポインタの配列**" によって表すと都合が
よいことは、第3章で学習しました（p.84）。

　　　　　　　　　　　　　　　　　　　　　　　chap10/alloc_ptrrary.c

```c
// 文字列の配列を動的に確保（ポインタの配列）

#include <stdio.h>
#include <stdlib.h>
#include <string.h>

int main(void)
{
    int num;                        // 文字列の個数
    printf("文字列は何個 : ");
    scanf("%d", &num);

    char **p = (char **)calloc(num, sizeof(char *));    ← 1

    if (p == NULL)
        puts("記憶域の確保に失敗しました。");
    else {
        for (int i = 0; i < num; i++)
            p[i] = NULL;                                ← 2

        for (int i = 0; i < num; i++) {
            char temp[128];

            printf("p[%d] : ", i);
            scanf("%s", temp);

            p[i] = (char *)malloc(strlen(temp) + 1);    ← 3

            if (p[i] != NULL)
                strcpy(p[i], temp);                     ← 4
            else {
                puts("記憶域の確保に失敗しました。");
                goto Free;
            }
        }
        for (int i = 0; i < num; i++)
            printf("p[%d] = %s\n", i, p[i]);
Free:
        for (int i = 0; i < num; i++)      — 6
            free(p[i]);                                 ← 5
        free(p);                           — 7
    }
    return 0;
}
```

実行例
```
文字列は何個 : 3 ↵
p[0] : animal ↵
p[1] : car ↵
p[2] : flower ↵
p[0] : animal
p[1] : car
p[2] : flower
```

2次元配列版のプログラムと比較すると、柔軟に運用できるメリットがあります。文字列の
長さがナル文字を含めて15文字に制限されることはありません。

ただし、プログラムの構造は複雑です。ここでは、実行例と同じく、3個の文字列を生成す
る例で、プログラムの動作を追いながら理解していきましょう。

まずは、配列用の記憶域を確保する**１**に着目します。**Fig.10-5 a** に示すように、確保している配列の型は、次のとおりです。

『char へのポインタ型』を要素型とする要素数 *num* すなわち3の配列

確保に成功すると、ポインタ *p* は、その配列の先頭要素を指すことになります。

ポインタ *p* の型は、`char *` ではなく、`char **` です。というのも、ポインタ *p* の指す先が、『文字列の先頭文字（char 型の文字）』ではなくて、『**文字列の先頭文字（char 型の文字）を指すポインタ**』だからです。

a　`char **p = (char **)calloc(num, sizeof(char *));`

char * 型ポインタを num 個格納するための配列領域を確保して、そのポインタを p に代入する

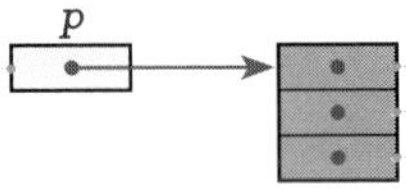

p

b　`for (int i = 0; i < num; i++)`
　　　　`    p[i] = NULL;`

全要素に空ポインタを代入する

Fig.10-5 文字列の配列の動的生成（その1：ポインタの配列）

本プログラムの記憶域の確保は、`malloc` 関数ではなく *calloc* 関数で行っています。

▶ *calloc* 関数は、`malloc` 関数とは、次の点で異なります（p.148）。

▪ 引数は二つであり、第1引数 *nmemb* に要素数を、第2引数 *size* に要素の大きさを受け取る（確保する領域の大きさは *nmemb* × *size* バイトとなる）。

▪ 確保した領域のすべてのビットを 0 で埋めつくす。
確保された記憶域は、整数型であれば値が 0 となります（整数型では、すべてのビットが 0 であれば、値も 0 となるからです）。
ただし、浮動小数点数やポインタでは、値が 0.0 や空ポインタになる保証はありません（すべてのビットが 0 である領域を、浮動小数点数であれば 0.0、ポインタであれば空ポインタとして解釈するかどうかが、処理系や環境に依存するからです）。

２ の for 文では、確保した配列のすべての要素に空ポインタを代入します（図**b**）。

▶ ここで全要素に空ポインタ NULL を代入している理由は、後で学習します（p.336）。

さて、**１** で確保したポインタの配列は、**文字列を指すポインタ**を格納するための領域です。当然、**文字列そのものを格納する領域**は、別途確保する必要があります。

それでは、個々の文字列を確保するコードを理解していきます。

読み込んだ文字列 *temp* のコピーの格納先領域 *p[i]* を確保するのが **3** で、その領域に対して読み込んだ文字列をコピーするのが **4** です。

Fig.10-6 に示している具体例（3個の文字列 `"animal"`、`"car"`、`"flower"` を読み込んだ際の処理の様子）を見ながら理解していきましょう。

```
for (int i = 0; i < num; i++) {
    char temp[128];

    printf("pt[%d] : ", i);
    scanf("%s", temp);                              3
    p[i] = (char *)malloc(strlen(temp) + 1);
    if (p[i] != NULL)
        strcpy(p[i], temp);                         4
    else {
        puts("記憶域の確保に失敗しました。");
        goto Free;
    }
    //… 中略 …//
}
```

10

英単語学習ソフト

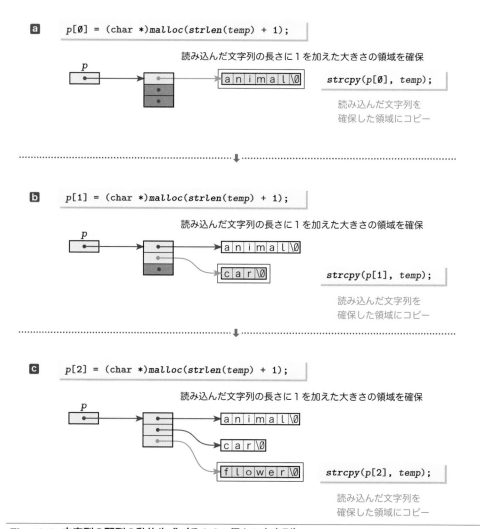

Fig.10-6 文字列の配列の動的生成（その2：個々の文字列）

a 変数 i の値が 0 のとき

　長さ 6 の文字列 **"animal"** をキーボードから読み込んでいます。

　3 では 7 文字分の領域が確保され、その領域の先頭文字へのポインタが、*p* が指す配列の先頭要素 *p*[0] に代入されます。

　その後の 4 では、確保した領域に **"animal"** がコピーされます。

　これで、*p*[0] が **"animal"** の先頭文字 **'a'** を指すことになります。

> ▶ 記憶域を確保する際は、文字列の長さに 1 を加えた大きさとして、ナル文字を格納する領域を正しく確保しなければなりません。これは、**List 10-3**（p.328）と同じ要領です。

b 変数 i の値が 1 のとき

　長さ 3 の文字列 **"car"** をキーボードから読み込んでいます。

　3 では 4 文字分の領域が確保され、その領域の先頭文字へのポインタが、*p* が指す配列の 2 番目の要素 *p*[1] に代入されます。

　その後の 4 では、確保した領域に **"car"** がコピーされます。

　これで、*p*[1] が **"car"** の先頭文字 **'c'** を指すことになります。

c 変数 i の値が 2 のとき

　長さ 6 の文字列 **"flower"** をキーボードから読み込んでいます。

　3 では 7 文字分の領域が確保され、その領域の先頭文字へのポインタが、*p* が指す配列の 3 番目の要素 *p*[2] に代入されます。

　その後の 4 では、確保した領域に **"flower"** がコピーされます。

　これで、*p*[2] が **"flower"** の先頭文字 **'f'** を指すことになります。

　ここに示す図は、コマンドライン引数を受け取る main 関数の第 2 引数 argv を学習した **Fig.6-16**（p.196）と似ています。

　char ** 型の *p* が指す配列の先頭要素は *p*[0] です。char * 型のポインタである *p*[0] が指す配列内の各要素は、添字演算子を適用した添字式 *p*[0][0]、*p*[0][1]、… でアクセスできます。

> ▶ 本プログラムで確保したのは、"**2次元配列**" ではなく、"**ポインタの配列**" です。確保した領域の連続性が保証されない（p.329）ため、**"animal"** の末尾のナル文字である *p*[0][6] の直後に **"car"** の先頭文字である *p*[1][0] が位置する保証はありません。
>
> 　また、calloc 関数や malloc 関数を何回も呼び出すため、そのたびに、確保する領域とは別に、その管理のための記憶域も消費されます。

確保した文字列の利用終了後は、その記憶域を解放します。それを行う**5**は、二つのステップで構成されています。**Fig.10-7** を見ながら理解していきましょう。

6 文字列領域の解放

for 文で *free(p[i])* を繰り返すことによって、各文字列用の記憶域を解放します。

この for 文の実行前の状態が図**a**であり、変数 *i* の値をインクリメントしながら記憶域の解放を行う様子が、図**b**、**c**、**d**です。

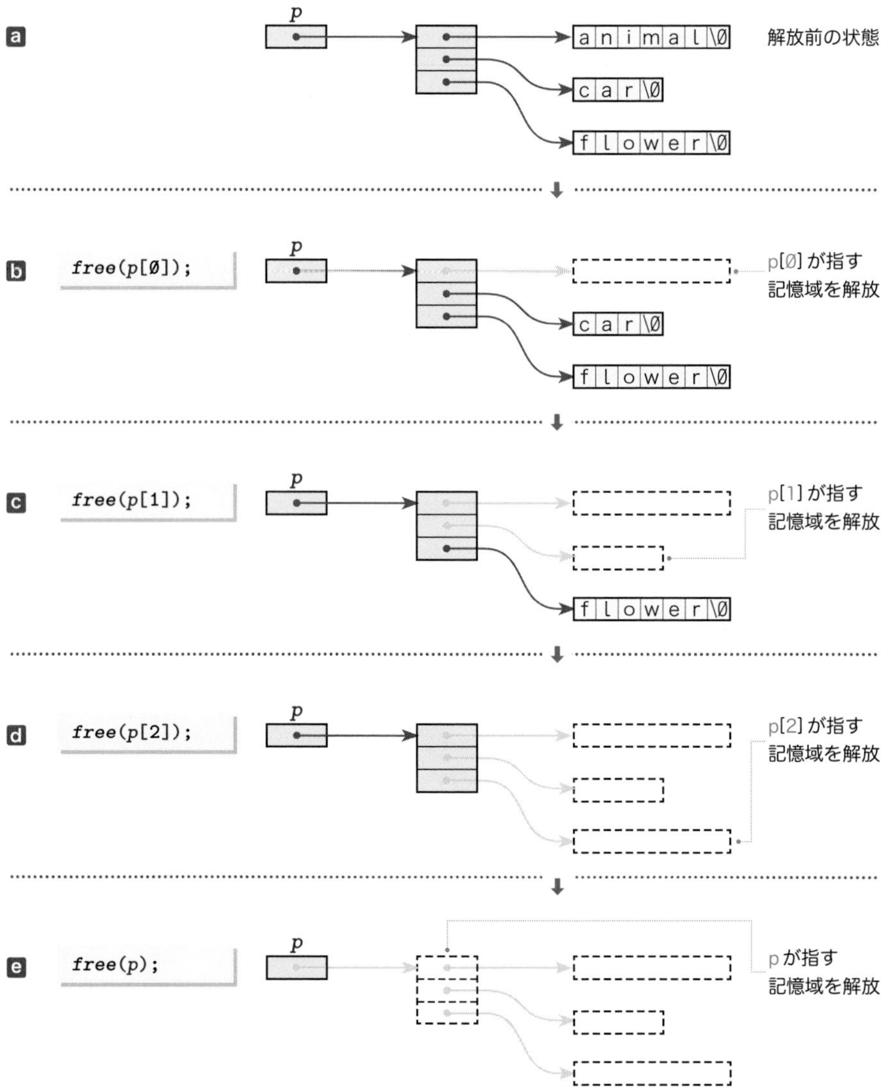

```
                                              5
Free:
    for (int i = 0; i < num; i++)
        free(p[i]);                           6
    free(p);                                  7
}
```

Fig.10-7 動的に確保された文字列の配列（ポインタの配列）の解放

7 文字列を指すポインタの解放

文字列を指していたポインタの配列を *free(p)* によって解放すると、図**e**の状態となります。これで後片付けは終了です。

□ 確保直後に全要素に NULL を代入していた理由

解説を後回しにしていた、**2**の箇所に戻りましょう。ここでは、*p*[*i*] の全要素に空ポインタ NULL を代入しているのでした。

この代入を行わなかったらどうなるかを検証していくことにします。

```
for (int i = 0; i < num; i++)
    p[i] = NULL;
```

もし *i* の値が 1 のときに、文字列を確保する

```
p[i] = (char *)malloc(strlen(temp) + 1);
```

が失敗したとします。このとき *p*[1] には、*malloc* 関数の返却値 NULL が代入されて、記憶域の確保作業が中断されます（そのため *p*[2] 以降の確保は行われません）。

この状態での**5**の記憶域の解放が、どのように行われるのかを考えていきましょう。**6**の for 文による繰返しの 1 回目での

```
free(p[0]);       // p[0]は確保した領域へのポインタ
```

は、確保していた領域を解放します。それでは、続く 2 回目の解放はどうでしょうか。

```
free(p[1]);       // p[1]はNULL
```

p[1] の値が NULL であるため、*free* 関数は実質的に何も行いません。ここまでは、問題はありません。ところが、次の 3 回目の解放で問題が発生します。

```
free(p[2]);       // p[2]は不定値
```

ポインタ *p*[2] の値は不定値です（NULL が代入されていないからです）。そのため、呼び出された *free* 関数は、**予期しない結果を引き起こす**可能性があります。

▶ *free* 関数は、受け取ったポインタの値に応じて、次のように動作します（p.149）。
- 空ポインタであれば、何も行わない。
- *calloc* 関数、*malloc* 関数、*realloc* 関数で確保された領域へのポインタであれば、その領域を解放する。
- そうでなければ、動作は定義されない。

空ポインタを受け取った *free* 関数は**何もしない**ことが保証されます。ここで考えた問題発生の回避のために、記憶域の確保直後に全要素に NULL を代入しているのです。

▶ これ以外の対処としては、何番目の配列までの確保が成功したのかといった情報を int 型の変数に格納するなどしておき、それを参照しながら解放を行うなどの方法があります。

単語ファイルの読込み

本節の目的は、単語の追加や削除などの作業を容易にするために、プログラムとは独立して単語用のファイルを準備することでした。

単語のデータをファイルから読み込むように書きかえたプログラムが、**List 10-6** です。

```c
// 英単語学習ソフト（その２：単語をファイルから読み込む）

#include <time.h>
#include <stdio.h>
#include <stdlib.h>
#include <string.h>

#define CNO     4         // 選択肢の数

#define swap(type, x, y)    do { type t = x; x = y; y = t; } while (0)

int qno;                   // 単語の数
char **jword;              // 日本語単語へのポインタの配列
char **eword;             // 英  語単語へのポインタの配列
//--- 選択肢を生成して正解の添字を返す ---//
int make_cand(int c[], int answer) { /* List 10-2 (p.322) と同じ */ }

//--- 選択肢を表示 ---//
void print_cand(const int c[], int lang) { /* List 10-2 (p.322) と同じ */ }
//--- 単語を読み込む ---//
int read_tango(void)
{
    FILE *fp;

    if ((fp = fopen("TANGO", "r")) == NULL) return 1;

    fscanf(fp, "%d", &qno);           // 単語数を読み込む

    if ((jword = calloc(qno, sizeof(char *))) == NULL) return 1;
    if ((eword = calloc(qno, sizeof(char *))) == NULL) return 1;
    for (int i = 0; i < qno; i++) {
        char etemp[1024];
        char jtemp[1024];

        fscanf(fp, "%s%s", etemp, jtemp);
        if ((eword[i] = malloc(strlen(etemp) + 1)) == NULL) return 1;
        if ((jword[i] = malloc(strlen(jtemp) + 1)) == NULL) return 1;
        strcpy(eword[i], etemp);
        strcpy(jword[i], jtemp);
    }
    fclose(fp);

    return 0;
}

int main(void)
{
    if (read_tango() == 1) {
        printf("\a単語ファイルの読込みに失敗しました。\n");
        return 1;
    }
    srand(time(NULL));   // 乱数の種を設定
```

```c
    int pq = qno;          // 前回の問題番号（初期値は存在しない問題番号）
    int retry;             // 再挑戦するか？

    do {
        int nq;                    // 問題番号
        int cand[CNO];             // 選択肢の番号

        do {                       // 前回と重複しないように問題番号を決定
            nq = rand() % qno;
        } while (nq == pq);

        int lang = rand() % 2;             // 問題の言語（0：日本語／1：英語）

        printf("%sはどれですか？\n", lang ? eword[nq] : jword[nq]);

        int na = make_cand(cand, nq);   // 選択肢を生成
        int no;                         // 読み込む解答番号

        do {
            print_cand(cand, lang);     // 選択肢を表示
            scanf("%d", &no);
            if (no != na)
                puts("\a違います。");
        } while (no != na);
        puts("正解です。");

        pq = nq;
        printf("もう一度？ 0-いいえ／1-はい：");
        scanf("%d", &retry);
    } while (retry == 1);

    for (int i = 0; i < qno; i++) {
        free(eword[i]);
        free(jword[i]);
    }
    free(jword);
    free(eword);

    return 0;
}
```

日本語の単語を格納する *jword* と、英語の単語を格納する *eword* は、いずれも動的に確保した文字列へのポインタの配列を指します。

単語データは、**"TANGO"**

Fig.10-8 単語ファイル"TANGO"の一例

```
30
animal  動物      book    本       danger      危険
dog     犬        chair   椅子     apple       リンゴ
cat     猫        father  父       fish        魚
car     車        mother  母       signal      信号
flower  花        love    愛       length      長さ
nose    鼻        peace   平和     cooperation 協調
mouth   口        song    歌       emphasis    強調
mouse   ねずみ    pencil  鉛筆     magazine    雑誌
house   家        teacher 先生     headache    頭痛
desk    机        student 学生     ambulance   救急車
                  war     戦争
```

という名前のテキストファイルとして用意します。

Fig.10-8 が、その一例です。最初の行には、単語数を整数値として書き込んでおきます。2行目以降は、英単語と、それに対応する日本語の単語を空白文字やタブなどで区切った形式です。

関数 *read_tango* は、テキストファイル **"TANGO"** をオープンして、記憶域を確保しながら単語を読み込んでいきます。ファイルのオープンもしくは記憶域の確保に失敗した場合は1を返し、正常に読み込めた場合は0を返す仕様となっています。

Column 10-3	配列の要素を指すポインタの型

　配列の要素を指すポインタについて、念のためにまとめましょう。

▪ 1次元配列の要素を指すポインタ

　要素型が Type の配列は、全要素が Type 型です（int 型の配列の全要素は int 型です）。そのため、配列中の要素を指すポインタの型は Type * 型となります。

　※　この『Type * 型』は、要素型が Type の配列を、やりとりする引数の型や、calloc 関数で生成する記憶域の先頭要素を指すポインタの型として使われます。

　要素型 Type 自体がポインタであれば、配列中の要素を指すポインタの型は、ポインタへのポインタ型となります。以下に、一例を示します。

　　要素型である Type が char * 型　⇨　配列中の要素を指すポインタの型は char ** 型。
　　要素型である Type が char ** 型　⇨　配列中の要素を指すポインタの型は char *** 型。

▪ 2次元配列の要素を指すポインタ

　構成要素型が Type の列数 n の2次元配列は、全要素が Type[n] 型です（n は定数です）。そのため、配列中の要素を指すポインタの型は Type (*)[n] 型となります。

　たとえば、

```
int a[4][3], int b[6][3], int c[8][3];
```

と宣言された2次元配列 a と b と c は、いずれも要素型は int[3] 型であり、その int[3] 型の1次元配列を4個、6個、8個集めて作った配列です。

　2次元配列の要素は int[3] 型の1次元配列ですから、その要素を指すポインタの型は int (*)[3] 型となります。これは、**要素数3の int 型1次元配列を指すポインタ**です。

　なお、* の前後に ( ) を付けて Type (*)[n] 型と表記するのは、Type *[n] 型と区別するためです。

　※　Type *[n] 型は、Type * 型のポインタが n 個集まった配列です。たとえば、int *[3] 型は、**int へのポインタが3個集まった配列**です。

✎　まとめ

✻ 文字列の配列の動的確保

　文字列の配列の動的確保は、2次元配列として行うこともできるし、文字列へのポインタの配列として行うこともできる。

　前者は、2次元配列の列数（最長の文字列を格納できる要素数）は固定であって、行数（文字列の個数）が可変である。

　後者は、文字列によって文字数が異なる配列の取扱いに適している（ただし、確保や解放のためのコードが複雑になる）。

✻ 大量データの取扱い

　ある程度の規模のデータは、ソースプログラム内に直接書き込むのではなく、独立したファイルとして用意しておき、それを読み込むようにするとよい。

✍ 自由課題

演習 10-1

月名の英単語を学習するプログラムを作成せよ。学習は次のように進めること。

```
月名の英語を入力してください。入力は大文字でも小文字でも構いません。
3月：march␣
正解です。
11月：November␣
正解です。
12月：desembar␣
違います。正解を見ますか？ 0-いいえ／1-はい：0␣
12月：desember␣
違います。正解を見ますか？ 0-いいえ／1-はい：1␣
12月はDecemberです。
… 中略 …
12個のうち9個が正解でした。
正解した月：1月，2月，3月，4月，5月，6月，7月，9月，11月
間違えた月：8月，10月，12月
```

- 出題は全12回であり、1月～12月のすべての月をランダムな順序で出力する。
- 不正解であった場合は、「正解を見ますか？」と学習者に確認の上で正解を表示する。
- ある月に対して連続して5回不正解となった場合は、確認することなく正解を表示する。
- 最後に学習結果を表示する。正解した月、間違えた月を昇順（小さい順）に表示する。

演習 10-2

前問は月名の学習ソフトであった。曜日名の学習ソフトを作成せよ。出題を「2月：」ではなくて「火曜日：」という形で行うことと、単語数が12個から7個になること以外は、前問と同等な仕様とすること。

演習 10-3

List 10-6（p.338）は、単語用の文字列の確保が途中までしか成功しなかった場合、それを解放することなくプログラムを終了している。確保した分の記憶域をすべて解放してからプログラムを終了するように改良したプログラムを作成せよ。

演習 10-4

単語ファイルを起動時に指定できるようにした《英単語学習ソフト》を作成せよ。たとえば、プログラムの実行ファイル名が `wordcai` であって、単語ファイルが `TANGO1` であれば、

>`wordcai TANGO1`␣

と起動できるようにすること。

演習 10-5

練習する単語をファイルから読み込む《キーボードタイピング練習》を作成せよ。前問と同様に、単語ファイルを起動時に指定できるようにすること。

おわりに

　全10章にわたって、楽しいプログラムを作りながら、プログラミング・文法事項・標準ライブラリ関数などを学習しました。いかがでしたか。

　本書で取りあげた、『配列要素のシャッフル』、『重複しない乱数の生成』、『配列要素の循環的利用』、『記憶域の確保と解放』、『ファイルを用いたプログラムの実行情報の記録』などのアルゴリズムは、技術計算・事務処理・ゲームなど、分野を問わず、各種の実用的なプログラミングで必要とされるものです。

> ▶　これらのアルゴリズムの多くは、《線形探索》《クイックソート》といった固有名詞としての名称がありません。強いていえば、《名も無きアルゴリズム》といったところです。このようなアルゴリズムは、プログラミング言語の入門用テキストで扱うには少々応用的である一方で、アルゴリズムのテキストで扱うには単純で容易すぎるものです。そのため、プログラミング技術を身につける上で極めて重要であるにもかかわらず、ほとんどのテキストで取り上げられていないのが実情です。このような問題（プロ級のプログラマならば、身につけているアルゴリズム・プログラミング）に数多く触れることができるのが、本書の特徴の一つでもあります。

　いずれも、"定番"ともいえるものばかりです。もし分からないところがあれば、何度も繰り返し読み直して、ぜひ身につけましょう。

> ▶　本書では、各プログラムの全コードの詳細を解説しているわけではありません（そのように解説すると、1,000ページ近くになってしまいます）ので、みなさん自身の努力によって、すべてのプログラムを隅々まで理解して欲しいと考えています。

　これまでに、数え切れないくらいの人数の、学生やプロのプログラマを対象として、プログラミング言語やプログラミングを指導してきました。学習の目的や理解度などは受講者によって異なりますので、受講者が100人いれば、100種類のテキストが必要ではないか、と感じています。幅広い読者層を想定して、簡単になりすぎないように、かつ、難しくなりすぎないように配慮しながら本書をまとめました。それでも、本書を難しく感じる方もいれば、易しく感じる方もいるでしょう。

　本書を難しく感じられたのであれば、新・明解C言語シリーズの『入門編』をお読みいただくとよいでしょう。また、易しく感じられたのであれば、『実践編』や『新・明解C言語によるアルゴリズムとデータ構造』『詳解C言語 ポインタ完全攻略』などに、進んでいただくと幸いです。

参考文献

1) Brian W. Kernighan and Dennis M. Ritchie
   "The C Programming Language Second Edition", Prentice Hall, 1988

2) American National Standards Institute
   "ANSI/ISO 9899–1990 American National Standard for Programming Languages – C", 1992

3) International Standard
   "ISO/IEC 9899 Information technology – Programming Languages – C Third Edigion", 2011

4) International Standard
   "ISO/IEC 9899 Information technology – Programming Languages – C Fourth Edition", 2018

5) 日本工業規格
   "JIS X3010–1993　プログラム言語C", 1993

6) 日本工業規格
   "JIS X3010–2003　プログラム言語C", 2003

7) 日本工業規格
   "JIS X3014–2003　プログラミング言語C++", 2003

8) 平林 雅英
   "ANSI C/C++ 辞典", 共立出版社, 1996

9) Bjarne Stroustrup・柴田望洋 訳
   『プログラミング言語C++ 第4版』, ＳＢクリエイティブ, 2015

索引

索引

索引

標準ライブラリ索引（ヘッダ別）

索引

■ 標準ライブラリ索引（種別）

謝辞

　本書をまとめるにあたり、ＳＢクリエイティブ株式会社の杉山聡氏には、随分とお世話になりました。
　この場をお借りして感謝の意を表します。

著者紹介

柴田 望洋
<small>しば た</small> <small>ぼうよう</small>

工学博士

福岡工業大学 情報工学部 情報工学科 准教授

福岡陳氏太極拳研究会 会長

■1963年、福岡県に生まれる。九州大学工学部卒業、同大学院工学研究科修士課程・博士後期課程修了後、九州大学助手、国立特殊教育総合研究所研究員を歴任して、1994 年より現職。2000 年には、分かりやすいC言語教科書・参考書の執筆の業績が認められ、㈳日本工学教育協会より著作賞を授与される。大学での教育研究活動だけでなく、プログラミングや武術（1990 年～1992 年に全日本武術選手権大会陳式太極拳の部優勝）、健康法の研究や指導に明け暮れる毎日を過ごす。

■**主な著書**（*は共著／*は翻訳書）

『秘伝C言語問答ポインタ編』，ソフトバンク，1991（第2版：2001）

『C：98 スーパーライブラリ』，ソフトバンク，1991（新版：1994）

『Cプログラマのための C++ 入門』，ソフトバンク，1992（新装版：1999）

『超過去問 基本情報技術者 午前試験』，ソフトバンクパブリッシング，2004

『新版 明解 C++ 入門編』，ソフトバンククリエイティブ，2009

『解きながら学ぶ C++ 入門編*』，ソフトバンククリエイティブ，2010

『プログラミング言語 C++ 第4版*』，ビャーネ・ストラウストラップ（著），SBクリエイティブ，2015

『新・明解C言語中級編』，SBクリエイティブ，2015

『C++ のエッセンス*』，ビャーネ・ストラウストラップ（著），SBクリエイティブ，2015

『新・明解C言語実践編』，SBクリエイティブ，2015

『新・明解C言語 ポインタ完全攻略』，SBクリエイティブ，2016

『新・解きながら学ぶ Java*』，SBクリエイティブ，2017

『新・明解 C++ 入門』，SBクリエイティブ，2017

『新・明解 C++ で学ぶオブジェクト指向プログラミング』，SBクリエイティブ，2018

『新・明解 Python 入門』，SBクリエイティブ，2019

『新・明解 Python で学ぶアルゴリズムとデータ構造』，SBクリエイティブ，2020

『新・明解 Java 入門 第2版』，SBクリエイティブ，2020

『新・明解 Java で学ぶアルゴリズムとデータ構造 第2版』，SBクリエイティブ，2020

『新・明解C言語で学ぶアルゴリズムとデータ構造 第2版』，SBクリエイティブ，2021

『新・明解C言語入門編 第2版』，SBクリエイティブ，2021

『新・解きながら学ぶC言語 第2版*』，SBクリエイティブ，2022

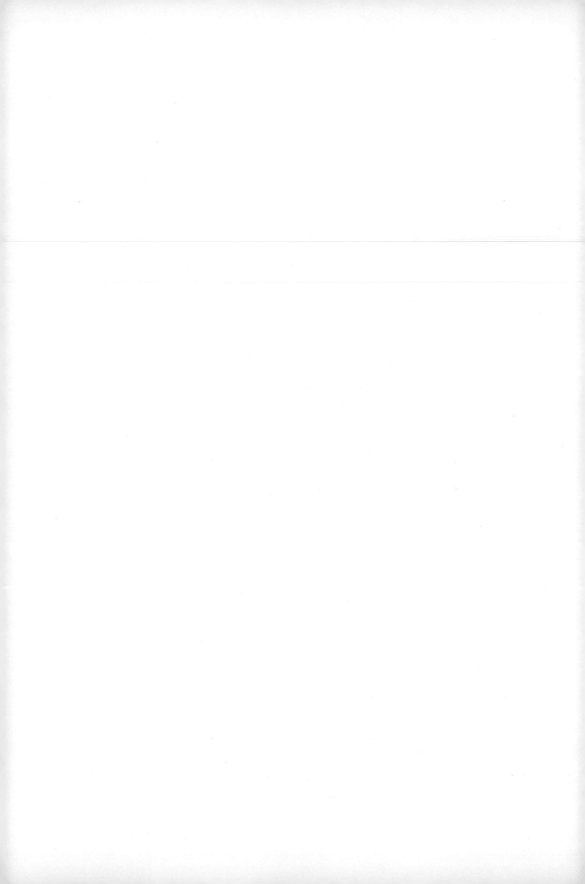

本書をお読みいただいたご意見、ご感想を以下の QR コード、URL よりお寄せ
ください。

https://isbn2.sbcr.jp/16335/

装　丁　…　bookwall
編　集　…　杉山 聡

新・明解C言語 中級編 第2版

2022 年 9 月 28 日　初版発行

著　者　…　柴田 望洋

発行者　…　小川 淳

発行所　…　ＳＢクリエイティブ株式会社

　　　　　　〒 106-0032　東京都港区六本木 2-4-5

　　　　　　https://www.sbcr.jp/

印　刷　…　昭和情報プロセス株式会社

Printed in Japan

ISBN978-4-8156-1633-5

ポインタのすべてをやさしく楽しく学習しよう！
新・明解C言語 ポインタ完全攻略

ポインタを楽しく学習するための　**3色刷**
プログラムリスト 169 編　図表 133 点

B5 変形判、304 ページ

　『初めてポインタが理解できた。』、『他の入門書とまったく異なるスタイルの解説図がとても分かりやすい。』と各方面で絶賛されたばかりか、なんと情報処理技術者試験のカリキュラム作成の際にも参考にされたという、あの『秘伝C言語問答ポインタ編』をベースにして一から書き直した本です。

　ポインタという観点からC言語を広く深く学習できるように工夫されています。ポインタや文字列の基礎から応用までを徹底学習できるようになっています。

　ポインタが理解できずC言語に挫折した初心者から、ポインタを確実にマスターしたい上級者まで、すべてのCプログラマに最適の書です。

　本書を読破して、ポインタの〔達人〕を目指しましょう。

C言語入門書の最高峰 (バイブル) !!
新・明解C言語 入門編 第2版

C言語の基礎を徹底的に学習するための　**6色版**
　プログラムリスト 243 編　図表 245 点

B5 変形判、440 ページ

　数多くのプログラムリストと図表を参照しながら、C言語の基礎を学習するための入門書です。6色によるプログラムリスト・図表・解説は、すべてが見開きに収まるようにレイアウトされていますので、『読みやすい。』と大好評です。全編が語り口調ですから、著者の講義を受けているような感じで、読み進められるでしょう。

　解説に使う用語なども含め、標準C（ISO ／ ANSI ／ JIS 規格）に完全対応していますので、情報処理技術者試験の学習にも向いています。

　独習用としてはもちろん、大学や専門学校の講義テキストとしても最適な一冊です。

問題解決能力を磨いて、次の飛翔(ステップ)へ!!

新・明解C言語 実践編

C言語プログラミングの実践力を身につけるための
プログラムリスト 204 編　図表 174 点

2色刷

B5 変形判、360 ページ

　本書で取り上げるトピックは、学習や開発の現場で実際に生じた、失敗談、問題点、疑問点ばかりです。そのため、プログラミングの落とし穴とその解決法が満載です。ページをめくるたびに、目から鱗(うろこ)が落ちる思いを禁じ得ないでしょう。

　〔見えないエラー〕、〔見えにくいエラー〕、〔テキストファイルとバイナリファイル〕、〔ライブラリ開発の基礎〕、〔配列によって実現する線形リスト〕、〔探索を容易にする索引付き線形リスト〕、〔テキスト画面の制御〕など、他書ではあまり解説されることのない、応用例や豊富なプログラムが、分かりやすい図表とともに示されます。

　初心者からの脱出を目指すプログラマや学習者に最適な一冊です。

たくさんの問題を解いてC言語力(りょく)を身につけよう!!

新・解きながら学ぶC言語 第2版

作って学ぶプログラム作成問題 184 問 !!
スキルアップのための錬成問題 1252 問 !!

B5 変形判、376 ページ

　「C言語のテキストに掲載されているプログラムは理解できるのだけど、どうも自分で作ることができない。」と悩んでいませんか?

　本書は、全部で **1436 問** の問題集です。『新・明解C言語 入門編 第2版』の全演習問題も含んでいます。教育の現場で学習効果が確認された、これらの問題を制覇すれば、必ずやC言語力(りょく)が身につくでしょう。

　少しだけC言語をかじって挫折した初心者の再入門書として、C言語のサンプルプログラム集として、**あなたのC言語鍛錬における、頼れるお供となるでしょう。**

アルゴリズムとデータ構造学習の決定版 !!

新・明解C言語で学ぶアルゴリズムとデータ構造 第2版

アルゴリズム体験学習ソフトウェアで
　アルゴリズムとデータ構造の基本を完全制覇！

2色刷

B5 変形判、432 ページ

　三値の最大値を求める初歩的なアルゴリズムに始まって、探索、ソート、再帰、スタック、キュー、線形リスト、2分木などを、学習するためのテキストです。

　アルゴリズムの動きが手に取るように分かる《アルゴリズム体験学習ソフトウェア※》が、学習を強力にサポートします。数多くの演習問題を解き進めることで、学習内容が身につくように配慮しています。

　C言語プログラミング技術の向上だけでなく、**情報処理技術者試験対策**のための一冊としても最適です。

　※購入者特典として、出版社サポートサイトからダウンロードできます。

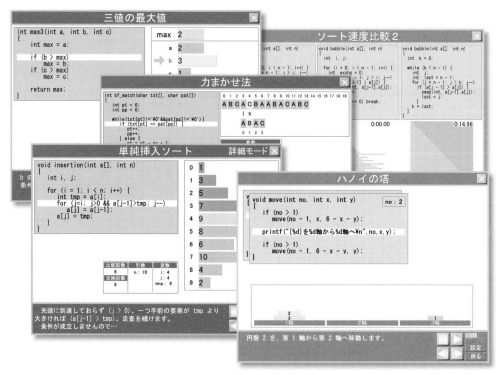

《アルゴリズム体験学習ソフトウェア》の実行画面例

Python 入門書の最高峰バイブル!!

新・明解 Python 入門

Python の基礎を徹底的に学習するための
プログラムリスト 299 編　図表 165 点

6色版

B5 変形判、440 ページ

　数多くのプログラムリストと図表を参照しながら、プログラミング言語 Python と、Python を用いたプログラミングの基礎を徹底的に学習するための入門書です。6色によるプログラムリスト・図表・解説は、すべてが見開きに収まるようにレイアウトされていますので、『読みやすい。』と大好評です。全編が語り口調ですから、著者の講義を受けているような感じで、読み進められるでしょう。

　入門書ではありますが、その内容は本格的であり、中級者や、Java や C 言語などの、他のプログラミング言語の経験者にも満足いただける内容です。

　独習用としてはもちろん、大学や専門学校の講義テキストとしても最適な一冊です。

Python で学ぶアルゴリズムとデータ構造入門書の決定版!!

新・明解Pythonで学ぶアルゴリズムとデータ構造

基本アルゴリズムとデータ構造を学習するための
プログラムリスト 136 編　図表 213 点

2色刷

B5 変形判、376 ページ

　三値の最大値を求めるアルゴリズムに始まって、探索、ソート、再帰、スタック、キュー、文字列処理、線形リスト、2 分木などを、明解かつ詳細に解説します。難しい理論や概念を視覚的なイメージで理解できるように、213 点もの図表を提示しています。

　本書に示す 136 編のプログラムは、アルゴリズムやデータ構造を紹介するための単なるサンプルではなく、実際に動作するものばかりです。すべてのプログラムを読破すれば、かなりのコーディング力が身につくでしょう。

　初心者から中上級者まで、すべての Python プログラマに最良の一冊です。もちろん、情報処理技術者試験対策のための一冊としても最適です。

C++ 入門書の最高峰!!

新・明解 C++ 入門

C++ とプログラミングの基礎を学習するための
プログラムリスト 307 編　図表 245 点　3色刷

B5 変形判、544 ページ

　C言語をもとに作られたという性格をもつため、ほとんどの C++ 言語の入門書は、読者が『C 言語を知っている』ことを前提としています。

　本書は、プログラミング初心者に対して、段階的かつ明快に、語り口調で C++ 言語の基礎とプログラミングの基礎を説いていきます。分かりやすい図表や、豊富なプログラムリストが満載です。

　全 14 章におよぶ本書を読み終えたとき、あなたの身体の中には、C++ 言語とプログラミングの基礎が構築されているでしょう。

C++ を使いこなして新たな飛躍を目指そう!!

新・明解C++で学ぶオブジェクト指向プログラミング

オブジェクト指向プログラミングを学習するための
プログラムリスト 271 編　図表 132 点　2色刷

B5 変形判、512 ページ

　本書は、C++ を用いたオブジェクト指向プログラミングの核心を学習するための教科書です。

　まずは、クラスの基礎から学習を始めます。データと、それを扱う手続きをまとめることでクラスを作成します。それから、派生・継承、仮想関数、抽象クラス、例外処理、クラステンプレートなどを学習し、C++ という言語の本質や、オブジェクト指向プログラミングに対する理解を深めていきます。

　さらに、最後の三つの章では、ベクトル、文字列、入出力ストリームといった、重要かつ基本的なライブラリについて学習します。

最高の翻訳で贈る C++ のバイブル !!

プログラミング言語 C++ 第4版

著者：ビャーネ・ストラウストラップ

翻訳：柴田 望洋

2色刷

B5 変形判、1360 ページ

とどまることなく進化を続ける C++。その最新のバイブルである『プログラミング言語 C++』の第 4 版です。C++ の開発者であるストラウストラップ氏が、C++11 の言語とライブラリの全貌を解説しています。

翻訳は、名著『新・明解 C 言語 入門編』『新・明解 C++ 入門』の著者 柴田望洋です。本書を読まずして C++ を語ることはできません。

すべての C++ プログラマ必読の書です。

最高の翻訳で贈る C++ の入門書 !!

C++ のエッセンス

著者：ビャーネ・ストラウストラップ

翻訳：柴田 望洋

2色刷

B5 変形判、216 ページ

とどまることなく進化を続ける C++。C++ の開発者ストラウストラップ氏が、最新の C++ の概要とポイントをコンパクトにまとめた解説書です。

ここだけは押さえておきたいという C++ の重要事項を、具体的な例題 (コード) を通して分かりやすく解説しています。

すべての C++ プログラマ必読の書です。

Java 入門書の最高峰 !!
新・明解 Java 入門 第2版

Java の基礎を徹底的に学習するための
プログラムリスト 302 編　図表 268 点

3色刷

B5 変形判、520 ページ

　数多くのプログラムリストと図表を参照しながら、Java 言語の基礎とプログラミングの基礎を学習するための入門書です。

　プログラムリスト・図表・解説は、すべてが見開きに収まるようにレイアウトされていますので、『読みやすい。』と大好評です。学習するプログラムには、数当てゲーム・ジャンケンゲーム・暗算トレーニングなど、たのしいプログラムが含まれています。全編が語り口調ですから、著者の講義を受けているような感じで、読み進められるでしょう。

　独習用としてはもちろん、大学や専門学校の講義テキストとしても最適な一冊です。

たくさんの問題を解いてプログラミング開発能力を身につけよう !!
新・解きながら学ぶ Java

作って学ぶプログラム作成問題 202 問 !!
スキルアップのための錬成問題 1115 問 !!

B5 変形判、512 ページ

　「Java のテキストに掲載されているプログラムは理解できるのだけど、どうも自分で作ることができない。」と悩んでいませんか？

　本書は、『新・明解 Java 入門』の全演習問題を含む、全部で **1317 問** の問題集です。教育の現場で学習効果が確認された、これらの問題を制覇すれば、必ずや、Java を用いたプログラミング開発能力が身につくでしょう。

　少しだけ Java をかじって挫折した初心者の再入門書として、Java のサンプルプログラム集として、**あなたの Java プログラミング学習における、頼れるお供となるでしょう。**

Java で学ぶアルゴリズムとデータ構造入門書の決定版 !!

新・明解 Java で学ぶアルゴリズムとデータ構造 第2版

基本アルゴリズムとデータ構造を学習するための
プログラムリスト 102 編　図表 217 点

2色刷

B5 変形判、376 ページ

新・明解　柴田望洋
Javaで学ぶ
アルゴリズムと
データ構造
第2版

Textbook MEIKAI
by Dr.BohYoh Shibata　SB Creative

　Java によるアルゴリズムとデータ構造を学習するためのテキストの決定版です。三値の最大値を求めるアルゴリズムに始まって、探索、ソート、再帰、スタック、キュー、文字列処理、線形リスト、2分木などを、明解かつ詳細に解説します。

　本書に示す 102 編のプログラムは、アルゴリズムやデータ構造を紹介するための単なるサンプルではなく、実際に動作するものばかりです。スキャナクラス・列挙・ジェネリクスなどを多用したプログラムを読破すれば、相当なコーディング力が身につくはずです。

　もちろん、情報処理技術者試験対策のための一冊としても最適です。

SBクリエイティブの柴田望洋の著作

・・ ホームページのお知らせ ・・・・・・・・・・・・・・・・・・・・・・・・・・・・・・・

　ご紹介いたしました、すべての著作について、本文の一部やソースプログラムなどを、
インターネット上で閲覧したり、ダウンロードしたりできます。
　以下のホームページをご覧ください。

　柴田望洋後援会オフィシャルホームページ
　　　https://www.bohyoh.com/